2024-2025年版

調剤報酬請求事務

検定&実務ハンドブック

調剤薬局事務学会 ● 著

日本能率協会マネジメントセンター

本書の内容に関するお問い合わせについて

　平素は日本能率協会マネジメントセンターの書籍をご利用いただき、ありがとうございます。

　弊社では、皆様からのお問い合わせへ適切に対応させていただくため、以下①〜④のようにご案内しております。

①お問い合わせ前のご案内について

　現在刊行している書籍において、すでに判明している追加・訂正情報を、弊社の下記 Web サイトでご案内しておりますのでご確認ください。

https://www.jmam.co.jp/pub/additional/

②ご質問いただく方法について

　①をご覧いただきましても解決しなかった場合には、お手数ですが弊社 Web サイトの「お問い合わせフォーム」をご利用ください。ご利用の際はメールアドレスが必要となります。

https://www.jmam.co.jp/inquiry/form.php

　なお、インターネットをご利用ではない場合は、郵便にて下記の宛先までお問い合わせください。電話、FAX でのご質問はお受けしておりません。

〈住所〉　〒 103-6009　東京都中央区日本橋 2-7-1　東京日本橋タワー 9F

〈宛先〉　㈱日本能率協会マネジメントセンター　ラーニングパブリッシング本部　出版部

③回答について

　回答は、ご質問いただいた方法によってご返事申し上げます。ご質問の内容によっては弊社での検証や、さらに外部へ問い合わせすることがございますので、その場合にはお時間をいただきます。

④ご質問の内容について

　おそれいりますが、本書の内容に無関係あるいは内容を超えた事柄、お尋ねの際に記述箇所を特定されないもの、読者固有の環境に起因する問題などのご質問にはお答えできません。資格・検定そのものや試験制度等に関する情報は、各運営団体へお問い合わせください。

　また、著者・出版社のいずれも、本書のご利用に対して何らかの保証をするものではなく、本書をお使いの結果について責任を負いかねます。予めご了承ください。

はじめに

　本書は、初めて保険薬局事務に携わる方々を中心に、基礎力を身につけるように作成されたものです。

　保険薬局事務に関する書籍は何冊も市販されていますし、通信講座も多く開講されています。そのような中で本書は、次の視点をもって作成しました。

・多くの書籍や通信講座の教材は、検定試験の対策で作成されています。しかし、本書はそれだけにとどまらず、検定試験を離れて、業務に対応できるように配慮しました。
・もちろん本書も各種の検定試験に合格できるよう、検定試験の過去問題を分析しました。その分析の中でも、出題頻度の高いものと低いものとがありましたので、その頻度に応じて重要度をランク付けしました。
・冗長な説明にならないように、説明部分については見開き偶数ページで構成することを原則とし、図表などを多く用いて、簡素・簡潔な表現を心がけました。一方、問題とその解説に内容説明の要素を持たせ、問題を解くことによって、自然に力がつくように配慮しました。

　本書は、専門学校で教鞭をとる者を中心に、実際に現場で勤務している者の視点を最大限に取り入れながら作成されました。

　類書とはやや異なる視点で作成された本書が、読者にとって少しでもスキルアップを図ることにつながるとするならば、これ以上に勝る喜びはありません。

2024 年 7 月

調剤薬局事務学会

本書の活用法

本書の Chapter 1 から Chapter 6 までは、各テーマのポイント解説と、関連する演習問題としてのチェックテストで構成されています。両者を交互に確認したり、つき合わせて見比べたりすることで理解がしやすくなっています。

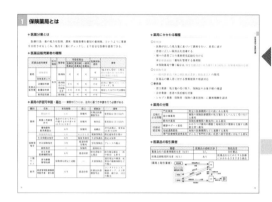

●初めて調剤報酬請求事務を学習する方

まずはポイント解説を通読し、それからチェックテストに取り組みましょう。

●調剤報酬請求事務を学習されたことのある方

チェックテストからとりかかってポイント解説で確認し、今の理解度を測ってみましょう。

各テーマのポイントを解説した部分には、調剤報酬請求事務を行うにあたって学ぶべきことを簡潔に示してあります。そして、演習問題のチェックテストには、解説部分の定着を図る基本問題や応用問題が掲載されています。

チェックテストの設問文では、特に指示のない限り次の通り解答してください。

・文末に〔 ○ or × 〕とあるものについては、その文の正誤を答えてください。
・文中に〔　　　〕または〔a.　　　〕〔b.　　　〕とあるものについては、当てはまる用語や数値などを答えてください。
・設問内に①、②、③とある場合は、その中から適当なものを選んでください。

なお、設問に付けられた★が多いほど、重要かつ各種検定試験によく出題されています。繰り返し触れることで試験対策になりますので、参考にしてください。

Chapter 7では、調剤報酬についてケーススタディで学習します。このケーススタディにより、「調剤報酬請求事務」試験におけるレセプトを使った問題対策はもちろん、レセプト作成の実務についても学ぶことができます。

また、単純にレセプトを完成させるだけではなく、完成にあたっての手順や考え方についても演習問題を設けていますので、より理解が進む構成となっています。（理解が進んできたら、処方箋の条件と薬価だけでレセプトを作成してみましょう。）

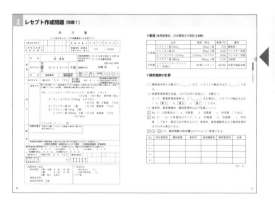

実務におけるレセプト作成は電子化が進んでいますが、最も効率的で理解が深まる学習法は「手を動かす」ことです。そこで、別冊には付録として、白紙のレセプトを収録しました。

レセプト作成の学習にぜひご活用ください。

「手を動かす」学習法は、レセプト作成に限らず、学科試験においても有効です。

本書を読むだけではなく、実際に手を動かして、気づいたことを書き込んで、本書をノートのように「育てていく」ことが、調剤報酬請求事務を理解する上では大切です。

ぜひとも、本書を自分好みに育てて、調剤報酬請求事務をマスターしていってください。

●点数計算の過程を解く

レセプトの解答欄を埋めることだけを考えず、正確な計算方法を身につけます。

●レセプト作成等を
　繰り返し学習

別冊の P.86 ～ 87 を広げてコピーすることで、試験等とほぼ同じ A4 サイズのレセプトでの学習を繰り返せます。

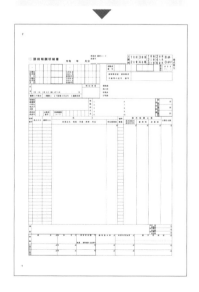

Contents

保険薬局の基礎知識

医薬品の基礎知識

Chapter 6

レセプト（調剤報酬明細書）の作成

Chapter 7

調剤報酬ケーススタディ

本書の法制度および調剤報酬点数・薬価点数につきましては、特にことわりがない場合は刊行時点の情報を記載しております。

ただし、2024年内に改定が見込まれている「医療DX推進体制整備加算」「医療情報取得加算」につきましては、改定予定がある旨を注釈に入れつつ、2024年10月までに追補資料を弊社HP（https://pub.jmam.co.jp/）にて公開する予定です。

「調剤報酬請求事務」資格 & 試験概要

✦「調剤報酬請求事務」の資格の位置付け

　実際に調剤を行う薬剤師は国家資格であり、業務として行うには必ず資格を取得した者が行わなければなりません。しかし、調剤報酬請求事務（保険薬局事務）にはそのような制度は設けられていません。調剤報酬請求事務には、業界でも認知されているさまざまな民間資格がありますが、理屈として、未経験者や無資格者が就業しても問題ありません。

　とはいえ、どの業界でも当てはまることですが、保険薬局が求人を行う際には、できるだけ即戦力を求めたいと考えます。そうなりますと、未経験者よりも経験者、無資格者よりも有資格者であるほうが就職に有利となります。また、すでに就業されている方でも、自身の能力の証明として取得しておくと、職場での評価や離職後の再就職で評価されやすくなります。

✦「調剤報酬請求事務」の資格の選び方

　「調剤報酬請求事務」の資格には、先ほど述べたようにさまざまな民間資格があり、難易度や受験資格、試験で問われる内容もそれぞれ異なります。資格の種類が多いことと、業務において資格の取得が絶対ではないことから、各資格の業界での評価にも差があります。資格の取得には時間と費用がかかるため、コストをかけた割に評価がなされない、ということは避けたいところです。では、どのような資格を選ぶべきでしょうか。

　これもどの業界でも当てはまることですが、評価されやすい資格とは、誰でも取得できるような簡単なものではなく、しっかりとした学習が必要な試験の資格です。合格率が1桁のようなあまりにも難しい資格は学習の時間と費用のコストが膨大になってしまいますが、幸い「調剤報酬請求事務」の資格には合格率が極端に低い資格はありません。きちんと学習すれば十分合格できるレベルの資格ですので、取得することがおすすめです。

　また、「調剤報酬請求事務」の資格には、受験資格が不問のものと、予備校や通信講座など特定の教育機関での受講が条件のものがあります。後者は講義が受けられる分だけ基礎からの理解がしやすいですが、取得難易度の低いものが多く、また受講の費用もかかる傾向にあります。そのため、本書では前者を推奨する立場を取っており、その前者でおすすめの資格を2つご紹介したいと思います。

✚ 調剤事務管理士®

　「調剤事務管理士®」は、JSMA（技能認定振興協会）が認定しているメジャーな「調剤報酬請求事務」資格の１つです。受験資格が設けられておらず、インターネット試験（IBT）と在宅試験が年間を通して実施されているため、独学の方でも受験しやすいことが特徴です。

　インターネット試験では、受験申込みを完了してインターネット接続ができれば、自分の好きな時に好きな場所での受験が可能です。一方の在宅試験では申込みが完了したら、受験日の約３日前頃に試験問題等が郵送されてくるので、受験日後の提出期限までに答案を作成し、同封された提出用封筒で返送します。

　受験の際はテキストやノート等の資料、計算機を使用して答案作成を行えますが、合格基準をクリアするためには、より正しい理解をした上での解答が求められます。

　資格および試験の詳細につきましては、JSMAの公式ホームページ（https://www.ginou.co.jp/qualifications/chozai-jimu.html）をご確認ください。

○試験概要

	在宅試験	インターネット受験
受験資格	なし	
試験日	毎月（第４土曜日翌日の日曜日）	好きな時に受験可能
試験内容	（１）実技試験／マークシート（択一式）で調剤報酬明細書を作成（２問）・・・調剤報酬明細書を点検・作成するために必要な知識。 （２）学科試験／マークシート（択一式）で10問解答・・・法規（医療保険制度、調剤報酬の請求についての知識）、調剤薬局請求事務（調剤報酬点数の算定、調剤報酬明細書の作成、薬剤用語についての知識）	（１）実技試験／画面上（択一式）で調剤報酬明細書を作成（２問）・・・調剤報酬明細書を点検・作成するために必要な知識。 （２）学科試験／画面上（択一式）で10問解答・・・法規（医療保険制度、調剤報酬の請求についての知識）、調剤薬局請求事務（調剤報酬点数の算定、調剤報酬明細書の作成、薬剤用語についての知識）
合格基準	（１）実技試験／レセプトの作成問題ごとに約60％以上の得点をし、かつ、２問の合計で約80％以上得点すること （２）学科試験／約80点以上得点すること ※実技・学科ともに合格基準に達した場合に合格と判定	学科試験および実技試験の総合計が70％以上の得点
合格発表	受験日から１か月以内に文書で通知	受験終了後、実施結果画面に表示
受験料	6,500円（税込）	

※ JSMA「調剤事務管理士®技能認定試験」公式ホームページ（2024年7月時点）の内容をもとに作成。

✦「調剤報酬請求事務専門士」

「調剤報酬請求事務専門士」は、一般社団法人専門士検定協会が認定している資格です。

こちらも受験資格は設けられていませんが、当資格は１～３級に分かれており、自身の理解度や学習進度に応じた段階的な受験が可能です。設問の多さと試験範囲の広さから難易度が高く、特に１級は合格率が約20％と、数ある調剤事務の資格でも最難関に位置します。また、取得後も２年に１度の更新制度が設けられていますが、その分、薬局の受験者も多く、取得に対する評価が高い資格でもあります。

隣り合う級の併願も可能ですが、まずは３級（合格率約70～80％）から受験し、自身の実力を固めていきましょう。

資格および試験の詳細につきましては、一般社団法人専門士検定協会内にあります、調剤報酬請求事務専門士検定協会の公式ホームページ（https://www.isiyaku.org/）をご確認ください。

○試験概要（３級）

受験資格	なし
試験日	年２回 原則、7・12月の第１土曜日
合格発表	検定試験終了後、約１か月後より、郵送にて順次発送
試験会場	北海道・仙台・東京・名古屋・大阪・兵庫・福岡 通信受験（電話回線を利用したFAX受験）
試験時間	学科60分／実技60分
試験内容	・学科　択一式（マークシート） 　基礎30問 　保険薬局と薬局業務の流れ／調剤報酬請求（点数算定の正しい知識と解釈）／在宅業務／調剤業務補助／個人情報保護法／薬剤の基礎知識と医療関連法規／社会保障制度（医療保険の種類、介護保険制度、公費負担医療制度）／患者接遇 ・実技　処方箋から調剤報酬明細書の設問箇所の点数を求める（マークシート） 　処方箋３症例（設問箇所の点数を求める）
受験料	個人会場受験6,108円／個人通信受験9,738円／法人会員5,225円 （いずれも税込）

※「調剤報酬請求事務専門士検定協会」公式ホームページ（2024年7月時点）の内容をもとに作成。

1

保険薬局の基礎知識

Contents

皆さんが保険薬局で勤務をしようとするならば、そもそも「保険薬局がどんなことを行うのか」を知る必要があります。この章では、保険薬局とは何か、保険薬局ではどのような人々や業者がかかわるのか、そしてその業務について学ぶことにしましょう。

1 保険薬局とは

✚ 医薬分業とは

　医療行為・薬の処方を医師、調剤・服薬指導を薬局の薬剤師、というように業務を分担させるしくみ。処方を二重にチェックし、より安全な医療を提供できる。

✚ 医薬品販売業者の種類

医薬品販売業者		許可権者	管理者	取扱医薬品			医療保険適用	備考
				医療用医薬品	要指導医薬品	一般用医薬品		
薬局	保険薬局	知事	薬剤師	可	可	可	可	「処方せん受付」と明示 厚生労働大臣（地方厚生（支）局長）の指定
	保険薬局以外						不可	
医薬品販売業	店舗販売業		薬剤師または登録販売者	不可	可	可	不可	店名に「薬の○○」「○○ドラッグ」等
	配置販売業			不可	不可	可	不可	使用した分だけ代金徴収
	卸売販売業		薬剤師	可	可	可	不可	

✚ 薬局の許認可申請・届出 —— 業務を行うには、法令に基づき申請を行う必要がある

種別	名称	有効期間	窓口	根拠法	備考
薬局	開設許可	6年	保健所	医薬品医療機器等法	変更届は30日以内
	麻薬小売業者許可	免許の日からその日の属する年の翌々年12月31日まで	保健所	麻向法	変更届は15日以内
	毒物劇物販売業届出	6年	保健所	毒劇法	許可証掲示、変更届は30日以内
保険等指定	保険薬局指定	6年	地方厚生局	健康保険法	指定通知書を掲示
	生活保護法指定	6年	福祉事務所	生活保護法	指定は知事
	労災保険指定	3年	都道府県労働局	労災保険法	プレートの掲示
	結核指定	—	保健所	感染症法	
	自立支援医療機関指定	6年	都道府県	障害者総合支援法	政令指定都市（一部中核市）も担当
介護サービス	居宅療養管理指導	保険薬局指定と連動	—	介護保険法	運営規定の概要、従業員の勤務体制などの掲示
販売	高度管理医療機器等販売業・貸与業	6年	都道府県	医薬品医療機器等法	コンタクトレンズ、輸液ポンプ、人工呼吸器、縫合糸、AEDの販売

✚薬局にかかわる職種

○薬剤師

・医師が出した処方箋に基づいて調剤を行い、患者に渡す

・患者に正しい服用法を指導する

・個々の患者ごとの薬剤使用記録を付ける

　※管理薬剤師：薬局を管理する薬剤師

　※保険薬局で働く場合は、厚生労働大臣（地方厚生（支）局長）に保険薬剤師の登録

○登録販売者

・一般用医薬品（第二類医薬品と第三類医薬品）の販売

・医薬品の購入者に対する情報提供や相談対応

○事務員

・窓口業務：処方箋の受け取り、保険証やお薬手帳の確認

・会計業務：患者の負担額を計算

・レセプト業務：保険者（保険の運営団体）に調剤報酬を請求

✚薬局の分類

立地による形態	門前薬局	特定の医療機関の目の前にある薬局
	面分業薬局	複数の保険医療機関の処方箋をまんべんなく受け付ける薬局
	敷地内薬局	保険医療機関の敷地内にある薬局
行政の認定等	健康サポート薬局	かかりつけ薬局の機能と地域住民の健康を支援する機能を持つ薬局
	地域連携薬局	地域の医療機関などと連携する薬局
	専門医療機関連携薬局	がんなど専門性が高い疾患の薬学管理に対応する薬局

✚医薬品の取引業者

職種	医薬品の価格交渉	取扱品目
製薬会社の医薬情報担当者（MR）	なし	自社製品
医薬品卸販売担当者（MS）	あり	医薬品をはじめとする医療にかかわるさまざまな商品

〈薬局と取引業者〉

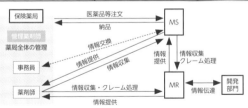

✚ 日常業務の流れ（網掛け部分は主に薬剤師が行う業務）

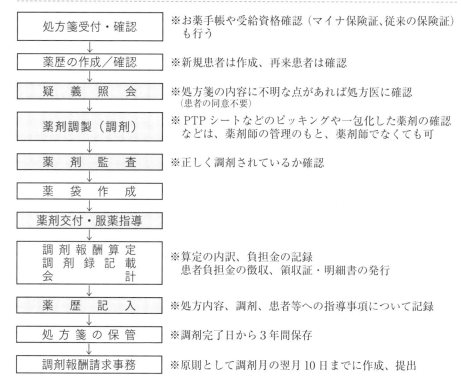

処方箋受付・確認	※お薬手帳や受給資格確認（マイナ保険証、従来の保険証）も行う
薬歴の作成／確認	※新規患者は作成、再来患者は確認
疑　義　照　会	※処方箋の内容に不明な点があれば処方医に確認（患者の同意不要）
薬剤調製（調剤）	※ PTP シートなどのピッキングや一包化した薬剤の確認などは、薬剤師の管理のもと、薬剤師でなくても可
薬　剤　監　査	※正しく調剤されているか確認
薬　袋　作　成	
薬剤交付・服薬指導	
調 剤 報 酬 算 定 調 剤 録 記 載 会　　　　計	※算定の内訳、負担金の記録 　患者負担金の徴収、領収証・明細書の発行
薬　歴　記　入	※処方内容、調剤、患者等への指導事項について記録
処 方 箋 の 保 管	※調剤完了日から 3 年間保存
調剤報酬請求事務	※原則として調剤月の翌月 10 日までに作成、提出

✚ 業務の心構え

○迎え入れ

＊挨拶、保険証の確認※、処方箋の受け取り

> ※オンライン資格確認システムの導入薬局では、患者がマイナ保険証をカードリーダーに読み込ませ、手続きを行える（P.22 参照）。

・笑顔で挨拶、処方箋の受け取りは両手が基本

・待ち時間が長そうな場合は、事前に患者へ説明する

　※患者が保険証を忘れたときは、原則として自費扱いとする

　　（ただし、同月内に保険証を持参してきた場合に、自己負担分を除いた額を返金する保険薬局もある）

＊お薬手帳の確認……患者が持っていない場合は、作成を勧める

＊処方箋に不備がないか確認（P.54 ～ 56 参照）

・使用期限切れ→医師に再発行してもらうよう促す

・処方医の捺印（または署名）漏れ→疑義照会

・偽造処方箋：処方箋の印字、紙質、在庫確認、処方の催促等の不審な行動に注意

※偽造処方箋を発見→調剤せず疑義照会、警察へ通報、保健所・薬剤師会等へ連絡

＊新患、再来の確認

→新規もしくは来局間隔があいている場合は問診票の記入を依頼

「医薬品の安全使用のために必要な情報」などと目的を伝え、丁寧に依頼

＊保険情報の確認（再来患者）

保険者番号、記号・番号、公費負担者番号がレセコン※の情報と一致しているか確認

※レセコン：調剤報酬を計算するコンピュータ

〇窓口会計

＊名前をフルネームで確認

＊一部負担金の確定　　※ポイントカード等のポイント付与や割引は厳禁！

＊預り金の確認　　「〇〇円お預かりいたします」

＊レジ操作：入金→釣銭用意

＊領収証・明細書の交付と釣銭の確認　　※領収証・明細書の交付は義務

＊挨拶　　「お大事になさってください」「お大事にどうぞ」

〇守秘義務 （厚生労働省「診療情報の提供等に関する指針」参照）

正当な理由なく、患者の同意なしに、患者以外の者への情報提供は認められない。

〇基本的な言葉遣い

場面	言葉遣いの例
保険証の確認	保険証を拝見いたします。
書類の記入のサポート	私が（書類を）お書きいたします。／私がお手伝いいたします。
話が聞き取りにくいとき	申し訳ございませんが、もう一度おっしゃっていただけますか。
用事を頼まれたとき	かしこまりました。
依頼が受けられないとき	申し訳ございません。〇〇をすることはいたしかねます。
知らないとき	存じません。／（人に対して）存じ上げません。
他のスタッフに取り次ぐとき	少々、お待ちくださいませ。
患者に詫びるとき	申し訳ございませんでした。／ご迷惑をおかけいたしました。
再度、薬を取りに来局されるとき	いつごろ、いらっしゃいますか。／いつごろお見えになりますか。

Chapter 1 チェックテスト

1 保険薬局とは

Q.1 ▶ 医師が患者を診察して薬を処方し、薬剤師が処方された薬を監査、調剤する
★★ システムを〔　　　　〕という。

Q.2 ▶ 薬局の開設者は薬剤師でなければならない。　　　　　〔　○　or　✕　〕
★

Q.3 ▶ 薬局は、医薬品医療機器等法において、「薬剤師が販売又は授与の目的で
★★ 〔　　　　〕の業務を行う場所」とされている。

Q.4 ▶ 次の医薬品販売業のうち、保険薬局へ医薬品を販売するものはどれか。
★★ ① 店舗販売業　　② 配置販売業　　③ 卸売販売業

Q.5 ▶ 薬局は一度開設許可を受けると更新の必要はない。　〔　○　or　✕　〕
★

Q.6 ▶ 麻薬を調剤する保険薬局の免許の有効期間は2年である。〔　○　or　✕　〕
★★

Q.7 ▶ 保険薬局が麻薬が書かれた処方箋を受け付け、麻薬を調剤する場合は
★★★ 〔　　　　〕の免許を取得する必要がある。

Q.8 ▶ 保険薬局が保険調剤を行うためには、〔a.　　　〕の指定を受け、その後は
★★★ 〔b.　　〕年ごとに更新を行う。

Q.9 ▶ 保険薬局は生活保護法による指定をいったん受けると、更新の必要はない。
★★ 〔　○　or　✕　〕

Q.10 ▶ 株式会社が運営する保険薬局が生活保護法にかかわる処方箋を取り扱うに
★★ は、指定保険薬局としての届出を、原則として所在地を管轄する地方厚生(支)
局長等に申請しなければならない。　　　　　　　　〔　○　or　✕　〕

Q.11 ▶ 薬局で労災保険を取り扱うには、〔　　　　〕長の指定を受ける必要がある。
★★

Q.12 ▶ 保険薬局が、介護保険の居宅療養管理指導を行う場合は、都道府県知事の許
★★ 可を受けなければならない。　　　　　　　　　　　〔 〇 or ✕ 〕

Q.13 ▶ 薬局の管理者は登録販売者でもよい。　　　　　　〔 〇 or ✕ 〕
★★

Q.14 ▶ 薬剤師が保険薬局で保険調剤を行うには、地方厚生（支）局長の登録を受け、
★★★ 保険薬剤師となる必要がある。　　　　　　　　　〔 〇 or ✕ 〕

Q.15 ▶ 次のうち、薬剤師しか行うことのできない業務はどれか。
★★ ① 調剤報酬の算定　　② 服薬指導
③ 調剤録作成　　④ レセプト作成

Q.16 ▶ 患者が継続して利用するために必要な機能及び個人の主体的な健康の保持増
★ 進への取り組みを積極的に支援する機能を有する薬局のことを〔　　　　　〕
という。

2 保険薬局業務の流れ

Q.1 ▶ 保険医療機関で出された処方箋の原本の写真をスマートフォンで撮影し、保
★★ 険薬局にメール送信した。患者は、保険薬局の受付でスマートフォンの写真
画面を見せれば薬剤を受け取ることができる。　　〔 〇 or ✕ 〕

Q.2 ▶ 薬剤師が処方箋をもとに調剤を行う際、処方箋の記載に疑問点や不明点を感
★★ じた場合に処方した医師に対して内容の確認を行うことを〔　　　〕という。

Q.3 ▶ 調剤が完結した処方箋は、〔a.　　　〕から〔b.　　　〕年間保存しなければ
★★ ならない。

Q.4 ▶ 待ち時間が長いことが予想される場合は、受付時に患者へ説明するのがよい。
★★★ 〔 〇 or ✕ 〕

Q.5 ▶ 個人情報保護法では、保険薬剤師が医師へ疑義照会する場合、本人の同意が
★★ 必要である。　　　　　　　　　　　　　　　　　〔 〇 or ✕ 〕

Q.6 ▶ 処方箋医薬品を調剤している常連の患者から「薬をなくしてしまったので、もう一度お薬がほしい」とお薬手帳を差し出された。この場合、調剤して患者に渡しても差し支えない。 〔 ○ or × 〕
★★

Q.7 ▶ 処方箋医薬品を調剤している常連の患者が、「忙しくて医者に行く暇がないので、いつもの薬がほしい」とお薬手帳を差し出した。薬局は医薬品を調剤して差し支えない。 〔 ○ or × 〕
★★

Q.8 ▶ 処方箋を受け取る場合は、笑顔で明るく挨拶し、必ず両手で処方箋を受け取る。 〔 ○ or × 〕
★★★

Q.9 ▶ 偽造処方箋が疑われる場合、まず処方医に疑義照会を行うことが大切である。 〔 ○ or × 〕
★

Q.10 ▶ 保険薬局が独自で発行しているポイントカードへの一部負担金のポイント付与は禁止されている。 〔 ○ or × 〕
★★

Q.11 ▶ 番号で患者を呼び出した場合、患者から番号札を受け取れば患者本人の確認が済んだことになる。 〔 ○ or × 〕
★★

Q.12 ▶ 調剤薬局に勤務する事務員は、正当な理由がない限り、業務上知り得た「患者及び調剤等の秘密」を他に漏らしてはならない。 〔 ○ or × 〕
★★★

Chapter 1　受付から薬の受け渡しまでに必要なアイテム

■薬局でよく用いられるもの

種類	説明
お薬手帳	薬の服用履歴や、既往症、アレルギーなど、医療関係者に必要な情報を記載する手帳
問診票	現在の心身の状態や、病歴・アレルギーの有無などについての質問をまとめた書類
薬袋	薬を入れる袋。薬剤の情報が印字されることもある
薬剤情報提供書	薬の名称、効能・効果、用法・用量、副作用などの注意事項が書かれた書類
調剤録	調剤内容を記録したもの。算定点数の内訳や患者負担金額なども併せて記録する
薬剤服用歴（薬歴）	適切な調剤や服薬指導に役立てる目的で、服用している薬の内容、副作用歴、アレルギーや説明した内容を記録したもの

■オンライン資格確認システムと電子処方箋

　2023年4月1日から、紙でレセプト請求を行っている医療機関を除き、患者が保険診療での受診可否の確認をオンライン資格等確認システムで行うことが義務づけられます。また、電子処方箋は医師・歯科医師・薬剤師間でオンライン資格等確認システムのしくみを用いて処方箋情報をやり取りするしくみで、医師・歯科医師が登録し、薬剤師が確認して薬を用意します。

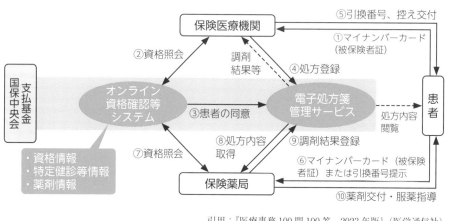

引用：『医療事務100問100答　2023年版』（医学通信社）

2

医薬品の基礎知識

Contents

薬局では、さまざまな医薬品を取り扱います。医薬品にはどのような種類があり、それらがどのような働き方をするのでしょうか。そして、医薬品をどのように取り扱ったらよいのでしょうか。本章ではこれらのことを学ぶことにしましょう。

1 医薬品の定義と分類

✚医薬品とは

○日本薬局方※に収められているもの

○ヒトや動物の疾病の診断・治療・予防を行うために与えるもの

○ヒトや動物の身体の構造または機能に影響を及ぼす目的とされているもの

○上記のうち、機械器具等ではないもの

※日本薬局方：医薬品医療機器等法に基づいて定められた医薬品の規格基準書

✚医薬品の分類

○医療用医薬品、要指導医薬品、一般用医薬品

医薬品の分類		定義	販売業者	対応する専門家		通信販売	備考
医療用医薬品		医師や歯科医師の診断・処方に基づいた使用が義務付けられている医薬品	薬局のみ	薬剤師		不可	さらに、処方箋医薬品と処方箋医薬品以外、薬価基準収載と薬価基準未収載に分けられる。
OTC薬※1	要指導医薬品	一般の人が自らの判断で使用する医薬品のうち、購入時に薬剤師から書面で説明を受けなければならないもの	薬局または医薬品販売業者	薬剤師		不可	スイッチOTC※2直後の医薬品や、毒薬・劇薬などが該当する。
	一般用医薬品	一般の人が薬局等で購入し、自らの判断で使用する医薬品		第一類	薬剤師	可	薬局等には情報提供義務がある。
				第二類	薬剤師または登録販売者		情報提供は薬局等の努力義務である。
				第三類	薬剤師または登録販売者		購入者から希望がない限り、薬局等に情報提供義務はない。

※1　OTC薬：薬局等で直接購入できる医薬品のこと
※2　スイッチOTC：医療用医薬品として用いられた成分をOTC薬に転用したもの

○薬局製造販売医薬品※

・薬局の設備・器具を用いて製造し、販売される医薬品。

・薬局において、製造販売業許可、製造業許可、製造販売承認が必要。

※医療用医薬品とあわせて「薬局医薬品」という。

〇先発医薬品と後発医薬品

先発医薬品	新しい効能や効果を有し、動物実験や臨床試験を通じて、その有効性や安全性が確認され、承認された医薬品
後発医薬品	先発医薬品の特許が切れた後に、先発医薬品と成分や規格が同一で、有効性や安全性も同等と承認された医薬品。「ジェネリック医薬品」「ゾロ」ともいわれる。なお、先発医薬品の製薬会社が、先発医薬品と全く同じ方法で製造した後発医薬品のことをオーソライズドジェネリック（AG）という。

〇医薬品の名称

名称の種類	定義	例
化学名	医薬品の有効成分である化学物質の化学構造式の名前。 原則として処方箋には記載されない。	N-(4-Hydroxyphenyl) acetamide
一般名	医薬品の有効成分である化学物質の一般的な名称。	アセトアミノフェン
商品名 （銘柄名）	製薬会社が自由に命名した名称。 医療用医薬品の場合は薬価基準の名称。 「ブランド名」「剤形」「含量（濃度）」で構成される。	カロナールシロップ２％ カロナール細粒 20% カロナール錠 200
局方名	日本薬局方に収載された医薬品。医薬品の直接の容器や被包、添付文書に記載。	日本薬局方 アセトアミノフェン

2 医薬品の剤形とその種類

✚ 剤形 —— 目的、用途に応じ適切に加工した医薬品の形状のこと

✚ 内用薬 —— 口から飲み込み、胃や小腸で溶けて吸収される医薬品

種類	説明
散剤	医薬品をそのままもしくは賦形剤※を加え、粉末または微粒状にしたもの
顆粒剤	医薬品をそのままもしくは賦形剤を加え、粒子のそろった粒状にしたもの 散剤の数十倍〜数百倍の大きさ
丸剤	医薬品に賦形剤などを加え、球状にしたもの
錠剤	有効成分をそのままもしくは賦形剤を加え、一定の形状に圧縮したもの
素錠（裸錠）	表面に加工がされていないもの
糖衣錠	錠剤の表面を白糖によりコーティングしたもの
口腔内崩壊錠 　（OD錠）	口中の唾液で速やかに崩壊するもの
チュアブル錠	口中でかみ砕いてから服用するもの
舌下錠	有効成分を舌下で速やかに溶解させ、口腔粘膜から吸収させるもの 肝臓の門脈を経ないで循環血に到達する
バッカル錠	頬と歯茎の間にはさみ、唾液でゆっくりと溶かせて口腔粘膜から吸収させるもの
発泡錠	水中で急速に発泡しながら溶解または分散するもの
腸溶錠	胃の中で溶けず、腸に達してから溶けるようにコーティングしたもの
徐放錠	一定時間有効成分が放出されるように調整されたもの
カプセル剤	液状や粉状の医薬品をシートやカプセル容器で包んだもの
内用液剤	内服して用いる液状の製剤で、効果が早く現れるもの
シロップ剤	液状の薬で、医薬品に白糖や甘味料を加えて甘味をつけた液剤
ドライシロップ	糖類か甘味料で甘く味付けられた、水に溶かして飲むタイプの顆粒状・粉末状の医薬品
エリキシル剤	甘味・芳香をもち、エタノールを含む透明な液剤
懸濁剤	固形の医薬品に懸濁化剤と精製水または油を加えてかき混ぜた、濁った状態の液剤
リモナーデ剤	甘味および酸味のある澄明な液剤
生薬関連製剤	植物や動物、鉱物などの天然産物由来の医薬品
浸剤、煎剤	生薬を精製水で浸出した液剤で、浸出法の違いにより浸剤、煎剤に区別

※賦形剤：主薬の量が少ない場合に一定の大きさや濃度にする目的で添加されるもの

錠剤 　　カプセル剤 　　顆粒剤

✦ 外用薬 —— 皮膚や鼻の粘膜、目などに直接使用する医薬品

	種類			説明
吸入	吸入剤			口から吸い込むことで体内に薬物を投与するもの
皮膚適用	リニメント剤			皮膚にすり込んで使う、液状または泥状のもの
	ローション剤			医薬品を水性の液中に溶解、懸濁、乳化などして、皮膚に塗布する液状のもの
	エアゾール剤（エアロゾル）			固体または液体の医薬品を容器に詰め、容器内のガスの圧力により噴出して用いるようにしたもの
	軟膏剤			ベースとなる成分（基剤）に有効成分を混ぜ合わせてつくられているもの
		軟膏		白色ワセリンなどの油性基剤をベースにしたもの
		クリーム		油性成分に加え、水やグリセリンなどの水分を含むもの
		パスタ剤		多量の粉末薬品を軟膏状にしたもの
	貼付剤（ちょうふざい）			粘着剤に医薬品を混ぜて布やプラスチックフィルムなどに塗って成型し、皮膚に貼付して用いるもの
		パップ剤		水性型の貼付剤
		プラスター（テープ）剤		油性型の貼付剤
	経皮吸収型製剤			皮下の血管から全身に作用させる目的で、皮膚に密着させて用いるもの
粘膜適用	トローチ剤（錠）			口腔内でゆっくり溶かして、溶け出した成分を口腔内や咽喉部に広げる錠剤
	坐剤			体温や臓器内の分泌液により、徐々に溶けて有効成分が体内に浸透する固形のもの 肝臓を経由せずに全身血流に入る
		肛門坐剤		痔の治療や解熱鎮痛を目的として肛門に用いる坐剤
		膣坐剤		膣炎の治療や黄体ホルモン補充の目的で膣に用いる坐剤
		注入軟膏		痔の治療目的で、肛門内外の患部に塗布または注入する軟膏
	その他	点眼剤		目に垂らして用いる液状の薬剤
		点耳剤		耳内にスポイトなどで注入する薬剤
		点鼻剤		鼻腔に用いられる液剤

吸入剤　　坐剤　　貼付剤

✦ 注射薬 —— 注射針を用いて皮内、皮下の組織または血管内などに直接投与する液状の医薬品

容器の種類	説明
アンプル	薄いガラスでできている密封容器
バイアル瓶	ガラスもしくはプラスチックでできた瓶にゴムで栓をしたもの
その他	シリンジ：注射器の筒／キット製剤：注射薬があらかじめシリンジに充填されたもの

3 医薬品の取扱いと保管

✤医薬品の納入・検品

```
┌──────────┐   医薬品・伝票   ┌──────────┐
│ 医薬品卸売 │ ─────────────→ │          │
│ 販売業者   │                 │  保険薬局 │
│          │ ←───────────── │          │
└──────────┘   伝票確認      └──────────┘
```

○伝票の確認

　・自店舗の伝票か？

　・記載されている医薬品の名称・規格・数量が納入された医薬品と一致しているか？

○医薬品の在庫が僅少で、調剤が困難な場合

　　医薬品卸売販売業者に連絡／周辺の薬局に小分け依頼する。

　　→患者には後日来局、医薬品が届き次第郵送、他店舗への紹介などの対応をする

✤医薬品の容器

種類	目的	例
密閉容器	固形の異物の混入を防ぐ	紙袋、箱
気密容器	固形または液状の異物の侵入を防ぐ	ガラス瓶、缶、プラスチック容器
密封容器	気体の侵入を防ぐ、最も厳密な容器	アンプル、バイアル

✤医薬品の包装

包装の種類		説明	
ヒート包装		特殊なフィルムの袋に薬を入れ、フィルムどうしを熱で溶かし癒着させて密閉する包装。	
	PTP 包装	錠剤やカプセルなどを押し出すタイプの包装。板状にまとめられているものを PTP シートという。	
	ストリップ（SP）包装	錠剤やカプセルなどを連続した帯状に包装し、熱によりシールされているもの。	
ピロー包装		PTP 包装や SP 包装の薬剤を一定量まとめてさらにアルミ箔やポリエチレンで包装したもの。	
バラ包装（非単位包装）		個別に包装されないまま、散剤、錠剤、カプセル剤が一定量保存されたもの。	

✚ 医薬品の保存条件 —— 温度、湿度、光、酸素（空気）に注意

○温度……原則は具体的な温度表記。以下の表記の場合もある。

標準温度	20℃
常温	15 〜 25℃
室温	1 〜 30℃
微温	30 〜 40℃
冷所	別に規定するもののほか 1 〜 15℃

（日本薬局方通則 16 より）

○湿度

・PTP シートやピロー包装で未開封状態の場合は防湿対策が取られているが、開封後は注意。

・湿気の多い季節には乾燥剤などを利用する場合もある。

○光……「遮光保存」とされているものは、遮光容器を使用。直射日光や室内灯から防護する。

○酸素（空気）……空気中の酸素と反応して変質する恐れがあるものは、湿度と同様、開封後に注意。

✚ 規制医薬品の取扱い

	表示方法	定義	保管	免許等	譲渡・譲受
麻薬	麻	依存性があり、乱用による有害性が強い医薬品	専用重量金庫※1	麻薬小売業者免許が必要	開設者・管理薬剤師が行う毎年11月30日までに知事に報告
向精神薬	向	中枢神経系に作用し、精神活動に何らかの影響を与える医薬品	鍵をかけた施設内に保管	薬局は不要	記録を最終記載の日から2年間保存
覚醒剤原料		依存性があり、乱用による有害性が強く、強い覚醒作用がある医薬品	専用重量金庫※1	不要	譲渡証を2年間保管 患者からの返品の場合は知事に届出
毒薬	医薬品 毒	少量で生命に危険を及ぼす恐れのある医薬品	専用の棚に保管 施錠必要	毒物劇物販売業の届出	
劇薬	※2 医薬品 劇	毒薬よりも毒性が弱く、過量に使用すると生命にきわめて危険性が高い医薬品	専用の棚に保管	毒物劇物販売業の届出	

※1 専用重量金庫には、麻薬・覚醒剤原料とそれ以外の医薬品、現金および書類等とは一緒に保管できない。
※2 実際の劇薬の表示では、必ず赤色にしなければならない。

4 薬物療法と薬の体内動態

✦ 薬物療法

種類	内容	例
原因療法	疾病の原因そのものを取り除く	病原菌に対する抗生物質の投与
対症療法	疾病に伴う症状の緩和・軽減	風邪のさまざまな症状（発熱・咳など）の緩和・軽減
予防療法	疾病の予防	インフルエンザワクチンの投与によるインフルエンザの予防
補充療法	からだに不足しているものを補う治療	ホルモン投与、ビタミン投与

✦ 薬の体内動態 ── 薬が体内に入ってから体外に排泄されるまでのこと

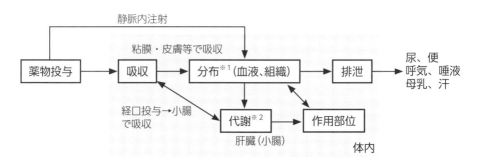

※1　分布：薬物が血中に入って、血液によって体内を移動し、薬が作用部位に運ばれること
※2　代謝：酵素により薬物が化学変化を受けること

✦ 薬理作用 ── 薬物がからだの機能に影響を及ぼす働き

機能面	興奮作用	特定の臓器・細胞機能を活性化させる働きのこと
	抑制作用	特定の臓器・細胞機能を低下・阻止させる働きのこと
影響を及ぼす範囲	局所作用	特定の部位に限定して薬が働くこと
	全身作用	薬が吸収された後に体内を循環して全身の器官に対して働くこと
選択性	選択作用	薬が特定の細胞や臓器にのみ効果を現すこと
	一般作用	細胞組織、器官の種類にかかわらず薬が働くこと
作用発現	直接作用	からだの器官に対して薬が直接的に働くこと
	間接作用	直接作用の結果、そこにつながる器官に対して効果が現れること
治療面	主作用	薬本来の目的の働きのこと
	副作用	多くの場合、薬本来の目的以外の好ましくない働きのこと

✚相互作用 ── 2種類以上の薬物を併用したときに、互いの薬効に影響を及ぼすこと

種類		説明
協力作用		単独で使用するよりも、併用のほうが、効果が増強する薬の働き
	相加作用	互いの効果が加わった状態のこと
	相乗作用	相加作用以上に効果が増強する状態のこと
拮抗作用 きっこう		併用すると互いの効果を打ち消してしまう薬の働きのこと

✚薬効に影響を及ぼすもの

○用法　　　　※繰り返し使用→反応の低下（耐性作用）

○心理的要因→プラセボ効果

　効き目ある成分が何も入っていない薬（偽薬、プラセボ）の投与により、治療効果あるいは副作用が見られる。

○年齢差

　・小児：成人に比べ肝臓の代謝機能、腎臓の排泄機能などが未熟

　　　　→薬剤感受性が高い

　・高齢者：肝臓の薬物代謝機能、腎臓の排泄機能が低下→高い血中濃度を維持

○性別差

　女性は男性よりも薬物に対して感受性が高い。

○その他：人種差、体重差、個体差など

✚薬の投与量と作用の関係

投与量	説明	
無効量	薬の使用量が非常に少なくて何も効果が得られない量	
最小有効量	無効量の量から少しずつ増やして、初めて効果が発現する量	⎫ 臨床 用量※
最大耐用量	さらに量を増やして効果が強くなっていくが、中毒症状を現す直前の量	⎬
中毒量	中毒症状が示されるときの量	⎭
致死量	中毒量を超えてもなお増やしていき、死亡するケースが出る量	

※臨床用量：最小有効量と最大耐用量との間の、治療で投与できる範囲の量

✚禁忌とは

医薬品の使用や治療法が、その疾病に悪影響を及ぼすため、してはならないこと。

1　医薬品の定義と分類

Q.1 ★★★ ▶ 次の一般用医薬品のうち、薬剤師でないと販売することができないものはどれか。

① 第一類医薬品　　② 第二類医薬品　　③ 第三類医薬品

Q.2 ★★ ▶ 医療用医薬品の有効成分が転用された一般用医薬品を〔　　　〕という。

Q.3 ★★★ ▶ 先発医薬品と同等の効果、作用が得られる医薬品のことを後発医薬品という。

〔　〇　or　✕　〕

2　医薬品の剤形とその種類

Q.1 ★★★ ▶ 投与方法に適した加工が施されている医薬品の形のことを〔　　　〕という。

Q.2 ★★★ ▶ 次の中で外用薬はどれか。

① エリキシル剤　　② パスタ剤　　③ リモナーデ剤

Q.3 ★★★ ▶ 次のうち、貼付剤はどれか。

① インドメタシン坐剤　　② インタールエアロゾル
③ ニトログリセリンテープ

Q.4 ★★★ ▶ 次の外用薬のうち、直接皮膚に塗ったりすり込んだりして、皮膚角質層下の毛細血管から吸収させるものはどれか。

① パップ剤　　② 浣腸剤　　③ 軟膏剤

Q.5 ★★★ ▶ 次の（1）〜（3）の説明にある錠剤はどれか。

（1）口腔内で溶解し、口腔や咽頭などの局所に適用するもの
（2）口中でかみ砕いて服用するもの
（3）口中の唾液で速やかに崩壊するもの
〔選択肢〕
　① 口腔内崩壊錠　　② チュアブル錠　　③ トローチ錠

3 医薬品の取扱いと保管

Q.1 ▶ 医薬品の棚卸をする際は、在庫の量を確認するほか、有効期限のチェック、
★ 　変質のチェックも併せて行うとよい。　　　　　　　　　　〔 ○ or ✕ 〕

Q.2 ▶ 患者が調剤された覚醒剤原料を服用する必要があり、処方箋が保険薬局へ
★ 　持ち込まれた場合、保険薬局ではこれを受けることができる。

〔 ○ or ✕ 〕

4 薬物療法と薬の体内動態

Q.1 ▶ 次の各文の説明に当てはまる治療法を選びなさい。
★★ 　（1）インフルエンザの患者に対して、抗ウイルス剤を投与する。
　（2）発熱している患者に対して、解熱剤を投与する。
　（3）インスリンが不足している糖尿病患者に対して、インスリンを投与する。
〔選択肢〕
　　① 原因療法　　② 対症療法　　③ 補充療法　　④ 予防療法

Q.2 ▶ すべての薬物は体内に入ってから以下の①～④の過程を経る。これを体内動
★★★ 　態という。
　①〔　　　　　〕：薬物が投与方法に応じた経路によって循環血液中に入ること
　②〔　　　　　〕：目的の臓器や部位に運ばれること
　③〔　　　　　〕：到達した薬物はそこで薬効を発揮し、一定期間作用して肝臓
　　　　　　　　　　へと送られ、排泄されやすいかたちへ変えられること
　④〔　　　　　〕：尿や便に含まれて、体外に排出されること

Q.3 ▶ 経口投与と注射では、注射のほうが即効性が高い。　　　〔 ○ or ✕ 〕
★★★

Q.4 ▶ 機能を低下・阻止させる薬理作用を主作用という。　　　〔 ○ or ✕ 〕
★★★

Q.5 ▶ 複数の薬の飲み合わせによって効果が増強したり、薬の持つ効果が打ち消さ
★★★ 　れてしまったりすることを〔　　　　　〕作用という。

Q.6 ▸ 医薬品の一部では、治療などの目的で投与を繰り返しているうちに、その薬効が減弱し、最終的にはほとんど効かなくなる。このことを〔　　　　〕作用という。
★★★

Q.7 ▸ 偽薬を投与し、暗示により症状の改善がみられることを〔　　　　〕効果という。
★★★

Q.8 ▸ 医学上および薬学上において、「適応させてはいけない」ということを〔　　　　〕という。
★★

Chapter 2 医薬品ができるまで

　現在わが国では、1年間におよそ 40 〜 50 種類の新しい医薬品が誕生しています。

　1つの医薬品を開発するのに、約 10 年以上もの長い開発期間と数百億円もの費用がかかるといわれています。医薬品は、次のような段階を経て開発されます。

①基礎研究（2〜3年）

　医薬品の候補となる化合物をつくり、その可能性を調べる研究をします。

②非臨床試験（3〜5年）

　医薬品になる可能性のある新規物質の有効性と安全性を、動物やヒトの細胞などを用いて確認します。物質の体内動態に関する試験も行い、並行して物質の品質や安定性に関する試験も行われます。

③臨床試験（治験）（3〜7年）

　非臨床試験を通過した医薬品の候補が、人にとって有効で安全なものかどうかを調べます。

④承認申請と審査（1〜2年）

　医薬品として有効性・安全性・品質が証明された後、厚生労働省に対して承認を得るための申請を行います。審査を通過した後、新薬として製造・発売することができます。

医療保障制度

Contents

私たちは、患者として保険医療機関や保険薬局に行くとき、「保険証」（正式には「被保険者証」といいます）を窓口に提出します。保険証を提出すると、どんなサービスを受けることができるのでしょうか。日本では、原則として何らかの医療保険制度に加入します。医療保険制度にはさまざまな種類があり、加入の仕方が異なります。どのような条件で加入をすることができるのでしょうか。

医療保険制度は、病気やけがをしたときに、経済的負担を和らげるために設けられています。このほかに、国や自治体の税金で負担を和らげる公費負担医療制度や、特殊な状況下で負担を和らげる労災保険、自賠責保険、介護保険などがあります。

患者さんにとって重要な制度ですので、薬局ではこれらの制度を適切に取り扱う必要があります。この章では、制度のしくみについて学ぶことにしましょう。

〈日本の医療保障制度の体系〉

		被用者保険
	医療保険制度	国民健康保険（地域保険）
医療保障制度		後期高齢者医療制度
	公費負担医療制度	
	労災保険・自賠責保険	
	介護保険	

1　公的医療保険

➕保険に関する基本用語

用語	説明
保険	偶発的に発生することによって生じる経済的不安に対処するため、あらかじめ多数の者がお金を出し合い、そこから事故に遭った者に金銭を支払う制度
保険者	保険の運営団体。加入者より金銭を集め、事故に遭った者に対して金銭の支払いを行う
被保険者	保険の加入者。事故に遭ったときに金銭の支払いを受ける権利を持つ（共済組合では「加入者」「組合員」の語が用いられる）
任意継続被保険者	被保険者が退職等によって被保険者の資格を喪失した場合に、本人の申請により、同一の保険者のもとで2年間被保険者になることができる制度（資格喪失時点において2か月以上被保険者期間が継続していることが必要）
被扶養者	被用者保険において、被保険者と同様、病気・けが・死亡・出産をした場合に保険給付の対象となる者。配偶者や直系親族、同居し家計を共にする三親等以内の親族等が対象（国民健康保険、後期高齢者医療制度には「被扶養者」という考えはない）
高齢受給者	70歳※から74歳までの者で、後期高齢者医療制度の対象とはなっていない者
保険給付	保険者が行うサービスのこと

※誕生日の前日が属する月の翌月1日より適用

➕公的医療保険

○国民皆保険制度

　・日本では法令上、すべての国民が何らかの医療保険制度に加入している

　・強制加入である

○給付内容（現物給付）

種類		説明
現物給付		費用の一部の自己負担で医療保険サービスが受けられること
	療養の給付	診察、薬剤・治療材料の支給※、処置・手術などの治療、在宅医療、入院について被保険者に対して行う現物給付（被扶養者に対するものは「家族療養費」という）
	長期特定疾病高額療養費	人工透析を行う必要がある慢性腎不全患者、血漿分画製剤を投与している血友病患者、抗ウイルス製剤を投与している後天性免疫不全症候群患者については、自己負担限度額を超えると、超えた分は現物給付される（受給には特定疾病療養受療証の提出が必要）

※保険薬局および保険薬剤師は、「保険薬局及び保険薬剤師療養担当規則」（P.52参照）に従って行う。

○給付内容（現金給付）

種類		説明
現金給付		医療サービスにかかった費用に対して金銭が支払われること
	療養費の支給	やむを得ず療養の給付を受けることができず医療費を全額自己負担して支払った場合、申請により一部医療費が払い戻されること
	高額療養費	保険診療による1か月の自己負担額が一定額を超えた場合、超えた部分が保険者より払い戻される制度。限度額適用認定証が提示されたときは、自己負担限度額まで徴収し、超えた部分は現物給付される
	その他	死亡に関する（家族）埋葬料、出産に関する出産手当金、出産育児一時金など

※現物給付の場合は時効の問題は生じないが、現金給付の場合は2年を経過すると時効により権利が消滅する。

✚ 公的医療保険の種類 —— 職業の種類により加入する保険の種類が異なる

保険の種類			法別番号	保険者	対象者
医療保険	被用者保険	健康保険 組合管掌健康保険	06 (63)	各健康保険組合	民間企業の従業員およびその家族（一定の定年退職者とその家族）
		健康保険 協会けんぽ	01	全国健康保険協会	民間企業の従業員およびその家族
		船員保険	02	全国健康保険協会	船員法に規定する船員およびその家族（5トン以上の船舶または30トン以上の漁船で、川や湖以外を航行）
		日雇特例被保険者	03 (04)	全国健康保険協会	臨時に短期で使用される者およびその家族
		自衛官等	07	各駐屯部隊	自衛官、防衛大学校の学生など※1
		国家公務員共済組合	31	共済組合	国の関係機関に勤務する公務員およびその家族
		地方公務員等共済組合	32	共済組合	市区町村、都道府県の関係機関に勤務する公務員およびその家族
		警察共済組合	33	共済組合	警察官や警察署の職員およびその家族
		公立学校共済組合	34	共済組合	公立学校の教職員およびその家族
		日本私立学校振興・共済事業団	34	日本私立学校振興・共済事業団	私立学校の教職員およびその家族
	国民健康保険	一般国保	なし	市区町村・都道府県	被用者以外の一般住民（無職の者や自営業者など）
		国民健康保険組合	なし	各健康保険組合	自営業者のうち、職域別組合で医療保険を運営している職種（医師、薬剤師、弁護士など）
後期高齢者医療制度			39	後期高齢者医療広域連合	75歳※2以上の者および65歳以上75歳未満で一定の障害を有する者

※1　家族は対象外。国家公務員共済組合（防衛省共済組合）の被扶養者となる。
※2　誕生日当日から適用。

2 公費負担医療制度

✚公費負担医療制度とは

公費（税金）で対象患者の自己負担部分の全部または一部を負担すること

○目的……公衆衛生の向上、社会的弱者の保護
○制度によって指定薬局制度を採用しているものもある。
○国の制度のほか、各地方自治体による公費負担も行われている。
　（例）・母子家庭の母、父子家庭の父およびその子
　　　　・障害者
　　　　・乳幼児等児童
○受付では各種受給者証、自己負担上限額管理票の確認が必要である。
　→患者負担が必要なケースや、自己負担限度額が記載されている

✚公費負担のパターン

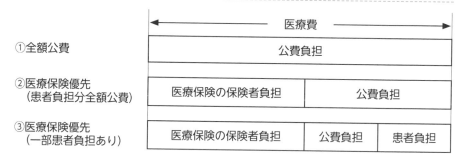

	医療費		
①全額公費	公費負担		
②医療保険優先 （患者負担分全額公費）	医療保険の保険者負担	公費負担	
③医療保険優先 （一部患者負担あり）	医療保険の保険者負担	公費負担	患者負担

✚レセプト※の提出先

※ Chapter5 ① 「調剤報酬の請求」を参照

公費単独、社保と公費の併用　→　支払基金（社会保険診療報酬支払基金）

国保・後期高齢者医療制度と公費の併用　→　国保連合会

　　　　　　　　　　　　　　　　　　　　（国民健康保険団体連合会）

✛公費負担制度一覧（抜粋）

根拠法	給付名称	法別番号	受給者証	申請	公費負担のパターン	備考
感染症法	適正医療	10	患者票	保健所	③患者5%	結核患者※
生活保護法	医療扶助	12	調剤券	福祉事務所	①、②（②は社保の場合）	適用となると国民健康保険、後期高齢者医療の被保険者資格を喪失
戦傷病者特別援護法	療養の給付	13	療養券	都道府県	①	戦傷病とその併発症のみ①、その他は医療保険適用
	更生医療	14	更生医療券	福祉事務所	①	戦傷病の後遺症（肢体不自由等）
被爆者援護法	認定疾病医療	18	被爆者健康手帳	都道府県広島市長崎市	①	原爆と因果関係のある認定疾病
	一般疾病医療	19			②	認定疾病以外の一般疾病
障害者総合支援法	精神通院医療	21	受給者証	市区町村	③患者10%	精神障害者
	更生医療	15			③患者10%	障害者手帳を有する18歳以上の患者
	育成医療	16			③患者10%	18歳未満の児童
母子保健法	養育医療	23	養育医療券	市区町村	②	未熟児
特定疾患治療研究事業	治療研究	51	受給者証	保健所市区町村	②	スモン、プリオン病等の患者
難病法	特定医療費	54	受給者証	都道府県	③患者20%	指定難病
児童福祉法	小児慢性特定疾病医療支援	52	受給者証	都道府県政令指定都市中核市	③患者20%	小児慢性特定疾病

※結核の適正医療で公費対象となるのは、抗結核薬および抗結核薬併用剤に関する薬剤料と調剤技術料、調剤管理料（加算含む）。指導料は対象外。

〈適正医療の公費対象薬剤〉

抗結核薬	① イソニアジド（INH）　② リファンピシン（RFP）・リファブチン（RBT）　③ ピラジナミド（PZA）　④ 硫酸ストレプトマイシン（SM）　⑤ エタンブトール（EB）　⑥ レボフロキサシン（LVFX）　⑦ 硫酸カナマイシン（KM）　⑧ エチオナミド（TH）　⑨ 硫酸エンビオマイシン（EVM）　⑩ パラアミノサリチル酸（PAS）　⑪ サイクロセリン（CS）　⑫ デラマニド（DLM）　⑬ ベダキリン（BDQ）
抗結核薬併用剤	副腎皮質ホルモン剤

3 被保険者証、公費負担医療の受給者証について

✚ 被保険者証 —— 保険者から被保険者に交付される

○健康保険の例

※2021年3月より導入のオンライン資格確認等システムの運用に伴い、2021年4月以降に新規発行される被保険者証については、番号の後に2桁の枝番が付与されている。なお、2024年12月2日に被保険者証を廃止することになっている（廃止後最長1年間は猶予期間として利用は可能である）。廃止後は、保険証利用登録されたマイナンバーカード（マイナ保険証）が主に用いられる。

❶被保険者や被扶養者であることが示されている。

❷被保険者を雇用する事業所の記号。数字の場合もある。

❸被保険者・被扶養者にあてられた個人番号※。

❹保険者ごとに与えられた個人番号。8桁で構成される。

○国民健康保険の例

❶氏名と世帯主が同一の氏名の場合は世帯主（本人）。異なる場合は世帯員（家族）となる。

❷保険者ごとに与えられた個人番号。6桁で構成される。

❸国民健康保険は都道府県単位で運営されるが、保険証の交付は市区町村で行う。

❹高齢受給者証を兼ねている場合は、一部負担金の割合に注意する。

○後期高齢者医療制度の例

❶被用者保険、国民健康保険と異なり、記号は存在しない。8桁の番号のみである。

❷一部負担金の割合に注意する。

❸保険者ごとに与えられた個人番号。39から始まる8桁で構成される。

❹保険者名は都道府県単位の後期高齢者医療広域連合である。

✚ 保険者番号の構成

	❶法別番号	❷都道府県番号	❸保険者別番号 （市区町村番号）	❹検証番号
社保、後期高齢者医療、 退職者医療	2桁	2桁	3桁	1桁
国保	なし	2桁	3桁	1桁

※国民健康保険（退職者医療は除く、法別番号あり「67」）は6桁、その他の医療保険は8桁で構成される。

❶法別番号……医療保険の制度を表す番号（P.39 参照）。

❷都道府県番号……保険者の所在地の都道府県を表す番号。

01	北海道	09	栃木	17	石川	25	滋賀	33	岡山	41	佐賀
02	青森	10	群馬	18	福井	26	京都	34	広島	42	長崎
03	岩手	11	埼玉	19	山梨	27	大阪	35	山口	43	熊本
04	宮城	12	千葉	20	長野	28	兵庫	36	徳島	44	大分
05	秋田	13	東京	21	岐阜	29	奈良	37	香川	45	宮崎
06	山形	14	神奈川	22	静岡	30	和歌山	38	愛媛	46	鹿児島
07	福島	15	新潟	23	愛知	31	鳥取	39	高知	47	沖縄
08	茨城	16	富山	24	三重	32	島根	40	福岡		

※保険者番号が不足する場合は、上記の番号に50を加えた数を用いる。

❸保険者ごとに振り分けられた3桁の番号。

❹保険者番号に誤りがないことを検証する番号。

✚ 公費負担医療制度 ── 申請が認められると対象者に交付される

○受給者証の例（障害者総合支援法・精神通院医療）

❶公費負担者番号。制度によって異なる。番号の構成は、保険者番号とほぼ同様。

❷個人ごとにあてられる番号。

❸・❹公的医療保険が適用される場合に記入。被保険者証も併せて確認する。

❺記入されている場合は、費用徴収の際に気をつける。自己負担上限額管理票を用いる場合は、窓口徴収額を記入する。

❻有効期限を必ず確認する。

4 労災保険、自賠責保険、介護保険

✚ 労災保険

○給付対象―民間企業の労働者の業務上または通勤途上による負傷、疾病、障害、死亡

○公務員については対象外。公務災害の扱いとなる。

○補償内容―薬局では療養の給付（薬剤または治療材料の支給、在宅医療）

○労災保険を扱うには、労災保険指定薬局になる必要がある。

○受給資格の確認

状況	業務災害	通勤災害
初めての院外処方	様式第5号	様式第16号の3
別の薬局で院外処方を受けていて薬局を変更	様式第6号	様式第16号の4
傷病（補償）年金※1受給者となった	様式第6号	様式第16号の4
アフターケア※2の患者に関する初めての院外処方	健康管理手帳	

※1 傷病（補償）年金：療養開始1年半後に一定の傷病の状態に該当すれば、休業補償の代わりに年金が支給される。

※2 アフターケア：症状固定（治ゆ）となった後も必要に応じて労災保険で治療等を続けることができる。

○費用請求の流れ（労災保険指定薬局の場合）

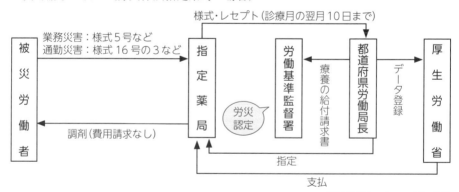

※調剤報酬は1点＝10円で計算

<参考>公務災害の場合

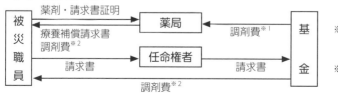

※1 被災職員が費用を支払わず、薬局が受領委任を受ける場合

※2 被災職員が費用を支払う場合

✤ 自賠責保険

○自動車（原付、二輪車含む）を運転する際に必ず加入しなければならない保険。
○自由診療で行うことが多いが、医療保険が適用となる場合もある。
○費用の請求を、患者または加害者の損害保険会社に行う場合もある。

✤ 介護保険

○40歳以上の者は強制的に加入

	第1号被保険者	第2号被保険者
対象者	65歳以上の者	40歳〜64歳の医療保険加入者
受給要件	・要介護状態 （寝たきり、認知症で介護が必要な状態） ・要支援状態（日常生活に支援が必要な状態）	要介護、要支援状態が、末期がん・関節リウマチなどの特定疾病による場合のみ
保険料負担	市区町村が徴収 （原則、年金から天引き）	医療保険者が医療保険の保険料と一括徴収

○保険者は市区町村。
○要介護または要支援の認定を受けた者に対して薬歴管理や薬剤管理指導を行う。
○介護保険が適用される場合の調剤報酬請求（レセプト例は P.163）
   ＊訪問薬剤管理指導は介護保険（居宅療養管理指導費）で請求（医療保険不可）

居宅療養管理指導費		単一建物・患者1人	518単位	・月4回（末期の悪性腫瘍および麻薬注射の患者は月8回）を限度。 ・1単位＝10円 ※要支援者は「居宅療養管理指導費」の前に「介護予防」がつく。
		単一建物・患者2〜9人	379単位	
		上記以外	342単位	
		オンライン服薬指導	46単位	
	加算	麻薬管理指導加算	＋100単位	
		在宅患者医療用麻薬持続注射療法加算	＋250単位	
		在宅中心静脈栄養法加算	＋150単位	

   ・患者負担は原則1割。ただし、高額所得者は2割または3割。
   ・患者負担額を除いた調剤報酬は、国保連合会へ請求。
※居宅療養管理指導費等を算定した場合に、同一月に算定できる調剤報酬
   調剤基本料、調剤管理料・薬剤調製料、外来服薬支援料2、服用薬剤調整支援料、
   在宅患者緊急訪問薬剤管理指導料、在宅患者重複投薬・相互作用等防止管理料、
   経管投薬支援料
   （服薬管理指導料、かかりつけ薬剤師指導料、かかりつけ薬剤師包括管理料は臨時処方、外来服薬支援料1、在宅患者緊急時等共同指導料は別日であれば可）
   ＊薬剤料などの調剤費→医療保険で請求

1 公的医療保険

Q.1 ▶ 医療保険の運営を行う団体のことを〔　　　　〕という。
★★★

Q.2 ▶ 健康保険に加入し、病気やけがなどをしたときなどに必要なサービスを受け
★★★　　ることができる人のことを〔　　　　〕という。

Q.3 ▶ 健康保険の被保険者が勤務先を退職した。この場合において、引き続き同一
★★　　の健康保険に加入する被保険者のことを〔　　　　〕という。

Q.4 ▶ 医療保険において、被保険者の収入によって生計が維持されている者のこと
★★★　　を〔　　　　〕という。

Q.5 ▶ 次のそれぞれの場合において、高齢受給者の対象となるのはいつになるか。
★★★　　（1）令和6年7月31日に70歳になる患者　　〔　　　　〕
　　　　（2）令和6年8月1日に70歳になる患者　　　〔　　　　〕
　　　　（3）令和6年8月2日に70歳になる患者　　　〔　　　　〕

Q.6 ▶ 調剤費用のうち、医療保険の保険者が負担する割合のことを〔　　　〕割合
★★★　　という。

Q.7 ▶ わが国では基本的にすべての国民が何らかの医療保険制度に加入する。これ
★★★　　を〔　　　〕という。

Q.8 ▶ 医療保険の被扶養者が業務や通勤以外の事由により病気やけがをしたとき
★★　　に、保険で治療を受ける医療サービスのことを〔　　　〕という。

Q.9 ▶ 医療保険の被保険者が業務や通勤以外の事由により病気やけがをしたとき
★★★　　に、保険で治療を受けることを〔　　　〕という。

Q.10 ▶ 保険調剤を行うにあたり、保険薬局と保険薬剤師が守らなければならない規
★★★　　則を〔　　　〕という。

Q.11 ★★ ▶ 人工透析や血友病等の患者が、長期特定疾病高額療養費の適用を受けるには、保険薬局の窓口に被保険者証とは別に〔　　　　〕を提出する必要がある。

Q.12 ★★ ▶ 被保険者が調剤費を全額支払い、後日保険者から払い戻しを受けることを〔　　　〕の支給という。

Q.13 ★★ ▶ 同一月にかかった医療費の自己負担額が所定の限度額を超えた場合、その超えた分が保険者から払い戻される制度のことを〔　　　　〕という。

Q.14 ★ ▶ 外来の高額療養費を計算する際は、処方箋を交付した保険医療機関で支払った自己負担額と、保険薬局で支払った自己負担額とを合算して算出することができる。　　　　　　　　　　　　　　　　　　〔　○ or ✕　〕

Q.15 ★★ ▶ 高額療養費の支給を受ける権利は、診療を受けた月の翌月1日から〔　　　　〕年を経過すると消滅する。

Q.16 ★★★ ▶ 官公庁、一般企業、学校等に勤務する者とその扶養家族を主に加入対象とする医療保険を総称して被用者保険という。　　　　　　　〔　○ or ✕　〕

Q.17 ★★★ ▶ 加入する保険と法別番号の組み合わせのうち、正しいものはどれか。
① 従業員約30名の水産加工会社の社員
　　　　……………………………………全国健康保険協会管掌健康保険……01
② 自営のラーメン屋の店主　…………………………日雇特例被保険者……04
③ 従業員50名の印刷会社の社員………………………組合管掌健康保険……06

Q.18 ★★★ ▶ 加入する保険と法別番号の組み合わせのうち、誤っているものはどれか。
① 自衛官とその家族……防衛省共済組合……31
② 市役所の職員とその家族……地方公務員共済組合……32
③ 警察官とその家族……警察共済組合……33

1 公的医療保険

Q.19 次のうち、国民健康保険の保険者となるものをすべて選びなさい。
① 国 ② 市区町村 ③ 都道府県 ④ 共済組合
⑤ 国民健康保険組合

Q.20 後期高齢者医療制度の保険者は〔　　　〕である。

Q.21 〔a.　　　〕歳以上の人と〔b.　　　〕歳以上75歳未満で寝たきり等の一定以上の障害がある人の場合、後期高齢者医療制度の対象となる。

Q.22 昭和24（1949）年6月2日が誕生日の患者が、後期高齢者医療制度の対象となるのは、令和6（2024）年〔　　　〕である。
① 6月1日
② 6月2日
③ 7月1日

Q.23 被用者保険の加入者本人が後期高齢者医療制度の適用となる場合、被用者保険の被扶養者は自動的に後期高齢者医療制度の適用となる。
〔　○　or　✕　〕

2 公費負担医療制度

Q.1 公費負担医療においてひと月あたりの上限額が定められている場合、〔　　　〕に日付、医療機関名、自己負担額、月間自己負担額累積額を記入する必要がある。

Q.2 生活保護単独のレセプトの提出先は国民健康保険団体連合会である。
〔　○　or　✕　〕

Q.3 結核患者の窓口徴収額は、すべての調剤費用の5％である。
〔　○　or　✕　〕

Q.4 ▶ 保険薬局が生活保護法による調剤を行う場合、〔　　　　〕を確認する必要がある。
★★★

Q.5 ▶ 生活保護法による医療扶助を受ける場合、要保護者は〔　　　　〕に申請する。
★★★

Q.6 ▶ 生活保護法の適用を受けると、原則として窓口徴収額はない。
★★
〔　○　or　✕　〕

Q.7 ▶ 後期高齢者医療制度の対象患者が、生活保護の適用を受けた場合、被保険者資格を喪失する。
★★
〔　○　or　✕　〕

Q.8 ▶ 日雇特例被保険者が生活保護の適用を受けた場合、その資格を喪失する。
★★
〔　○　or　✕　〕

Q.9 ▶ 国民健康保険の被保険者が生活保護法における医療扶助の適用を受けた場合、被保険者資格を失う。
★★★
〔　○　or　✕　〕

Q.10 ▶ 保険薬局が障害者総合支援法における自立支援医療を取り扱う場合、特に申請などの必要はない。
★★
〔　○　or　✕　〕

Q.11 ▶ 次の法律名、制度名、法別番号の組み合わせのうち、誤っているものはどれ
★★
か。
① 生活保護法……医療扶助……12
② 感染症法……結核適正医療……11
③ 障害者総合支援法……精神通院医療……21

Q.12 ▶ A県A市在住の児童が、B県へ出かけたときに、急な体調不良でB県の保険
★★
医療機関を受診し、B県の保険薬局で調剤を受けた場合、被保険者証とA市発行の医療受給者証（負担割合0）を提示すれば、保険薬局では負担がない。
〔　○　or　✕　〕

Q.1 ▸ 保険証に示されている保険者番号は、被用者保険は〔a.　　　〕桁、国民健
★★★　　康保険では〔b.　　　〕桁である。国民健康保険では、被用者保険にあるべ
き〔c.　　　〕が存在しない。

Q.2 ▸ 職業と医療保険の保険者番号の組み合わせのうち、誤っているものはどれか。
★★★
① カルチャースクールの先生……34130021
② 医師国保に加入している医師……113019
③ 77 歳の年金受給者……39131180

4 労災保険、自賠責保険、介護保険

Q.1 ▸ 次の場合、労災保険指定薬局が受け取るべきものを選択肢から選びなさい。
★★
（1）業務災害により被災し、初めて指定薬局で調剤を受ける場合
（2）通勤途中で被災し、初めて指定薬局で調剤を受ける場合
（3）業務災害により指定薬局で調剤を受けていたが、やむを得ず指定薬局を
変更する場合
〔選択肢〕
① 療養補償給付たる療養の給付請求書（様式第 5 号）
② 療養補償給付たる療養の給付を受ける指定病院等（変更）届（様式第 6 号）
③ 療養給付たる療養の給付請求書（様式第 16 号の 3）

Q.2 ▸ 労災保険指定薬局で労災保険適用患者の処方箋を受け付けた場合、窓口での
★★
患者負担はどうなるか。
① 0　　② 調剤費用の 3 割　　③ 調剤費用の 10 割

Q.3 ▸ 労災保険のレセプトは、調剤を行った月の翌月〔a.　　　〕日までに、労災
★★
保険指定薬局の所在地を管轄する〔b.　　　〕に提出する。

Q.4 ▸ 交通事故により自賠責保険を利用して調剤を受ける場合、医療保険を使用す
★
ることはできない。　　　　　　　　　　　　　　　〔　○　or　×　〕

Q.5 ▸ 介護保険の保険者は各〔　　　〕である。
★★★

Q.6 ▸ 介護保険を利用している患者の自宅を医師の指示により薬剤師が訪問し、薬
★★ 学的管理指導を行った場合は、調剤報酬の在宅患者訪問薬剤管理指導料を算
定する。　　　　　　　　　　　　　　　　　〔　○　or　✕　〕

Q.7 ▸ 保険薬局の薬剤師が、患者に対して、介護保険の居宅療養管理指導を行った
★★★ 場合、利用者は所得にかかわらず、サービス費用の1割を負担する。

〔　○　or　✕　〕

Q.8 ▸ 保険薬局の薬剤師が、患者に対して、介護保険の居宅療養管理指導を行った
★★ 場合、利用者の負担を除いた介護報酬は〔　　　〕に請求する。

Chapter3 療養担当規則

　保険薬局や保険薬剤師が保険調剤を行うにあたっては、「保険薬局及び保険薬剤師療養担当規則（薬担規則）」に基づいて行うことになっています。

　ここでは、事務員が業務として知っておくべきことを掲載します。

大項目	中項目	条文の内容	根拠条文
受付に関して	処方箋の確認	①患者が提出する処方箋が保険医が処方した処方箋であること、②処方箋、電子資格確認、または被保険者証によって療養の給付を受ける資格があることを確認する。	第3条
	要介護被保険者の確認	居宅療養管理指導、居宅サービス、介護予防サービスを行うにあたっては、患者に介護保険法に基づく被保険者証の提示を求めて、要介護被保険者等か否かを確認する。	第3条の2
	通知	患者が、①正当な理由なく療養に関する指揮に従わないとき、②不正行為により療養の給付を受け、または受けようとしたときは、保険者へ通知する。	第7条
調剤に関して	後発医薬品の調剤	保険薬局は、後発医薬品の備蓄に関する体制その他後発医薬品の調剤に必要な体制の確保に努める。	第7条の2
一部負担金に関して	患者負担金の受領	①患者から調剤報酬に一定の割合を乗じた一部負担金の支払いを受ける。②評価療養、患者申出療養、選定療養については一部負担金を超える額の支払いを受けることができる。	第4条
	経済上の利益の提供による誘引の禁止	①一部負担金の支払い額に応じて保険薬局での商品購入代金の値引きをする。②患者紹介を受けることで金品や報酬の受け渡しをすることを禁止する。	第2条の3の2
	領収証の交付	①個別の費用ごとに区分して記載した領収証を無償で交付する。②費用の計算の基礎となった項目ごとに記載した明細書も交付する。	第4条の2
記録の整備	調剤録の記載	調剤録に調剤を行ったことに関する必要な事項を記載する。	第10条
	調剤録の記載および整備	調剤録に必要な事項を記載し、これを他の調剤録と区別して整備する。	第5条
	処方箋の保存	処方箋および調剤録をその完結の日から3年間保存する。	第6条

Chapter

4

処方箋の見方

Contents

保険調剤を行う場合、患者さんは必ず保険医療機関発行の処方箋を持参します。受付では、処方箋に不備がないか確認する必要があります。この章では、処方箋に書かれている内容について学びましょう。

処方箋の見方

処 方 箋

（この処方せんは、どの保険薬局でも有効です。）

❶'

公費負担者番号							保険者番号						

公費負担医療の受給者番号							被保険者証・被保険者手帳の記号・番号						**・**

❶

患者	氏 名		保険医療機関の所在地及び名称 電話番号	**❷**
	生年月日	明大昭平令　　年　月　日　男・女	保険医氏名　　　　　　　　印	
	区 分	被保険者　　　　　被扶養者	都道府県番号／点数表番号／医療機関コード	

❸ 交付年月日	令和　年　月　日	処方箋の使用期間	令和　年　月　日	特に記載のある場合を除き、交付の日を含めて4日以内に保険薬局に提出すること。

処方	変更不可（医療上必要）	患者希望	個々の処方薬について、医療上の必要性があるため、後発医薬品（ジェネリック医薬品）への変更に差し支えがあると判断した場合には、「変更不可」欄に「✓」又は「×」を記載し、「保険医署名」欄に署名又は記名・押印すること。また、患者の希望を踏まえ、先発医薬品を処方した場合には、「患者希望」欄に「✓」又は「×」を記載すること。
			❹
			リフィル可 □ （ **❼** 回）

備考	保険医署名	「変更不可」欄に「✓」又は「×」を記載した場合は、署名又は記名・押印すること。	
	❺		
	保険薬局が調剤時に残薬を確認した場合の対応（特に指示がある場合は「✓」又は「×」を記載すること。）　　□保険医療機関へ疑義照会したうえで調剤　　□保険医療機関へ情報提供		**❻**

調剤実施回数（調剤回数に応じて、□に「レ」又は「×」を記載するとともに、調剤日及び次回調剤予定日を記載すること。）	**❼**
□1回目調剤日（　年　月　日）　□2回目調剤日（　年　月　日）　□3回目調剤日（　年　月　日） 次回調剤予定日（　年　月　日）　　次回調剤予定日（　年　月　日）	

調剤済年月日	令和　年　月　日	公費負担者番号		**❶''**
保険薬局の所在地及び名称 保険薬剤師氏名	印	公費負担医療の受給者番号		
❽				

❶患者さんの保険情報

初めて来局するときは、被保険者証と記載内容が一致しているか確認する。

＊区分　被保険者：被保険者（世帯主）、被扶養者：家族（世帯員）

❶' ❶"患者さんの公費負担の情報

番号が入っている場合は、被保険者証のほかに公費負担の受給者証を確認する。

❷保険医療機関に関する情報

保険医氏名は印刷・ゴム印の場合、押印がされていることを確認する。

❸交付年月日の記載

原則として交付日を含めて4日以内が処方箋の使用期間。長期旅行など特殊事情がある場合は右側の「処方箋の使用期間」に日付を記入。

❹処方欄の記載

○印字かボールペン等で記載されており、訂正は二本線で削除・押印を確認。

○処方の終わりには偽造防止のため「〆」または「以下余白」の記載をする。

○内容の記載

　・内服薬： 医薬品名〔規格〕 　1日量 　用法 　用量（〜日分、TD)

　・屯服薬： 医薬品名〔規格〕 　1回分量 　用法 　用量（〜回分、P)

　・外用薬※： 医薬品名〔規格〕 　投与総量 　回数 　使用部位
　　※内服薬と同様のものもある

　・注射薬： 医薬品名〔規格〕 　1回あたりの投与量 　使用回数 　使用時点

＊医薬品名の前に〔般〕とある場合は一般名での処方。

○変更不可欄に「✓」または「×」と記載→先発医薬品を調剤し、保険医署名欄を確認。

○患者希望欄→患者の希望を踏まえ、長期収載品を銘柄名処方する場合に「✓」または「×」と記載。

❺備考欄

○麻薬処方→患者住所、麻薬施用者番号の記載を確認。

○処方箋使用期間の延長や長期投薬、63枚以上の湿布薬の投与を行うときの理由

○患者の年齢・負担割合による記載

年齢	0歳〜義務教育就学前	70歳〜75歳未満※2	75歳以上
記載	6歳※1	高一 （2割負担）	高9 （1割負担）
			高8 （2割負担）
		高7 （3割負担）	高7 （3割負担）

※1　6歳誕生日以降の最初の3月31日までは対象のため、要注意。

※2　後期高齢者医療制度の対象者は除く

○保険医療機関が以下の項目を算定している場合は、その項目名。

　　・地域包括診療料または地域包括診療加算

　　・認知症地域包括診療料または認知症地域包括診療加算

○オンライン診療に伴う処方箋→「情報通信」と記載。

○疑義照会を行った場合の回答内容、処方欄の医薬品を変更して調剤した場合は
　保険薬局が記入。

❻保険薬局が調剤時に残薬を確認した場合、特に指示がある場合に確認。

❼リフィル処方の場合に保険薬局側で記載。

※リフィル処方：1枚の処方箋を繰り返し利用して調剤を行う（計3回まで）。
　　　　　　　　投薬量に限度が定められている医薬品、湿布薬は不可。

なお、リフィルの場合の次回予定日、調剤日の取扱いは以下の通り。

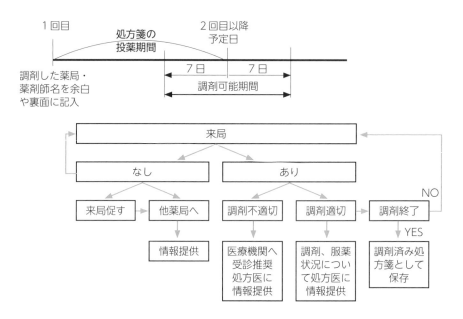

❽調剤が済んだ場合に記入。

※余白に引換番号がある場合、保険薬局は電子的に処方箋情報を確認できる（電子処方箋管理システム
　の導入が条件）。

Q.1 ▸ 処方箋は、使用期間欄に年月日が記載されていない限り、有効期間は交付日
★★★ を含めて〔　　　　〕日以内である。

Q.2 ▸ 「リフィル可」とチェックのある処方箋に次回調剤予定日が6月13日と記
★ 載されている場合、調剤を行うことができる期間は〔a.　　　　〕から
〔b.　　　　〕までである。

Q.3 ▸ 処方箋の記載を訂正する場合、〔　　　　〕で抹消し、必要事項を記入の上、
★★ 訂正印を押す。

Q.4 ▸ 一般名処方に対して、「変更不可」欄に×がある場合、先発医薬品を処方し
★ なければならない。　　　　　　　　　　　　　　〔　○　or　×　〕

Q.5 ▸ 次の場合、処方箋の備考欄に何と示されているか。
★★★ （1）義務教育就学前の患者〔　　　　〕
（2）高齢受給者で、保険者より一般または低所得者と認定された患者
〔　　　　〕
（3）高齢受給者または後期高齢者医療受給対象者で、保険者より現役並み所
得者（3割負担）と認定された患者〔　　　　〕

Q.6 ▸ 麻薬を調剤できる保険薬局が麻薬処方箋を受け付ける場合、〔　　　　〕と
★★★ 患者の住所が書かれているのを確認しなければならない。

Q.7 ▸ 63枚を超えて湿布薬が処方されている処方箋について、処方箋に特に記載
★ がなかった場合、そのまま調剤しても差し支えない。　　〔　○　or　×　〕

Q.8 ▸ 以下の処方がなされた場合、A錠は〔a.　　　　〕錠、B吸入カプセルは
★★ 〔b.　　　　〕カプセルを準備する。
Rp. 1） A内服錠　3錠　分3　朝夕食後、就寝前　14日分
2） B吸入カプセル　14カプセル　1回1カプセル　1日に1回吸入

Chapter 4　処方箋の表記について

　医療機関では電子カルテシステムやレセプトコンピュータより処方箋を出力することが多く、これらのコンピュータでは対処できない場合などに手書きで処方箋が発行されます。

　コンピュータで処方箋を出力する場合、日本語で表記されますが、手書きで処方箋が発行される場合、筆記の簡便さから略語がよく用いられます。次の表は、処方箋でよく用いられる略語です。

〈処方箋でよく用いられる略語〉

種類	略語	意味
処方	Rp.	処方
	do	前回と同じ
薬剤の形状	T	錠剤
	C（Cap）	カプセル
	Sy（syr）	シロップ
	DS（Dsy）	ドライシロップ
	suppo	坐剤
	O	軟膏
	Cr	クリーム
服用方法	●×、分●	1日●回に分けて
	n.d.E	食後に（食後30分位）
	v.d.E	食前に（30分位前）
	v.d.S	就寝前に
	z.d.E	食間に（食後2時間位）
	6st×4	6時間おきに1日4回服用
投与方法	T，TD	～日分
	P	～回分

　本書では、わかりやすさを第一とし、実務では印字出力が多いことから上記の略語はあまり使用していませんが、検定試験などでこれらの表記が用いられることがあります。確認をしておきましょう。

Chapter

5

調剤報酬の算定

Contents

保険薬局で調剤を行ったら、患者さんや加入している医療保険制度の保険者から調剤報酬を受け取ります。調剤報酬は保険薬局の重要な収入源です。では、調剤報酬はどのように算定されるのでしょうか。この章では、調剤報酬の構成とその算定方法について学んでいきましょう。

保険調剤明細書			発行日：令和06年06月26日
○○ ×× 様			1／1
調剤日：令和06年06月26日（水）			（点）
処方内容	日/回数	薬剤料	技術料
【小浜医院 内科】			
シンバスタチン錠5mg「杏林」	1錠		
1日1回朝食後服用	14	14	
内服薬薬剤調製料			24
内服薬調剤管理料			28
ロキソプロフェンナトリウム錠60mg「日医工」	1錠		
疼痛時	5	5	

調剤報酬の基礎知識

✚保険調剤の調剤報酬

保険調剤の調剤報酬は、厚生労働省告示『調剤報酬点数表』によって定められる。
○点数で計算する。1点＝10円に換算する。
○点数の内容は中央社会保険医療協議会（中医協）で話し合われる。
○原則2年に1度（薬価は1年に1回）見直される。

✚調剤報酬の構成

調剤技術料	調剤基本料	薬局の管理などに対する報酬。 処方箋受付1回につき算定。 施設の充実度に応じて加算がある。
	薬剤調製料	処方薬の調製・取りそろえ、最終監査に対する報酬。
	各種加算	・医薬品混合、一包化や粉砕などの服薬支援のための調剤技術 ・麻薬、向精神薬などの規制医薬品の取扱い、管理 ・休日、夜間、時間外などの対応
薬学管理料		医薬品の適正使用などに対する薬剤師の職能に対する評価。 ・調剤管理料：服薬情報の収集、薬学的分析や薬歴への記載 ・服薬管理指導料：薬学的知見に基づく服薬指導など ・在宅患者に対する薬剤管理、指導、支援など
薬剤料		薬剤の価格。薬価基準に基づく。
特定保険医療材料料		注射器などの価格。材料価格基準に基づく。

※一定の施設基準を満たしている保険薬局は地方厚生局長に届出を行うことで加算を算定できる。

✚調剤報酬の請求

調剤報酬は、医療機関ごと※に、一部を患者が負担し、残額は調剤した月の翌月10日までに調剤報酬請求書、調剤報酬明細書（レセプト）を作成して審査支払機関を通じて保険者に請求する（請求の時効は5年）。

※同一の医療機関でも、医科と歯科は別の扱いとなる。

✚窓口負担の計算

受付回数1回ごとに 調剤点数の合計 × 10円 × 負担割合 で計算をする。
10円未満（1円の位）は四捨五入する。

○負担割合（処方箋の備考欄〔P.55〕参照）

0歳　　　義務教育就学 [※1]　70歳 [※2]　　　　75歳 (後期高齢者医療) [※3]

2割	3割	2割	1割
			2割
		3割	3割

- 国民健康保険被保険者資格者証……10割（特別療養費として保険者より後日 患者に給付）
- 船員保険の下船後3か月以内の療養補償……負担なし

> ※1　6歳誕生日の前日以後の最初の3月31日までが該当
> ※2　70歳誕生日の前日が属する月の翌月1日から適用　　※3　75歳の誕生日から適用

〈算定例〉診療点数268点の場合

- 1割負担の場合：268点 × 10円 × 0.1 = 268円　→　270円
- 2割負担の場合：268点 × 10円 × 0.2 = 536円　→　540円
- 3割負担の場合：268点 × 10円 × 0.3 = 804円　→　800円

✚ 実費徴収

○保険薬局が実費で徴収できるサービス

- 患者の希望に基づくこと
- 薬局の見やすい場所にサービスの内容と料金徴収に関する掲示があること

サービス内容	備考
内服薬の一包化	治療の必要がない場合に限る
甘味料の添加	治療上の必要性がなく、治療上問題がない場合に限る
服薬カレンダーの提供	日付、曜日、服用時点の別に薬剤を整理できる資材

○療養の給付と直接関係ないサービスの取扱い

サービス内容	備考
在宅医療にかかる交通費	交通費の実費は患家の負担
薬剤の容器代	患者への貸与となり、再利用可能な容器を返却したときは実費を返還
調剤した医薬品の持参料・配送料	保険薬局から患家への持参料・配送料
情報通信機器の運用に要する費用	オンライン服薬指導を行う場合
プラスチック製買物袋	有料で交付を行う場合(小売業とは異なり義務ではない)

✚ 保険薬局は、無償で領収証と明細書を患者に発行する義務がある

○領収証……費用の計算につき、『調剤報酬点数表』の「調剤技術料」「薬学管理料」
　　　　　　「薬剤料」「特定保険医療材料料」および保険外負担の区分ごとに記載

○明細書……費用の計算の内訳をすべて記載

2 薬価基準と薬価、材料価格基準

✛ 薬価基準

○保険診療で使用できる医薬品とその価格を示したもの。

・医薬品の価格（薬価）は毎年改定

・医薬品の収載は定期的に行う

・中医協の議論→厚生労働大臣の告示

○薬価基準表……あいうえお順に内用薬、注射薬、外用薬、歯科用薬剤で分類

〈内用薬〉

品名	会社名	規格・単位	薬価（円）	備考
後 カロナール細粒 20％	あゆみ製薬	20％ 1 g	劇　12.20	解熱鎮痛剤 アセトアミノフェン
局 デパス錠 0.25mg	田辺三菱＝ 吉富製薬	0.25mg 1 錠	向　9.20	精神神経用剤 エチゾラム
ラキソベロン内用液 0.75％	帝人ファーマ	0.75％ 1 mL	16.00	便秘用剤 ピコスルファートナトリウム水和物
局 ロキソニン錠 60mg	第一三共	60mg 1 錠	10.10	消炎鎮痛剤 ロキソプロフェンナトリウム水和物

〈注射薬〉

品名	会社名	規格・単位	薬価（円）	備考
局 ノボリン30 R注 フレックスペン	ノボノル ディスク	300 単位 1 キット	1,451	インスリンヒト製剤 インスリン ヒト （遺伝子組換え）

〈外用薬〉

品名	会社名	規格・単位	薬価（円）	備考
局 後 フェルビナクパップ 70mg「サワイ」	沢井製薬	10cm×14cm 1 枚	14.00	貼付用消炎鎮痛剤 フェルビナク
後 フェンタニル1日用テープ 0.84mg「ユートク」	祐徳＝ MeijiSeika	0.84mg 1 枚	麻劇 255.50	鎮痛剤（癌性疼痛） フェンタニル

※品名……商品名を示す。局：日本薬局方収載　後：後発医薬品
※会社名……製薬会社。学習上は使用しない。
※規格・単位……医薬品に含まれる有効成分の量および計算の単位
※薬価……円単位で表す。消費税を含む。
　　　　　向：向精神薬／麻：麻薬／劇：劇薬／毒：毒薬／覚：覚醒剤原料
※備考……薬効成分（上段）や一般名（下段）を示す。

○力価（りきか）……効果を発揮するのに必要な有効成分の量（通常はミリグラムで表記）

$$\underbrace{\text{A} \% \text{B mL（g）}}_{\text{薬価基準の規格}} = \underbrace{(\text{A} \times \text{B} \times 10)\ \text{mg}}_{\text{力価}}$$

✦ 薬価

○算定のルール（『調剤報酬点数表』より）

> 1 使用薬剤の薬価が薬剤調製料の所定単位につき 15 円以下の場合　　1 点
> 2 使用薬剤の薬価が薬剤調製料の所定単位につき 15 円を超える場合の加算
> 10 円またはその端数を増すごとに 1 点

上記を図示すると以下の通りとなる。

図より 15 円を超える場合の点数換算は次のように示される。

$$1\,点 + \frac{薬価 - 15\,円}{10\,円} = \frac{10\,円 + 薬価 - 15\,円}{10\,円} = \frac{薬価 - 5\,円}{10\,円}$$

（小数点以下切り上げ）

例 24.40 円の点数換算

（24.40 円 - 5 円）÷ 10 円 = 19.40 円 ÷ 10 円 = 1.94 点　→　2 点

＊簡便法（五捨五超入）

上記の式をさらに変形すると、薬価を 10 円で除し、小数点以下が

0.500「以下」であれば、小数点を切り捨てた点数

0.500 を「超える」と、1 点を加えた点数　　　　　　　　　となる。

例1 24.40 円の点数換算

24.40 円 ÷ 10 円 = 2.44 点　　小数点以下が 0.500 以下であるから、2 点。

例2 45.00 円の点数換算

45.00 円 ÷ 10 円 = 4.50 点　　小数点以下が 0.500「以下」であるから、4 点。

例3 65.50 円の点数換算

65.50 円 ÷ 10 円 = 6.55 点　　小数点以下が 0.500 を超えるので、

6 点 + 1 点 = 7 点。

✦ 材料価格基準

○注射器や注射針など医薬品以外で治療に用いる材料の価格を示したもの。

○算定のルール…（合計材料価格）÷ 10 円（小数点以下四捨五入）

3 薬剤料、特定保険医療材料料

　薬剤料や材料代は、単位薬剤料×調剤数量で求められる。薬剤の区分に応じて、以下の通りに分類される。

※1　1調剤分＝薬剤の総量

剤形		単位薬剤料	調剤数量
内用薬	内服薬	1剤1日分	投与日数
	内服用滴剤	1調剤分	1
	浸煎薬	1調剤分	1
	湯薬	1剤1日分	投与日数
	屯服薬	1調剤分	1
外用薬		1調剤分	1
注射薬		1調剤分	1
特定保険医療材料		投与総量	1

※2　2024年10月1日より後発医薬品発売後5年以上経過または後発医薬品の置換率が50％以上となった先発医薬品（長期収載医薬品）対象に、後発医薬品の最高価格帯との価格差の4分の1が自己負担（選定療養）となる。

算定例　□で囲んだ部分が算定に関係する部分。

○内服薬……定期的に飲む薬のこと

①Rp.　セレスタミン配合錠　3錠　　1日3回毎食後　3日分　　（1錠＝8.00円）
　　　　単位薬剤料（1剤1日分）　　　服用方法　投与日数→調剤数量

　　単位薬剤料：8.00円×3錠＝24.00円→2点　調剤数量：3

　　よって、薬剤料は2点×3＝6点　となる。

②Rp.　ペリアクチンシロップ0.04％　　6mL
　　　　ムコダインシロップ5％　　　　6mL　　1日3回毎食後　3日分
　　　　単位薬剤料（1剤1日分）　　　　　　服用方法　投与日数→調剤数量

（ペリアクチンシロップ1mL＝1.55円[1]、ムコダインシロップ1mL＝6.10円）

　　単位薬剤料：服用時点が同一の複数の内服薬の薬剤料は、合計薬価を計算して
　　　　　　　　から、点数に換算する。

　　　　　　　1.55円×6mL ＋ 6.10円×6mL ＝ 45.90円→5点

　　調剤数量：3

　　よって、薬剤料は5点×3＝15点　となる。

○内服用滴剤……内服用の液剤のうち、1回の使用量が数滴程度のもの

　Rp.　ラキソベロン内用液0.75％　　5mL　　1日1回10～15滴　（1mL＝16.00円）
　　　　単位薬剤料（1調剤分）　　　　　服用方法

　　単位薬剤料：16.00円×5mL ＝ 80.00円→8点

　　調剤数量：1

　　よって、薬剤料は8点×1＝8点　となる。

○屯服薬……症状が出たときに飲む薬

Rp. | ブスコパン錠10mg 2錠 | 腹痛時 | 6回分 | （1錠＝5.90円）

　　　　1回の服用方法　　　　服用方法　服用回数

　　　　単位薬剤料（1調剤分：2錠×6回分＝12錠）

単位薬剤料：5.90円×12錠＝70.80円→7点　調剤数量：1

よって、薬剤料は7点×1＝7点　となる。

○外用薬……身体の外部に用いる薬

① Rp. | ラクティオンパップ70mg　10cm×14cm　28枚 | 1日2枚　腰部に貼付

　　　　単位薬剤料（1調剤分）　　　　　　　　　　服用方法

　　　　　　　　　　　　　　　　　　　　　（1枚＝17.10円）

　　単位薬剤料：17.10円×28枚＝478.8円→48点　調剤数量：1

　　よって、薬剤料は48点×1＝48点　となる。

② Rp. | キンダベート軟膏0.05%　5g
白色ワセリン　5g | ※混合　1日2回朝夕塗布　顔・首

　　　　単位薬剤料（1調剤分）　　　　　　　　　　　服用方法

　　　　（キンダベート軟膏1g＝16.00円、白色ワセリン1g＝2.09円※2）

　　単位薬剤料：外用薬を混合する場合の薬剤料は、合計薬価を計算してから点数

　　　　　　　　に換算する。16.00円×5g＋2.09円×5g＝90.45円→9点

　　　　調剤数量：1

　　よって、薬剤料は9点×1＝9点　となる。

○注射薬・特定保険医療材料

Rp. | ヒューマログミックス25注ミリオペン300単位　3キット | 1日2回　朝10単位、夕12単位

　　　　単位薬剤料（1調剤分）　　　　　　　　　服用方法

| ペンニードルプラス32G 4mm　　　70本 |

　　単位薬剤料（特定保険医療材料：投与総量）

　　（ヒューマログミックス25注ミリオペン300単位1キット＝1,251円、

　　　　　　　　　　ペンニードルプラス32G 4mm 1本＝17円）

注射薬の薬剤料：1,251円×3キット＝3,753円→375点　調剤数量：1

よって、薬剤料は375点×1＝375点　となる。

特定保険医療材料料：17円×70本＝1,190円→119点

調剤数量：1

よって、特定保険医療材料料は119点×1＝119点　となる。

※1、2　薬価基準上の単位はそれぞれ10mL、10g単位だが、説明の便宜上1mL、1gの薬価で示してある。

4　調剤基本料

✚ 調剤基本料の点数と加算（処方箋の受付1回につき算定）

	名称		点数	略記号	備考
基本点数 ※1	施設基準の届出あり	調剤基本料1	45点	基A	原則
		調剤基本料2	29点	基B	イ）受付回数月4,000回超かつ上位3医療機関の集中率※2の合計が70％超 ロ）受付回数月2,000回超かつ集中率85％超 ハ）受付回数月1,800回かつ集中率95％超 ニ）特定の保険医療機関に係る処方箋が月4,000回超
		調剤基本料3 イ）	24点	基C	同一グループの保険薬局の処方箋受付回数の合計が月3.5万回〜4万回以下かつ集中率95％超または 月4万回超〜40万回以下かつ集中率85％超▲
		調剤基本料3 ロ）	19点	基D	同一グループ内の処方箋受付回数合計が月40万回超または300店舗以上、かつ集中率85％超▲
		調剤基本料3 ハ）	35点	基E	同一グループ内の処方箋受付回数合計が月40万回超または300店舗以上、かつ集中率85％以下▲
		特別調剤基本料A	5点	特基A	保険医療機関の敷地内薬局で、その保険医療機関からの処方箋受付割合が50％以上の場合
		特別調剤基本料B	3点	特基B	調剤基本料の届出がない薬局
分割調剤 ※3		分割調剤 （長期保存困難で分割する場合）	5点	分	14日を超える投薬に限る 調剤管理料および外来服薬支援料2を除く薬学管理料の算定不可 1分割調剤につき（1処方箋の2回目以降）
		後発医薬品分割調剤 （試用目的の分割調剤）	5点	試	調剤管理料、服薬管理指導料、および外来服薬支援料2を除く薬学管理料の算定不可 1分割調剤につき（1処方箋の2回目のみ）
加算項目	施設基準の届出あり	地域支援体制加算　1	32点	地支A	・1,200品目以上の医薬品の備蓄 ・24時間調剤、在宅業務対応体制 ・平日1日8時間以上、土日いずれかは一定時間以上開局し、週45時間以上の開局 ・薬学的管理・指導の体制整備、在宅に係る体制の情報提供 ・保健医療・福祉サービスを行う機関との連携など
		地域支援体制加算　2	40点	地支B	
		地域支援体制加算　3	10点	地支C	
		地域支援体制加算　4	32点	地支D	
		連携強化加算	5点	連強	災害や新興感染症発生時に対する医薬品供給等の体制整備、第二種協定指定医療機関※4、オンライン服薬指導の体制整備など
		後発医薬品調剤体制加算　1	21点	後A	後発医薬品の数量割合が80％以上 （直近3か月間に調剤）
		後発医薬品調剤体制加算　2	28点	後B	後発医薬品の数量割合が85％以上 （直近3か月間に調剤）
		後発医薬品調剤体制加算　3	30点	後C	後発医薬品の数量割合が90％以上 （直近3か月間に調剤）

加算項目（施設基準の届出あり）					
医療DX推進体制整備加算※5		4点	薬DX	電子処方箋、電子カルテ共有サービス対応、および、マイナ保険証の利用実績がある場合。月1回に限り算定	
在宅薬学総合体制加算	1	15点	在総A	在宅調剤の実績が年24回以上ある保険薬局	在宅患者に係る調剤時の算定
	2	50点	在総B	麻薬注射1品目（麻薬6品目）＋無菌室等、または在宅の乳幼児加算や小児特定加算が年6回以上算定など	
時間外加算		所定点数の100/100	時	開局時間以外のおおむね午前6〜8時、午後6〜10時	
休日加算		所定点数の140/100	休	開局時間以外の日曜、祝日、12/29〜31、1/2・3	
深夜加算		所定点数の200/100	深	開局時間以外の午後10時〜午前6時	

▲ 特定の保険医療機関と賃貸借関係にある場合は集中率50%以下。50%超は特別基本料A 5点で算定（略記号：特基A）。

※1 複数の保険医療機関から交付された処方箋を同時に受け付けた場合、2回目以降は基本点数の80/100の点数で算定（略記号：同、小数点以下四捨五入）。なお、加算項目は別に算定できる。

※2 集中率とは、全処方箋受付回数のうち特定の医療機関の処方箋受付割合をいう。

※3 医師の指示による分割調剤は、(調剤基本料＋薬剤調製料＋服薬情報等提供料以外の薬学管理料)÷(分割回数)の点数で算定。

※4 第二種協定指定医療機関とは、新型インフルエンザ等感染症等外出自粛対象者に対し医療を提供する医療機関として都道府県知事が指定した医療機関をいう。

※5 2024年10月1日より、1：7点、2：6点、3：4点の3段階に分割される。

✚ 調剤基本料の区別

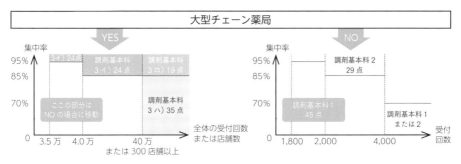

・上記で分類不可能 → 特別調剤基本料B（特基B） 3点

・妥結率※50%以下、かかりつけ機能業務1年未実施 → 所定点数の50/100

　※保険薬局が卸売販売業者から購入した薬価総額のうち、両者間で取引価格が定まったものの割合

・後発医薬品調剤割合が5割以下（後減） → 5点減点
　　　　　　　　　　　　　　　　　　（受付600回以上／月の薬局）

✦ 受付回数の考え方

○ 1回の来局につき、保険医療機関ごとに1回の受付が原則。

※「受付1回」とは「一連の調剤サービスの提供を受ける間」
同一日に体調変化による再受診の場合は、1日2回の受付はありうる（ただし、レセプトの摘要欄にコメントが必要）。

ただし、同一保険医療機関のうち、医科と歯科はそれぞれ受付1回とする。

○ 調剤基本料届出における月あたりの算定回数の考え方

月あたり算定回数 ＝（算定対象期間の受付回数[※1]）÷（算定対象期間の月数）

指定時期	実績判定期間	適用期間
前年 4/30	前年 5/1 ～当年 4/30	当年 6/1 ～翌年 5/31
前年 5/1 ～当年 1/31	指定日の翌月1日～当年 4/30[※2]	当年 6/1 ～翌年 5/31
当年 2/1 ～	指定日の翌月1日から3か月間[※2]	当該3か月最終月の翌々月1日～翌年 5/31

※1　在宅患者訪問薬剤管理指導料（単一建物・患者2人以上）による処方箋は回数に含めない。
※2　実績が判断されるまでは、調剤基本料1（グループ薬局は例外）として扱われる。

✦ 後発医薬品の数量割合とは

「後発医薬品のある先発医薬品＋後発医薬品」の調剤数量に占める「後発医薬品」の割合。届出直近3か月間の数値で判断する。

＊「後発医薬品のある先発医薬品＋後発医薬品」は、全医薬品の調剤数量のうち50％以上を占める必要がある（カットオフ値）。なお、経腸成分栄養剤、特殊ミルク製剤、生薬、漢方製剤を除く。

✦ 時間外加算、休日加算、深夜加算

○ 基本点数と施設基準の届出がある加算項目の合計点数に対して、加算の点数を計算する。

〈算定例〉調剤基本料1、後発医薬品調剤体制加算1を届け出ている保険薬局の場合
開業時間内の点数が45点＋21点＝66点なので、

・時間外加算：66点×100/100 ＝ 66点
・休日加算：66点×140/100 ＝ 92.4点 → 92点（1点未満四捨五入）
・深夜加算：66点×200/100 ＝ 132点

〇時間外、休日、深夜加算等の考え方

	時刻	開局時間内	開局時間外
月曜〜金曜	0〜6	夜間・休日等加算※	深夜加算
	6〜8		時間外加算
	8〜18		
	18〜19		
	19〜22	夜間・休日等加算※	
	22〜24		深夜加算
土曜	0〜6	夜間・休日等加算※	深夜加算
	6〜8		時間外加算
	8〜13		
	13〜22	夜間・休日等加算※	
	22〜24		深夜加算
日曜・祝日・12/29〜1/3	0〜6	夜間・休日等加算※	深夜加算
	6〜22		休日加算
	22〜24		深夜加算

※夜間・休日等加算については、後述する薬剤調製料の加算であるが、調剤基本料と同様に条件を満たせば受付1回ごとに算定するものであるから、比較のために掲載する。
　夜間・休日等加算の算定の際は、開局時間と算定の時間帯を掲示。処方箋の受付時間を薬剤服用歴または調剤録に記載する。

✚ 分割調剤の考え方

〇分割調剤とは、処方箋に記載された全処方日数ではなく、一部の日数分のみを調剤し、後日、改めて残りを調剤すること。

〇調剤可能期間……処方箋の使用期間＋処方箋に記載されている日数
　＊処方箋に記載されている日数を超えて調剤できない

〇分割調剤を行う際は、調剤録を作成し、処方箋の備考欄等に調剤量、調剤年月日、薬局の名称および所在地を記入の上、記名押印した原本を患者に返却する。

✦ 地域支援体制加算1〜4の分類と届出要件

○主な施設基準

- ・薬局間連携による医薬品の融通等
- ・麻薬小売業者の免許
- ・休日、夜間を含む薬局における調剤・相談応需体制と周知
- ・在宅薬剤管理の実績24回以上
- ・かかりつけ薬剤師指導料の届出
- ・一般用医薬品及び要指導医薬品等の販売
- ・緊急避妊薬の取扱いを含む女性の健康に係る対応
- ・当該保険薬局の敷地内における禁煙の取扱い
- ・たばこの販売禁止（併設する医薬品店舗販売業の店舗を含む）

○各加算の要件

	地支1	地支2	地支3	地支4
調剤基本料	調剤基本料1		調剤基本料1以外	
届出要件	④を含む 3項目以上	8項目以上	④・⑦を含む 3項目以上	8項目以上
①夜間休日対応	40回以上／1万回		400回以上／1万回	
②麻薬調剤	1回以上／1万回		10回以上／1万回	
③重複投薬相互作用等防止加算の算定	20回以上／1万回		40回以上／1万回	
④かかりつけ薬剤師指導料の算定	20回以上／1万回		40回以上／1万回	
⑤外来服薬支援料1の算定	1回以上／1万回		12回以上／1万回	
⑥服用薬剤調整支援料の算定	1回以上／1万回		1回以上／1万回	
⑦在宅（単一1人）	24回以上／1万回		24回以上／1万回	
⑧服薬情報等提供料の算定	30回以上／1万回		60回以上／1万回	
⑨小児特定加算の算定	1回以上／1万回		1回以上／1万回	
⑩多職種会議への参加	1回以上／年間		5回以上／年間	

※6月1日より算定する場合は、前年5月1日〜当年4月30日の状況で判断。

薬剤調製料・調剤管理料

✦ 薬剤調製料および調剤管理料の点数 (処方箋の受付1回につき)

薬剤調製料			調剤管理料※3
内服薬 (1剤※1につき 算定、3剤まで)	7日分以下の場合	24点	4点
	8日以上14日分以下		28点
	15日以上28日分以下		50点
	29日分以上		60点
内服用滴剤	1調剤につき	10点	4点
屯服薬	1回の処方箋受付につき剤数にかかわらず	21点	
湯薬 (1調剤※2につ き算定、3調剤 まで)	1～28日分の場合 / 1～7日分 (まとめて)	190点	
	1～28日分の場合 / 8～28日分 (1日分につき)	+10点	
	29日分以上	400点	
浸煎薬	1調剤につき算定、3調剤まで	190点	
注射薬	1回の処方箋受付につき調剤数にかかわらず	26点	
外用薬	1調剤につき算定、3調剤まで	10点	

※1 「1剤」:同一の服用時点ごとにまとめた薬剤調製料および調剤管理料の単位

※2 「1調剤」:調剤行為ごとの単位

※3 内服薬の調剤管理料は処方箋受付1回につき3剤まで算定可。内服薬以外の調剤管理料は処方箋受付1回ごとにまとめて算定する。内服薬の調剤管理料を算定する場合は、内服薬以外の調剤管理料は算定できない。

✦ 内服薬の薬剤調製料・調剤管理料

○内服用固形剤 (散剤、顆粒剤、錠剤、カプセル剤など) どうしの場合、服用時点が同一ならばまとめて1剤。薬剤調製料および調剤管理料は一番長い投与日数を基準に算定する。

例	A錠 3錠	1日3回 毎食後 7日分	→	薬剤調製料 24点 調剤管理料 4点
	B錠 3錠	1日3回 毎食後 5日分	→	薬剤調製料 0点 調剤管理料 0点

内服用固形剤　　服用時点が同一　→　まとめて1剤

○内服用固形剤と内服用液剤を同時に調剤した場合は、服用時点が同一でも、別々に1剤とする。下の例では2剤となる。

| 例 | C酸　　3g | 1日3回　毎食後 | 5日分 → | 薬剤調製料　24点
調剤管理料　4点 |

内服用固形剤

| | Dシロップ　30mL | 1日3回　毎食後 | 3日分 → | 薬剤調製料　24点
調剤管理料　4点 |

内服用液剤　　　　服用時点が同一

○同一服用時点であっても別剤とするケース
　・固形剤と液剤　　・錠剤とチュアブル錠　　・配合不適の場合

○4剤目以降の薬剤調製料および調剤管理料は0点である。投与日数の長いものから順に1剤とカウントする。

以下の例ではすべて服用時点が異なる4剤。D錠が一番短い投与日数である。そのため、D錠の薬剤調製料および調剤管理料を算定せず、他の3剤について薬剤調製料および調剤管理料を算定する。

例	A錠　3T	分3　毎食後	14日分 →	薬剤調製料 24点 調剤管理料 28点
	B錠　2T	分2　朝・夕食後	14日分 →	薬剤調製料 24点 調剤管理料 28点
	C錠　1T	分1　朝食後	14日分 →	薬剤調製料 24点 調剤管理料 28点
	D錠　1T	分1　就寝前	7日分 →	薬剤調製料　0点 調剤管理料　0点

○同一有効成分で同一剤形が複数ある場合は、その数にかかわらず1剤とする。
同一成分の医薬品を用量変化させながら服用する場合、薬剤調製料および調剤管理料はまとめて1剤とし、日数分も合計する。

例	①E錠0.5mg　1錠　　分1　夕食後　　　　3日分
	②E錠0.5mg　2錠　　分2　朝・夕食後　　4日分
	③E錠1mg　　2錠　　分2　朝・夕食後　　7日分 → 薬剤調製料 24点 調剤管理料 28点
	※①→②→③の順に服用。　　　　　　　　　　　　　　（内服薬14日分）

例	Fカプセル2mg　2C　木曜1日2回　朝夕食後　4日分
	Fカプセル2mg　1C　金曜1日1回　朝食後　　4日分
	→ 薬剤調製料24点・調剤管理料28点 （内服薬8日分）

○内服薬の剤数には、内服薬のほか、湯薬・浸煎薬を含む。内服用滴剤は含まない。

✚ 内服薬以外の薬剤調製料・調剤管理料

例	S軟膏　30g	1日1回塗布	足底	→薬剤調製料　10点 　調剤管理料　4点
	外用薬			
	Lクリーム1%　40g	1日1回塗布	足	→薬剤調製料　10点 　調剤管理料　0点
	外用薬			

　外用薬の薬剤調製料は1調剤ごと3調剤まで算定できるが、調剤管理料は処方箋受付1回ごとに算定するので、ある調剤で4点算定したら、他の調剤は0点となる。

✚ 内服薬と内服薬以外の薬剤調製料・調剤管理料

例	R錠　　　3錠	1日3回　毎食後	7日分 →	薬剤調製料　24点 調剤管理料　4点
	内服用固形剤			

Mテープ40mg　10cm×14cm　21枚　　　　　→　　薬剤調製料　10点
　　　　　　　　　　　1日3枚腰部に貼付　　　　　調剤管理料　0点

　　　外用薬

内服薬の調剤管理料を算定した場合は、それ以外の調剤管理料は算定できない。

✚ 長期保存の困難性の理由または後発医薬品の試用のための分割調剤

①1回目は調剤した分の点数を算定する。
②2回目以降は、1回目の調剤から通算した日数に対応する点数から前回までに請求した点数を減じて得た点数を限度に、調剤した分の点数を算定する。

薬剤調製料および調剤管理料の加算

✚ 薬剤調製料の加算

名称	点数		略記号	算定単位
無菌製剤処理加算	6歳未満	6歳以上	菌	1日分につき
中心静脈栄養法用輸液	137 点	69 点		
抗悪性腫瘍剤	147 点	79 点		
麻薬	137 点	69 点		
麻薬加算	70 点		麻	1調剤につき
向精神薬・覚醒剤原料・毒薬加算	8 点		向 、覚原 、毒	1調剤につき
夜間・休日等加算	40 点		夜	処方箋受付1回につき
自家製剤加算				
内用薬　内服薬：錠剤、丸剤、カプセル剤、散剤、顆粒剤、エキス剤（1週間につき）	20（4）点		自 錠剤分割時は 分自 予製剤※使用の時は 予	1調剤につき
内用薬　屯服薬：錠剤、丸剤、カプセル剤、散剤、顆粒剤、エキス剤	90（18）点			
内用薬　液剤	45（9）点			
外用薬　錠剤、トローチ剤、軟・硬膏剤、パップ剤、リニメント剤、坐剤	90（18）点			
外用薬　点眼剤、点鼻・点耳剤、浣腸剤	75（15）点			
外用薬　液剤	45（9）点			
計量混合調剤加算				
液剤	35（7）点		計 予製剤※使用の時は 予	1調剤につき
散剤、顆粒剤	45（9）点			
軟・硬膏剤	80（16）点			

「1調剤」：内服薬・屯服薬の場合は、服用時点と服用日数（回数）が同じもの。服用時点が同じでも服用日数が異なれば、別の調剤。
上記以外は、薬の種類ごと。

※予製剤：あらかじめまとまった数量の薬剤を計量混合しておいて、需要がある度に必要な分量だけを調剤すること

算定要件	備考
2以上の注射薬を無菌的に混合した場合 ・2名以上の保険薬剤師（うち1名が常勤）がいること ・無菌室、クリーンベンチ、安全キャビネットを備えていること	・要届出 ・抗悪性腫瘍剤は希釈しても可 ・麻薬は無菌的に充填しても可
麻薬を調剤した場合	1調剤の中に麻薬とそれ以外の薬剤が含まれている場合は70点、向精神薬・覚醒剤原料・毒薬のみ含まれている場合は8点を算定する（P.76参照）。
向精神薬、覚醒剤原料、毒薬を調剤した場合	
開業日の日曜、祝日、12/29～1/3・月～金 午後7時～午前8時・土 午後1時～（P.69参照）	レセプトは時間外等加算の加算欄に記載。
市販されている医薬品の剤形で対応できないときに、医師の指示に基づいて、容易に服用できるよう調剤上の特殊な技術工夫を行った場合 →製剤行為の結果、もとの剤形と異なる剤形になる場合（ただし、ドライシロップとシロップ剤を混合した場合は、計量混合調剤加算となる） （例） ・錠剤を粉砕して散剤にする ・錠剤を分割する ・主薬を溶解して点眼剤を無菌に製剤する ・6歳未満の乳幼児に対する調剤において、矯味剤を加えること	・多層コーティング錠、徐放性格子入錠、腸溶錠の粉砕は不可。 ・同一剤形、同一規格が薬価に収載の場合は原則として算定不可だが、供給困難で入手可能な場合は算定可能。 ・（　）の点数は錠剤分割および予製剤による場合（20／100）。 ・自家製剤加算を算定した場合は計量混合調剤加算は算定できない。
2種以上の薬剤を計量し、かつ、混合して、調剤した場合 →製剤行為の結果、もとの剤形と変わらない場合	（　）の点数は予製剤による場合（20／100）。

✦ 調剤管理料の加算

名称		点数	略記号	算定単位
重複投薬・ 相互作用等防止加算	残薬調整以外の場合	40 点	防A	処方箋受付 1 回につき
	残薬調整の場合	20 点	防B	
調剤管理加算	初回	3 点	調管A	処方箋受付 1 回につき
	2 回目以降	3 点	調管B	
医療情報取得加算 1※		3 点	医情A	患者につき 6 月に 1 回に限り
医療情報取得加算 2※		1 点	医情B	患者につき 6 月に 1 回に限り

※ 2024 年 12 月 1 日より、「医療情報取得加算」 1 点に統合され、12 月に 1 回に限り算定することになる。

✦ 時間帯の加算

名称	点数	略記号		算定単位
時間外加算	所定点数の 100/100	薬剤調製料 薬時 調剤管理料 調時		1 調剤につき
休日加算	所定点数の 140/100	薬剤調製料 薬休 調剤管理料 調休		1 調剤につき
深夜加算	所定点数の 200/100	薬剤調製料 薬深 調剤管理料 調深		1 調剤につき

✦ 1 調剤に対する加算

例 Rp. 1） A細粒　　（向精神薬）　 0.9 g
　　　　　 B散　　　（麻薬）　　　　 0.6 g　　　 1 日 3 回毎食後　　 7 日分
　　　 2） C錠　　　（向精神薬）　　 3 錠
　　　　　 Dカプセル　　　　　　 3 カプセル　　 1 日 3 回毎食後　　 5 日分

→ 1）と 2）は内服用固形剤。服用時点が同じであるから「1 剤」だが、服用日数は異なるので、それぞれ別調剤。よって、以下の通りになる。

Rp.	薬剤調製料	調剤管理料	加算
1）	24 点	4 点	麻薬加算 70 点
2）	0 点	0 点	向精神薬加算 8 点

薬剤調製料が 0 点でも、「1 調剤」が計算単位であるため加算できる。

算定要件	備考	
薬剤服用歴等に基づき重複投薬や相互作用を防ぐ、残薬を有効に活用する目的で、処方医に疑義照会後、処方に変更が行われた場合	在宅患者訪問薬剤管理指導料、在宅患者緊急訪問薬剤管理指導料または在宅患者緊急時等共同指導料を算定している患者には算定できない。	
複数の医療機関で6種類以上の内服薬を処方されている場合の服薬状況の一元管理	服用薬剤調整支援料を過去1年間に1回以上算定している実績があること	
オンライン資格確認等システムの導入及び活用（オンライン資格確認の体制、患者の情報取得につき、ホームページ等に掲示）	下記以外	一方の加算を算定した場合、6月以内は他方の加算は算定できない。
	保険証機能を持つマイナンバーカード〔マイナ保険証〕を用いた薬剤情報等の取得（患者の同意必要）	

算定要件（P.69 参照）	備考
開局時間以外のおおむね午前6〜8時、午後6〜10時	対象は薬剤調製料および調剤管理料（加算除く）、無菌製剤処理加算。
開局時間以外の日曜、祝日、12/29〜31、1/2・3	
開局時間以外の午後10時〜午前6時	

✛薬剤調製料の加算に関する併算定

	支B	自家製剤	計量混合
外来服薬支援料2（略：支B、P.82 参照）		×	×
自家製剤加算	×		×
計量混合調剤加算	×	×	
麻薬加算	○	○	○
向精神薬・覚醒剤原料・毒薬加算	○	○	○
時間外・休日・深夜加算	○	○	○

薬学管理料（調剤管理料以外）

✦服薬管理指導料の点数と加算

○服薬管理指導料（処方箋の受付1回につき）

	過去3月以内来局歴なし	過去3月以内来局＋手帳あり	過去3月以内来局＋手帳なし
通院・在宅患者	薬C（59点）	薬A（45点）	薬B（59点）
介護老人福祉施設等入所者※への訪問・指導	薬3C（45点）	薬3A（45点）	薬3B（45点）
オンライン服薬指導	薬オC（59点）	薬オA（45点）	薬オB（59点）
服薬管理指導料の特例（P.80-81参照）	特2C（59点）	特2A（59点）	特2B（59点）

※ショートステイや介護老人保健施設入所の患者でも可。月4回まで。

	名称		点数	略記号	算定要件	
加算項目	麻薬管理指導加算		22点	麻	麻薬について必要な薬学的管理および指導を行った場合	
	特定薬剤管理指導加算1	初回	10点	特管Aイ	特に安全管理が必要な医薬品（ハイリスク薬）についての指導を初めて行った場合	初回・2回目以降とは、保険薬局に関係なく、患者に対する処方全体で考える
		2回目以降	5点	特管Aロ	ハイリスク薬の用法用量が変更となった場合や副作用が発現した場合の指導	
	特定薬剤管理指導加算2		100点	特管B	抗がん剤注射を受けた患者の情報を元に副作用対策や医薬品の服薬指導をし、調剤後の確認内容を保険医療機関に報告した場合（要届出） ・月1回算定 ・保険医療機関は連携充実加算を届出 ・服薬情報等提供料は算定不可	
	特定薬剤管理指導加算3		5点	特管Cイ 特管Cロ	以下の指導を行った場合に、その品目の新規処方時1回に限り算定。 イ．医薬品リスク管理計画（RMP）に基づく説明資材の活用 ロ．後発医薬品がある先発医薬品を選択しようとする患者への説明、または、供給不足による医薬品の変更に対する説明 ※特定薬剤管理指導加算1と同加算2は併せて算定が可能	
	乳幼児服薬指導加算		12点	乳	6歳未満の乳幼児に対する指導を行った場合 ※小児特定加算を算定する場合は算定不可	
	小児特定加算		350点	小特	新生児集中治療室（NICU）入院後、人工呼吸器や胃ろうなどを用い、喀痰吸引や経管栄養など日常的な医療ケアが必要な18歳未満の者（医療的ケア児）に対して指導を行った場合。	

加算項目	吸入薬指導加算	30点	吸	医師の求め等に応じ、喘息や慢性肺疾患の患者に吸入薬の使用法を文書説明と実技指導を行い、その内容を保険医療機関に報告した場合。 ・3月に1回算定 ・服薬情報等提供料は算定不可

○服薬管理指導料の算定要件

- ・調剤した医薬品の薬剤情報提供、服薬指導、薬剤の交付
- ・薬剤使用状況等の継続的な把握・指導
- ・薬剤情報提供文書の交付
- ・お薬手帳への記入（患者が手帳を持参しないときはシールを交付。次回手帳を確認）

○特定薬剤管理指導加算1の対象医薬品と薬剤名

安全管理が必要な医薬品	一般名・製品名（例）
抗悪性腫瘍剤	テガフールカプセル、フルオロウラシル錠など
免疫抑制剤	タクロリムス水和物、シクロホスファミド錠、シクロスポリンカプセルなど
不整脈用剤	メキシレチンカプセル、フレカイニドなど
抗てんかん剤	フェニトイン、カルバマゼピンなど
血液凝固阻止剤（内服薬のみ）	ワルファリンカリウム錠、リバーロキサバン錠など
ジギタリス製剤	ジコキシン錠など
テオフィリン製剤	テオフィリン錠・シロップ・ドライシロップなど
カリウム製剤（注射薬のみ）	
精神神経用剤	抗精神病薬、抗うつ薬、抗パーキンソン薬など
糖尿病用剤	グリメピリド錠、グリベンクラミド錠、ボグリボース錠など
膵臓ホルモン剤および抗HIV薬	インスリン製剤など

○その他の薬学管理料

名称			点数	略記号	算定単位
かかりつけ薬剤師指導料			76 点	薬指 オンライン 薬指オ	処方箋受付 1 回につき
加算項目	麻薬管理指導加算		22 点	麻	処方箋受付 1 回につき
	特定薬剤管理指導加算 1	初回	10 点	特管 A イ	新規処方時1回
		2 回目以降	5 点	特管 A ロ	算定要件該当 ごとに
	特定薬剤管理指導加算 2		100 点	特管 B	月 1 回
	特定薬剤管理指導加算 3		5 点	特管 C イ 特管 C ロ	新規処方時
	乳幼児服薬指導加算		12 点	乳	処方箋受付 1 回につき
	小児特定加算		350 点	小特	処方箋受付 1 回につき
	吸入薬指導加算		30 点	吸	3 月に 1 回
かかりつけ薬剤師包括管理料			291 点	薬包 オンライン 薬包オ	処方箋受付 1 回につき
服用薬剤調整支援料 1			125 点	剤調 A	月 1 回
服用薬剤調整支援料 2	イ．実績あり		110 点	剤調 B	3 月に 1 回
	ロ．「イ」以外		90 点	剤調 C	

算定要件	
患者が選択し、同意を得たかかりつけ薬剤師（複数名可）が処方医と連携して患者の服薬状況を一元的・継続的に把握し、服薬指導等を行った場合（要届出） ※パーテーション等プライバシーに配慮 ※患者の意向を確認の上、残薬状況等を記帳し、処方医への情報提供に努める ※かかりつけ薬剤師の要件は、薬局に3年以上の勤務経験、同一薬局で週32時間以上勤務かつ12か月以上の在籍、研修認定の取得 ※服薬管理指導料、かかりつけ薬剤師包括管理料と同時算定できない。在宅患者訪問薬剤管理指導料を算定している場合は、臨時の投薬の場合のみ算定可 ※別の業務等やむを得ず、連携する他の保険薬剤師が調剤を行った場合は、「服薬管理指導料の特例」として59点を算定する（P.78参照）	
麻薬について必要な薬学的管理および指導を行った場合	服薬管理指導料の加算と算定要件は同じ
ハイリスク薬新規処方	
ハイリスク薬用法用量変更、副作用、副作用発現時	
抗悪性腫瘍剤（注射薬）	
RPMを用いた指導	
長期収載品の選定療養の対象品目が処方された患者への説明または供給不足による医薬品の変更	
6歳未満の乳幼児に対する指導を行った場合 ※小児特定加算を算定する場合は算定不可	
医療的ケア児（P.78参照）に対する加算	
吸入薬の処方がされている喘息患者、慢性閉塞性肺疾患の患者に対する指導	
保険医療機関において〔認知症〕地域包括診療料、〔認知症〕地域包括診療加算を算定する患者を対象に、患者自らが選択した薬剤師が服薬管理を行った場合（要届出） ※パーテーション等プライバシーに配慮 ※患者の意向を確認の上、残薬状況等を記帳し、処方医への情報提供に努める ※時間外等加算、夜間・休日等加算、在宅患者調剤加算、臨時投薬時の在宅患者訪問薬剤管理指導料、在宅患者緊急訪問薬剤管理指導料、在宅患者緊急時等共同指導料、退院時共同指導料、経管投薬支援料、薬剤料・特定保険医療材料料　以外は算定不可 ※別の業務等やむを得ず、連携する他の保険薬剤師が調剤を行った場合は、「服薬管理指導料の特例」として59点を算定（P.78参照）。	
服薬開始後4週間以上経過した6種類以上の内服薬の処方について、処方医に対して薬剤師が文書で提案して2種類以上減薬し、その状態が4週間以上経過した場合	
複数の保険医療機関から6種類以上の内服薬の処方につき重複投薬がある場合、処方医に対して、重複投薬等の解消にかかる提案を、文書を用いて行った場合 ※イは過去1年間に服用薬剤調整支援料1を算定した実績、またはそれに相当する実績を要する。（届出不要）	

名称		点数	略記号	算定単位
外来服薬支援料1		185 点	支A	月1回
外来服薬支援料2	42 日分以下の部分 （1週間につき）	34 点	支B	1回につき
	43 日分以上の部分	240 点		
施設連携加算		+50 点	施連	月1回
調剤後薬剤管理指導料	1．糖尿病患者	60 点	調後A	月1回
	2．慢性心不全患者	60 点	調後B	
在宅患者訪問薬剤管理指導料	① 単一建物・患者1人	650 点	訪A	患者1人につき
	② 単一建物・患者 2～9人	320 点	訪B	
	③ ①・②以外	290 点	訪C	
加算	麻薬管理指導加算	100 点	麻	1回につき
	在宅患者医療用麻薬持続注射療法加算	250 点	医麻	1回につき
	乳幼児加算	100 点	乳	1回につき
	小児特定加算	450 点	小特	1回につき
	在宅中心静脈栄養法加算	150 点	中静	1回につき
在宅患者オンライン薬剤管理指導料		59 点	在オ	患者1人につき
加算	麻薬管理指導加算	22 点	麻オ	1回につき
	乳幼児加算	12 点	乳オ	1回につき
	小児特定加算	350 点	小特オ	1回につき

算定要件		
自己による服薬管理が困難な外来患者または家族等、もしくは保険医療機関の求めに応じて、薬剤師が、患者から持参した全ての薬剤を確認し、重複投薬や相互作用のリスクを処方医に照会するほか、薬剤を一包化や服薬カレンダーで整理し、患者や家族に対して服薬管理を支援した場合 ※処方箋なしで算定可。レセプトは処方箋調剤のレセプトとは別に外来服薬支援料単独で作成 ※在宅患者訪問薬剤管理指導料を算定している患者には算定不可	併せて算定できない	
2剤以上の内服薬（内服用固形剤）または1剤で3種類以上の内服薬（内服用固形剤）を服用時点ごとに一包化を行い、必要な服薬指導・支援を行った場合（P.88 参照） ※多剤投与により薬剤の飲み忘れや飲み誤りの恐れがある、または心身の特性により、薬剤の取り出しが困難な患者が対象 ※該当する剤では自家製剤加算、計量混合調剤加算は併せて算定できない		
介護老人福祉施設の職員と連携して、患者の入所時などに服薬管理を行った場合		
患者や家族の要望、保険医の了解を得た場合、または保険医療機関の求めに応じ患者の同意がある場合、調剤後別の日に電話等で服用確認、継続的な薬学管理・指導、処方医への情報提供を行った場合に算定 ・地域支援体制支援加算を算定していることが必要 ・服薬情報提供料は算定不可		
通院が困難な在宅療養患者に対して、医師の指示に基づき、保険薬剤師が薬学的管理指導計画を策定し、患家を訪問して、薬学的管理および指導を行い、処方医に訪問結果について情報提供を文書で行う場合（要届出） ※保険薬局と患家の距離は原則 16km 以内。交通費は実費で患家が負担 ※臨時投薬の場合を除き、同一月に、服薬管理指導料、かかりつけ薬剤師指導料およびかかりつけ薬剤師包括管理料は算定不可		併せて月4回限度（末期の悪性腫瘍、中心静脈栄養法の対象患者および麻薬注射患者の場合は週2回かつ月8回まで） ※上記カッコの場合を除き、前回の算定日より6日以上間隔をあけること。 ・保険薬剤師1人につき週40回まで
麻薬について必要な薬学的管理および指導を行った場合	併せて算定できない	
注入ポンプによる麻薬注入への薬学的管理・指導 麻薬小売業者と高度管理医療販売業の届出がある保険薬局にて算定（要届出）		
6歳未満の乳幼児に対する指導を行った場合		
医療的ケア児（P.78 参照）に対する指導		
在宅中心静脈栄養法を行っている患者に対する指導（要届出）		
本来、医師の指示に基づいて、患家を訪問して薬学的管理および指導を行うべき患者に対するオンラインによる薬学的管理及び指導 ※情報通信機器の運用費用及び医薬品等の配送費用は、実費を別途徴収できる		
麻薬について必要な薬学的管理および指導を行った場合		
6歳未満の乳幼児に対する指導を行った場合 ※小児特定加算を算定する場合は算定不可		
医療的ケア児（P.78 参照）に対する指導		

名称		点数	略記号	算定単位
在宅患者緊急訪問薬剤管理指導料	1. 計画的な訪問薬剤管理指導にかかる疾患の急変（新興感染症含む）に伴うもの	500点	緊訪A	1回につき
	2. 上記以外	200点	緊訪B	
加算	夜間訪問加算	400点	夜訪	1回につき
	休日訪問加算	600点	休訪	1回につき
	深夜加算	1000点	深訪	1回につき
	麻薬管理指導加算	100点	麻	1回につき
	在宅患者医療用麻薬持続注射療法加算	250点	医麻	1回につき
	乳幼児加算	100点	乳	1回につき
	小児特定加算	450点	小特	1回につき
	在宅中心静脈栄養法加算	150点	中静	1回につき
在宅患者緊急オンライン薬剤管理指導料		59点	緊訪オ	1回につき
加算	麻薬管理指導加算	22点	麻オ	1回につき
	乳幼児加算	12点	乳オ	1回につき
	小児特定加算	350点	小特オ	1回につき
在宅患者緊急時等共同指導料		700点	緊共	月2回
加算	麻薬管理指導加算	100点	麻	1回につき
	在宅患者医療用麻薬持続注射療法加算	250点	医麻	1回につき
	乳幼児加算	100点	乳	1回につき
	小児特定加算	450点	小特	1回につき
	在宅中心静脈栄養法加算	150点	中静	1回につき
退院時共同指導料		600点	退共	入院中1回（末期の悪性腫瘍の患者等の場合は入院中2回）

算定要件	
在宅療養を担う医師の求めにより、訪問薬剤管理指導を実施している保険薬剤師が緊急に患家を訪問して指導を行い、その医師に対して情報提供を行った場合 ※保険薬局と患家の距離は原則 16km 以内。交通費は実費で患家が負担	
開局時間外の午後 6 時～午後 10 時および午前 6 時～午前 8 時	・1 への加算 ・末期悪性腫瘍患者、麻薬注射患者が対象
開局時間外の日曜、祝日および 12/29 ～ 1/3 （午後 10 時～翌日午前 6 時を除く）	
開局時間外の午後 10 時～翌日午前 6 時	
麻薬について必要な薬学的管理および指導を行った場合 ※在宅患者医療用麻薬持続注射療法加算を算定する場合は算定不可	併せて月 4 回（末期の悪性腫瘍、麻薬注射の患者は月 8 回）限度。主治医と連携する他の保険医の指示でも可
注入ポンプによる麻薬注入 麻薬小売業者と高度管理医療販売業の届出がある保険薬局にて算定	
患家を訪問して 6 歳未満の乳幼児に対する指導を行った場合 ※小児特定加算を算定する場合は算定不可	
医療的ケア児（P.78 参照）に対する指導	
在宅中心静脈栄養法を行っている患者に対する指導（要届出）	
オンラインによる薬学的管理および指導	
麻薬について必要な薬学的管理および指導を行った場合	
6 歳未満の乳幼児に対する指導を行った場合 ※小児特定加算を算定する場合は算定不可	
医療的ケア児（P.78 参照）に対する指導	
訪問薬剤管理指導を実施している患者の状態の急変や診療方針の変更等の際、当該患者の医療関係職種等が一堂に会したカンファレンスに参画した場合 ※同時に在宅患者訪問薬剤管理指導料、在宅患者緊急訪問薬剤管理指導料は算定不可	
麻薬について必要な薬学的管理および指導を行った場合	
注入ポンプによる麻薬注入 麻薬小売業者と高度管理医療販売業の届出がある保険薬局にて算定	
6 歳未満の乳幼児に対する指導を行った場合	
医療的ケア児（P.78 参照）に対する指導	
在宅中心静脈栄養法を行っている患者に対する指導（要届出）	
退院後の訪問薬剤管理指導を担う薬局の薬剤師が、入院中の保険医療機関を訪問して、医師や看護師等、薬剤師、管理栄養士、理学療法士、作業療法士、言語聴覚士、社会福祉士と共同して、在宅療養上必要な薬剤に関する説明および指導（オンライン可）を行った場合	

名称		点数	略記号	算定単位
服薬情報等提供料1		30点	服A	月1回
服薬情報等提供料2	（イ）保険医療機関へ情報提供	20点	服Bイ	月1回
	（ロ）リフィル調剤後、処方医に必要な情報提供	20点	服Bロ	
	（ハ）ケアマネージャー[※1]に必要な情報提供	20点	服Bハ	
服薬情報等提供料3		50点	服C	3月に1回
在宅患者重複投薬・相互作用等防止管理料	1．処方箋に基づく疑義照会 / 残薬調整以外	40点	在防Aイ	処方箋受付1回につき
	1．処方箋に基づく疑義照会 / 残薬調整	20点	在防Aロ	
	2．処方箋交付前に処方提案して反映 / 残薬調整以外	40点	在防Bイ	
	2．処方箋交付前に処方提案して反映 / 残薬調整	20点	在防Bロ	
経管投薬支援料		100点	経	初回のみ
在宅移行初期管理料		230点	在初	訪A（P.82）の算定月に1回のみ

※1　ケアマネージャー：介護保険の利用者の状況把握とケアプランを作成し、最適なサービス事業所の調整を行ったり、サービス利用者やその家族の相談支援を行う専門職をいう

算定要件	
保険医療機関から求め（残薬の報告など）があった場合に、服薬状況等について情報提供した場合	※患者の同意が必要 ※薬歴に記録 ※かかりつけ薬剤師指導料、かかりつけ薬剤師包括管理料、在宅患者訪問薬剤管理指導料を算定している患者には算定不可
保険薬局の薬剤師が、患者の服薬歴に基づき服用薬や服薬状況、服薬指導、自覚症状に関連する薬剤の推定、容易な服用方法について情報提供を行った場合	
保険医療機関からの求めに応じて、保険薬局において入院予定の患者の持参薬の整理を行うとともに、患者の服用薬に関する情報等を一元的に把握し、保険医療機関に文書により提供した場合	

在宅患者訪問薬剤管理指導料を算定している患者の薬剤服用歴に基づき疑義照会後、処方に変更が行われた場合
※調剤管理料の重複投薬・相互作用等防止加算、服薬管理指導料、かかりつけ薬剤師指導料、かかりつけ薬剤師包括管理料を算定している患者には算定不可

胃ろうまたは腸ろうによる経管投薬または経鼻経管投薬の患者に対して、簡易懸濁法[※2] による薬剤の服用に関して支援が行われた場合

退院支援等、在宅療養の開始にあたり、重点的な服薬支援が必要な患者（認知症、精神障害者、医療ケア児、6歳未満、末期悪性腫瘍など）に対する指導
※外来服薬支援料1は算定不可

※2　簡易懸濁法：錠剤粉砕・カプセル開封をせずに、投与時にお湯（約55℃）等に入れて崩壊・懸濁を待ち（10分程度）、経管投与する方法をいう

○調剤後薬剤管理指導料の算定要件

9784800592507

87

✤外来服薬支援料2

○一包化とは

　服用するタイミングが同じ薬や、1回に複数個服用する薬を1袋ずつパックすること。

○外来服薬支援料2の点数

日数分	1〜7	8〜14	15〜21	22〜28	29〜35	36〜42	43〜
点数	34	68	102	136	170	204	240

○外来服薬支援料2の例

　＊朝、夕に重なりがある。→　算定できる日数は10日分

薬剤	服用方法	日数分
A	1日3回毎食後	14日分
B	1日2回朝・夕食後	10日分

　＊服用方法に重なりがない。→　算定できない

薬剤	服用方法	日数分
A・B	1日3回毎食後	14日分
C	1日1回就寝前	14日分

　＊朝、夕に重なりがある。→　算定できる日数はA・B（朝）の10日分

薬剤	服用方法	日数分
A	1日2回朝・夕食後	10日分
B	1日1回朝食後	10日分
C	1日3回毎食後	7日分

　＊朝、夕に重なりがあるが、A・B・C3つの薬剤で1剤
　　→　算定できる日数は14日分

薬剤	服用方法	日数分
A・B・C	1日3回毎食後	14日分
D	1日2回朝・夕食後	10日分

○外来服薬支援料2と計量混合調剤加算・自家製剤加算

　＊一包化に含まれた剤と服用時点に重なりがある剤は、計量混合調剤加算と自家製剤加算を算定できない。

　＊外来服薬支援料2を算定したとしても、一包化の対象となっていない剤については、計量混合調剤加算と自家製剤加算を算定できる。

Chapter 5　チェックテスト

1　調剤報酬の基礎知識

Q.1 ▶ 医療保険や労災保険では、調剤報酬は点数で示され、1点は〔　　　〕円に
★★★ 　換算される。

Q.2 ▶ 調剤報酬は、〔a.　　　〕で議論され、その答申に基づき〔b.　　　〕が告示
★★★ 　する。

Q.3 ▶ 調剤報酬はおおむね〔　　　　〕年に1度、見直される。
★★★

Q.4 ▶ 保険薬局内の人員体制や設備に関する調剤報酬点数表上の基準のことを
★★ 　〔　　　　〕という。

Q.5 ▶ 薬袋の費用は、別に徴収または請求することはできない。〔　○　or　×　〕
★★

Q.6 ▶ 調剤報酬は、医師が処方した日を基準として算定する。　〔　○　or　×　〕
★★★

Q.7 ▶ 内科と歯科の調剤報酬明細書は、別々に作成しなければならない。
★★★
　　　　　　　　　　　　　　　　　　　　　　　　　　〔　○　or　×　〕

Q.8 ▶ 調剤報酬明細書には、患者ごとに暦月単位で請求内容がまとめて記載されて
★★★ 　いる。　　　　　　　　　　　　　　　　　　　　　〔　○　or　×　〕

Q.9 ▶ 調剤報酬の請求締切は、調剤月の翌月〔　　　　〕日までと定められている。
★★★

Q.10 ▶ 調剤報酬の請求に関する書類で、暦月1か月分の調剤報酬を保険区分ごとに
★★★ 　集計した書類のことを〔a.　　　〕といい、患者ごとの調剤報酬の内訳を示
　　した書類のことを〔b.　　　〕という。

Q.11 ▶ 現在、調剤報酬の請求はオンライン請求または光ディスク等の提出によって
★★ 　行われるのが原則である。　　　　　　　　　　　　〔　○　or　×　〕

Q.12 ▸ 調剤報酬請求の書類は、原則として、国民健康保険および後期高齢者医療制度
★★★ については〔a.　　　〕、被用者保険（社保）については〔b.　　　〕に提出する。

Q.13 ▸ 国民健康保険の特別療養費の対象となる患者については、調剤報酬明細書の
★ 提出は必要ない。　　　　　　　　　　　　　　〔　○　or　×　〕

Q.14 ▸ 次のそれぞれの場合における調剤費の患者負担割合は①～⑥のどれか。
★★★ （1）義務教育就学前の患者
（2）義務教育就学後～ 70 歳未満の患者
（3）高齢受給者証を有している一般の患者
（4）処方箋の備考欄に「高9」と記載されている患者
（5）処方箋の備考欄に「高7」と記載されている患者
〔選択肢〕
① 1 割　　② 2 割　　③ 3 割　　④ 7 割　　⑤ 8 割　　⑥ 9 割

Q.15 ▸ 国民健康保険被保険者資格証明書が窓口に提出されると、調剤費用の
★★ 〔　　　　〕割を患者に請求する。

Q.16 ▸ 船員保険では、乗船中に発症した疾病で下船後 3 か月以内に調剤を受けた場
★★ 合、患者負担割合は〔　　　　〕割である。

Q.17 ▸ 合計点数 277 点、5 歳児の窓口負担額は〔　　　　　〕円である。
★★★ （なお、子ども医療費の対象外とする）

Q.18 ▸ 受付 1 回ごとに調剤基本料と服薬管理指導料の合計 79 点を算定する保険薬
★★ 局で、77 歳の患者が以下の処方箋を持参した。なお、備考欄に「高9」と
記載されている。
B 医院（内科）：210 点分、C 医院（整形外科）：145 点分　（※薬剤料・薬剤
調製料・調剤管理料相当分）
この場合、窓口負担額は〔　　　　　〕円である。

Q.19 受付1回ごとに調剤基本料と服薬管理指導料の合計85点を算定する保険薬
★★ 局で、45歳の患者が以下の処方箋を持参した。

A医院（内科）：130点分、A医院（整形外科）：150点分 （※薬剤料・薬剤
調製料・調剤管理料相当分）

この場合、窓口負担額は〔　　　　〕円である。

2 薬価基準と薬価、材料価格基準

Q.1 保険調剤で使用できる医薬品の種類、価格（薬価）は〔　　　　〕に収載さ
★★★ れている。

Q.2 薬価はおおむね〔　　　　〕年に1度、見直される。
★★★

Q.3 薬価基準は、〔a.　　　〕で議論され、その答申に基づき〔b.　　　〕が告示
★★★ する。

Q.4 以下の薬価の金額を点数に直しなさい。
★★★ （1）9.60円　　（2）14.50円　　（3）23.80円　　（4）35.00円
（5）45.10円　　（6）166.80円

3 薬剤料、特定保険医療材料料

Q.1 次の各説明文に当てはまるものは何か。選択肢より選び、その番号を答えな
★★★ さい。
（1）口から飲み込む薬で、飲むタイミングが決められているもの。
（2）口から飲み込む薬で、発症したときに臨時的に飲むもの。
（3）皮膚の表面や粘膜などの身体の表面から有効成分を浸透させるもの。
〔選択肢〕①外用薬　　②屯服薬　　③内服薬

3 薬剤料、特定保険医療材料料

Q.2 ▶ 内用薬のうち、生薬を浸煎して液剤として製したものを〔a.   〕といい、
★★ 2種類以上の生薬を混合調剤して患者が服用するために煎じる量ごとに分包
したものを〔b.   〕という。

Q.3 ▶ 以下の処方の場合の単位薬剤料は〔a.   〕点、調剤数量は〔b.   〕、
★★★ 薬剤料は〔c.   〕点となる。
Rp. 炭酸リチウム錠200「ヨシトミ」 200mg 3錠 1日1回 就寝前 28日分
（薬価）
    炭酸リチウム錠200「ヨシトミ」 200mg 1錠 = 5.90円

Q.4 ▶ 以下の処方における薬剤料は、〔   〕点×14日分である。
★★ Rp. テグレトール細粒50% 800mg 分2 朝夕食後 14日分
（薬価）
    テグレトール細粒50% 50% 1 g = 22.20円

Q.5 ▶ スポイトや滴瓶を用いて、1回1滴から数滴の液体を飲む内服薬のことを
★★★ 〔   〕という。

Q.6 ▶ 以下の処方における薬剤料のうち、正しいものはどちらか。選択肢より選び
★★★ なさい。
Rp. カロナールシロップ2% 8 mL 疼痛時 5回分
（薬価）
    カロナールシロップ2% 1 mL = 4.70円
〔選択肢〕
  ① 4点×5回分
  ② 19点×1調剤分

Q.7 ▸ 以下の処方の時の単位薬剤料は〔a.　　　〕点、調剤数量は〔b.　　　〕、薬
★★★　剤料は〔c.　　　〕点である。

Rp. ロキソプロフェンナトリウムテープ 50mg「日医工」

　　　7 × 10cm　28 枚分　1 日 1 回 右膝に 1 枚貼付

（薬価）7 cm × 10cm　1 枚 = 12.30 円

Q.8 ▸ 以下の処方の場合の単位薬剤料は〔a.　　　〕点、調剤数量は〔b.　　　〕、
★★　薬剤料は〔c.　　　〕点となる。

Rp. マイクロファインプラス（32G/4mm）　70 本

（特定保険医療材料料）万年筆型注入器用注射針　標準型　1 本 = 17 円

Q.9 ▸ 以下の処方の場合の単位薬剤料は〔a.　　　〕点、調剤数量は〔b.　　　〕、
★★　薬剤料は〔c.　　　〕点となる。

Rp. ノボラピッド注フレックスペン　300 単位　2 キット

　　　自己注射：毎食直前（1 回 5 単位ずつ）

（薬価）1 キット = 1,461 円

4　調剤基本料

Q.1 ▸ ある保険薬局はグループ薬局に属しており、グループ全体の処方箋受付回数
★★　が 42,500 回／月である。当該保険薬局の 1 か月あたりの受付回数は 4,140 回、
集中率が 65％の場合の調剤基本料は、24 点（調剤基本料 3　イ）を算定する。

〔　○ or ×　〕

Q.2 ▸ 1 枚の処方箋に記載された全処方日数ではなく、一部の日数分のみを調剤し、
★　後日、改めて残りを調剤することを〔　　　　　〕という。

Q.3 ▸ 長期対応保管や後発医薬品試用の分割調剤において、2 回目の分割調剤を
★★　行ったときの調剤基本料の点数は〔　　　　〕点を算定する。

Q.4 ▸ 地域支援体制加算の届出を申請できるのは、調剤基本料 1 を算定している保
★★　険薬局のみである。

〔　○ or ×　〕

Q.5
★

調剤基本料の連携強化加算を算定するには、地域支援体制加算の届出を要する。　　　　　　　　　　　　　　　　　　　　〔　○　or　×　〕

Q.6
★

届出直近３か月の後発医薬品調剤率が次のような場合、後発医薬品調剤体制加算はどうなるか。

後発医薬品の規格単位数量／薬局の使用薬剤の規格単位数量

12月　　382,892 ／ 545,085（70.2％）

１月　　410,201 ／ 513,033（80.0％）

２月　　435,212 ／ 528,022（82.4％）

〔選択肢〕① 後発医薬品調剤体制加算１

　　　　　② 後発医薬品調剤体制加算２

　　　　　③ 加算なし

Q.7
★★★

調剤基本料１、後発医薬品調剤体制加算２を届け出ている保険薬局の調剤基本料は〔　　　　　〕点を算定する。

Q.8
★★★

調剤基本料２、後発医薬品調剤体制加算１を届け出ている保険薬局において、時間外加算の点数は、〔a.　　　　〕点、休日加算の点数は〔b.　　　　〕点、深夜加算の点数は〔c.　　　　〕点である。

Q.9
★★★

調剤基本料１、地域支援体制加算１を届け出て算定している保険薬局が、同一月に２回、同一患者の処方箋を受け付けた場合の合計点数は〔　　　　　〕点である。

Q.10
★★

調剤基本料１を算定している保険薬局において、患者がA医院（内科）とB医院（整形外科）発行の処方箋を同時に持ってきた。この場合の調剤基本料は次のうちどれか。

〔選択肢〕

① A医院　36点　　　B医院　36点

② A医院　45点　　　B医院　36点

③ A医院　45点　　　B医院　0点

Q.11 ▶ 地域支援体制加算を算定する保険薬局は、外側の見やすいところに連携薬局および自局に直接連絡が取れる連絡先電話番号等を掲示しなければならない。

〔 ○ or × 〕

Q.12 ▶ 分割調剤は、同一の保険薬局で行われなければならない。〔 ○ or × 〕

Q.13 ▶ 後発医薬品を初めて使用するため、試しに分割調剤を行った。2回目の調剤時には要件を満たしても服薬管理指導料は算定できない。

〔 ○ or × 〕

Q.14 ▶ 保険薬局が次のそれぞれの条件であるとき、どの調剤基本料を算定するか。なお、同一グループ薬局に属していないものとする。
（1）処方箋受付回数が月 4,000 回、集中率 70%、妥結率 50% 超
（2）処方箋受付回数が月 2,500 回、集中率 90%、妥結率 50% 超

Q.15 ▶ 保険薬局において購入された医療用医薬品の薬価総額に対して、卸売販売業者と保険薬局との間での取引価格が定められた医療用医薬品の薬価総額が占める割合のことを〔　　　　〕という。

Q.16 ▶ 保険薬局の開局時間が次の条件のとき、（1）〜（4）の調剤基本料の加算はどうなるか。選択肢より選びなさい。
開局時間：9：00 〜 21：00（土曜日は 20：00 まで）。日曜・祝日、年末年始は定休日。
（1）4 月 19 日（水）17：00　受付
（2）5 月 14 日（日）9：00　受付
（3）5 月 19 日（土）21：00　受付
（4）4 月 28 日（金）22：30　受付
〔選択肢〕
① 時間外加算　　② 休日加算　　③ 深夜加算　　④ 加算なし

Q.17 ▶ 隣の医療機関が休日当番となったため、保険薬局が任意で休日に臨時開局した。この場合、調剤基本料に休日加算が算定できる。〔 ○ or × 〕

Q.18 ▶ 4月3日に内服薬1剤30日分の処方箋が交付され、4月4日に1回目として5日分の分割調剤が行われた。4月15日に2回目の調剤が行われる場合、2回目は最大で〔　　　　〕日分の調剤を行うことができる。
★

Q.19 ▶ 分割調剤を行った場合、処方箋のコピーを患者に交付し、次回来局のときに持参してもらうようにする。　　　　　　　　　　〔　○　or　✕　〕
★★

5 薬剤調製料・調剤管理料

Q.1 ▶ 処方箋受付1回において、内服薬の薬剤調製料・調剤管理料は〔　　　　〕剤を限度に算定できる。
★★★

Q.2 ▶ 以下の処方の場合、内服薬の薬剤調製料・調剤管理料は〔　　　　〕日分算定できる。
★★
Rp.　A錠　　　1錠　　　1日1回朝食後　7日分（隔日服用）

Q.3 ▶ 便秘時に服用するようラキソベロン内用液のみが処方された。この場合、薬剤調製料21点、調剤管理料4点を算定する。　　　　　〔　○　or　✕　〕
★★★

Q.4 ▶ 以下の処方がされた場合、薬剤調製料・調剤管理料の点数は以下の通りである。
★★★
Rp. 1）A錠　10錠　不眠時　1回1錠　10回分
　　 2）B錠　20錠　便秘時　1回2錠　10回分
　1）薬剤調製料〔　　　　〕点、調剤管理料〔　　　　〕点
　2）薬剤調製料〔　　　　〕点、調剤管理料〔　　　　〕点

Q.5 ▶ 内服薬の薬剤調製料・調剤管理料における「1剤」とは〔a.　　　　〕が同一のものをいう。
★★★
また、「服用時点が同一、かつ、投与日数（調剤数量）が同一のもの」を単位とするものを「1〔b.　　　　〕」という。

Q.6 以下の処方の場合、内服薬の薬剤調製料・調剤管理料は〔　　　〕剤分算
★★★
定できる。

Rp. 1 ）A細粒　　　　1 g　　　1 日 3 回毎食後　　7 日分
　　　2 ）B シロップ　10mL　　1 日 3 回毎食後　　7 日分

Q.7 以下の処方の場合、内服薬の薬剤調製料・調剤管理料は〔　　　〕剤分算
★★
定できる。

Rp. 1 ）シングレアチュアブル錠 5mg　　1 錠　　1 日 1 回就寝前　14 日分
　　　2 ）トリプタノール錠 10　　　　　1 錠　　1 日 1 回就寝前　14 日分

Q.8 以下の処方の場合、内服薬の薬剤調製料・調剤管理料は〔　　　〕剤分算
★★
定できる。

Rp. 1 ）デパケンシロップ 5 ％　20mL　　1 日 3 回毎食後　30 日分
　　　2 ）ザジテンシロップ 0.02%　6mL　　1 日 3 回毎食後　30 日分
※デパケンシロップとザジテンシロップは配合不適

Q.9 下記の通り内服薬の処方が行われた場合、薬剤調製料・調剤管理料は①～③
★★★
のうちどれか。

Rp. 1 ）A 錠　3 錠　1 日 3 回毎食後　14 日分
　　　2 ）B 散　1 g　1 日 3 回毎食後　5 日分

〔選択肢〕① 1 ）薬剤調製料：24 点・調剤管理料：28 点、
　　　　　　2 ）薬剤調製料：0 点・調剤管理料：0 点
　　　　② 1 ）薬剤調製料：24 点・調剤管理料：28 点、
　　　　　　2 ）薬剤調製料：24 点・調剤管理料：4 点
　　　　③ 1 ）薬剤調製料：24 点・調剤管理料：50 点、
　　　　　　2 ）薬剤調製料：0 点・調剤管理料：0 点

5 薬剤調製料・調剤管理料

Q.10 ▶ 下記の通り内服薬の処方が行われた場合、薬剤調製料・調剤管理料は①～③
★ のうちどれか。

Rp. 1) チャンピックス錠 0.5mg　1錠　　　1日1回 朝食後服用　3日分

　　2) チャンピックス錠 0.5mg　2錠

　　　　1日2回 朝夕食後服用〔Rp. 1) に続いて服用〕4日分

　　3) チャンピックス錠 1mg　2錠

　　　　1日2回 朝夕食後服用〔Rp. 2) に続いて服用〕7日分

〔選択肢〕① 1) 薬剤調製料：24点、調剤管理料4点

　　　　　　　2) 薬剤調製料：24点、調剤管理料4点

　　　　　　　3) 薬剤調製料：24点、調剤管理料4点

　　　　② 1) 薬剤調製料：0点、調剤管理料0点

　　　　　　　2) 薬剤調製料：0点、調剤管理料0点

　　　　　　　3) 薬剤調製料：24点、調剤管理料4点

　　　　③ 1) 薬剤調製料：24点、調剤管理料28点

　　　　　　　2) 薬剤調製料：0点、調剤管理料0点

　　　　　　　3) 薬剤調製料：0点、調剤管理料0点

Q.11 ▶ 下記の通り内服薬の処方が行われた場合、薬剤調製料・調剤管理料は①、②
★ のうちどちらか。

Rp. 1) リウマトレックスカプセル 2mg　2カプセル

　　　　　　　分2　朝夕食後（火曜日服用）　2日分

　　2) リウマトレックスカプセル 2mg　1カプセル

　　　　　　　分1　朝食後（水曜日服用）　　2日分

〔選択肢〕① 1) 薬剤調製料：24点、調剤管理料4点

　　　　　　　2) 薬剤調製料：24点、調剤管理料4点

　　　　② 1) 薬剤調製料：24点、調剤管理料4点

　　　　　　　2) 薬剤調製料：0点、調剤管理料0点

Q.12 ▶ 検査のために用いる医薬品を処方箋として受けた場合、薬剤調製料は算定で
★ きない。　　　　　　　　　　　　　　　　　　　〔　○　or　×　〕

Q.13 ▶ 内服薬 1 剤 14 日分の処方箋において、後発医薬品のお試しとして 1 回目に
★ 7 日分調剤した。2 回目に 7 日分処方した場合、2 回目の薬剤調製料および
調剤管理料は①〜④のどれになるか。

    ①薬剤調製料：24 点、調剤管理料 0 点

    ②薬剤調製料：24 点、調剤管理料 4 点

    ③薬剤調製料： 0 点、調剤管理料 24 点

    ④薬剤調製料： 0 点、調剤管理料 28 点

Q.14 ▶ 外用薬の分割調剤が行われた場合、薬剤調製料は分割調剤が行われるごとに
★ 算定する。　　　　　　　　　　　　　　　　〔　○ or ✕　〕

Q.15 ▶ 内服薬 1 剤 7 日分と外用薬 1 調剤が同時に処方された場合、調剤管理料は 8
★★★ 点となる。　　　　　　　　　　　　　　　　〔　○ or ✕　〕

6　薬剤調製料および調剤管理料の加算

Q.1 ▶ 複数の注射薬を無菌的に混合して抗悪性腫瘍剤を製剤した場合、薬剤調製料
★★ に〔　　　　　〕加算が算定できる。

Q.2 ▶ 年中無休、開局時間が 10：00 〜 20：30 の保険薬局において、平日 19：30
★★★ に調剤を行った。この場合、薬剤調製料に〔　　　　　〕加算を算定すること
ができる。

Q.3 ▶ 夜間・休日等加算を算定する場合、開局時間や加算の適用日時を薬局内外に
★★ 掲示する必要がある。　　　　　　　　　　　〔　○ or ✕　〕

Q.4 ▶〔a.　　　〕加算は、滅菌、加温、煮沸などの製剤上の工夫を加えて薬剤を
★★★ 調製した場合に算定する。一方、〔b.　　　〕加算は、複数の薬剤を単に計
量し混合して薬剤を調製した場合に算定する。

Q.5 ▶ ジルテックドライシロップを水に溶かしてシロップ剤のようにして患者に渡
★ した場合、自家製剤加算を算定することができる。〔　○ or ✕　〕

6 薬剤調製料および調剤管理料の加算

Q.6
★★
▸ 次の処方が行われた場合、薬剤調製料の加算はどのようになるか。

Rp. ザイザル錠　5mg　1錠　1日2回　朝食後、就寝前　7日分

※ザイザル錠には割線あり。2.5mg は薬価基準に収載なし。

　　後発医薬品のレボセチリジン塩酸塩錠 2.5mg は薬価基準に収載。

①自家製剤加算　20点

②自家製剤加算　4点

③加算なし

Q.7
★★
▸ 処方箋に以下の記述があった場合、薬剤調製料に加算できるものはどれか。

Rp. セフゾン細粒小児用10%　1.3g

　　　ムコダインシロップ5％　9mL　分3　毎食後　5日分（2薬剤を混合）

①計量混合調剤加算　35点

②自家製剤加算　20点

③自家製剤加算　45点

Q.8
★★★
▸ 次の処方を休日に緊急に調剤した場合、薬剤調製料および調剤管理料の加算の点数は、①〜③のうちどれか。

Rp. A顆粒　3g

　　　B細粒　0.3g　　1日3回毎食後　5日分

　　※2種類を計量混合のこと

〔選択肢〕

　　①休日加算（薬剤調製料）34点、休日加算（調剤管理料）6点

　　②自家製剤加算20点、休日加算（薬剤調製料）34点、休日加算（調剤管理料）6点

　　③計量混合調剤加算45点、休日加算（薬剤調製料）34点、休日加算（調剤管理料）6点

Q.9 ▶ 内服薬1剤5日分のドライシロップ剤とシロップ剤をそれぞれ計量して混合
★★★　した場合、薬剤調製料に加算できるものはどれか。
　　　①計量混合調剤加算35点
　　　②計量混合調剤加算45点
　　　③自家製剤加算45点

Q.10 ▶ あらかじめ想定される調剤のために、複数回分を製剤し、処方箋受付時に当
★　　　該製剤を投与することを〔　　　　　〕という。

Q.11 ▶ 下記の通り内服薬の処方が行われた場合、薬剤調製料の加算の点数は①〜③
★★★　のどれになるか。
　　　Rp. 1）A散（麻薬）　　　0.6 g　　　1日3回毎食後　30日分
　　　　　 2）B錠（向精神薬）　3錠　　　1日3回毎食後　7日分
　　　① 1）70点、2）8点
　　　② 1）、2）まとめて70点
　　　③ 1）、2）まとめて78点

Q.12 ▶ 下記の通り内服薬の処方が行われた場合、薬剤調製料の加算の点数は①〜③
★★★　のどれになるか。
　　　Rp. 1）A散（麻薬）　　　0.6 g　　　1日3回毎食後　7日分
　　　　　 2）B錠（向精神薬）　3錠　　　1日3回毎食後　7日分
　　　① 1）70点、2）8点
　　　② 1）、2）まとめて70点
　　　③ 1）、2）まとめて78点

Q.13 ▶ 患者の薬歴で医薬品のアレルギー歴や副作用歴があることがわかった。これ
★　　　に基づき処方医へ疑義照会を行い、処方変更が行われた場合、薬剤調製料に
　　　重複投薬・相互作用等防止加算を算定することができる。〔　○　or　×　〕

Q.14 ▶ 処方箋に記載されている医薬品の備蓄がなく、保険薬剤師が処方医に対して
★★　　疑義照会を行い、他の医薬品に変更した場合、薬剤調製料に重複投薬・相互
　　　作用等防止加算を算定できる。　　　　　　　　　〔　○　or　×　〕

Q.15 ▶同一保険医療機関の複数診療科から合計で6種類以上の内服薬が処方されて
★　　いる患者について、調剤管理加算が算定できる。　　〔　○ or ✕　〕

7　薬学管理料 (調剤管理料以外)

Q.1 ▶次の場合、服薬管理指導料の略記号と点数を答えなさい。
★★★　（1）調剤基本料1、過去3か月以内に来局歴なし
　　　（2）調剤基本料3、10日前に来局、お薬手帳持参
　　　（3）調剤基本料1、1か月前に来局、お薬手帳持参なし

Q.2 ▶薬剤師が服薬指導を行うときに、患者から「管理は必要ない」と言われた。
★★　この場合、服薬管理指導料は算定できない。　　　　〔　○ or ✕　〕

Q.3 ▶薬剤師が行う調剤や服薬指導の内容を記録したものを〔　　　　〕という。
★★★

Q.4 ▶薬剤服用歴の保存年限は、最終記入日から〔　　　　〕年間である。
★★★

Q.5 ▶医薬品の服用履歴や、既往症、アレルギーなど、医療関係者に必要な情報を
★★★　記載する手帳のことを一般的に〔　　　　〕という。

Q.6 ▶麻薬の服用、残薬、保管などについて薬学的管理と指導をした場合、服薬管
★★★　理指導料に〔　　　　〕が算定できる。

Q.7 ▶ある患者が、イブプロフェン顆粒（非ステロイド剤）を含む内容の処方箋を
★★　持参した。薬剤師がお薬手帳および患者へ確認したところ、非ステロイド性
　　消炎鎮痛剤が他院からも処方されていることがわかり、処方医に照会しイブ
　　プロフェン顆粒の処方は削除となった。このとき服薬管理指導料に特定薬剤
　　管理指導加算1が算定できる。　　　　　　　　　〔　○ or ✕　〕

Q.8 ▸ 以下の医薬品の中から、特定薬剤管理指導加算1の対象となるものをすべて
★★★ 選びなさい。

① 血圧降下剤　　② 精神神経用剤　　③ ジギタリス製剤

④ 不整脈用剤　　⑤ 抗ウイルス剤　　⑥ 糖尿病用剤

Q.9 ▸ ある患者に対して、新規のハイリスク薬と、用法・用量が変更されたハイリ
★★★ スク薬がそれぞれ処方された。この場合、特定薬剤管理指導加算1として
10点と5点をそれぞれ算定できる。　　　　　　　　〔 ○ or × 〕

Q.10 ▸ ハイリスク薬を処方された患者の調剤を行ったところ、別の保険薬局で同一
★★★ の医薬品が調剤されていたことがお薬手帳から判明した。この場合、特定薬
剤管理指導加算1として10点を算定することができる。〔 ○ or × 〕

Q.11 ▸ 特定薬剤管理指導加算1と特定薬剤管理指導加算2は併せて算定できる。
★★ 　　　　　　　　　　　　　　　　　　　　　　　　〔 ○ or × 〕

Q.12 ▸〔　　　　　〕歳未満の乳幼児の処方箋受付時に、患者の家族に対して体重、
★★★ 適切な剤形その他必要な事項について確認し、服薬方法、誤飲防止等の必要
な服薬指導の要点について、薬剤服用歴の記録およびお薬手帳に記載した場
合に、乳幼児服薬指導加算を算定できる。

Q.13 ▸ 乳幼児服薬指導加算では、患者がお薬手帳を忘れた場合においても、シール
★★ 発行等により算定できる。　　　　　　　　　　　　〔 ○ or × 〕

Q.14 ▸ かかりつけ薬剤師指導料と調剤後薬剤管理指導料は併せて算定することがで
★ きる。　　　　　　　　　　　　　　　　　　　　　〔 ○ or × 〕

Q.15 ▸ 調剤後薬剤管理指導料1と2は、条件を満たせば併せて算定することができ
★ る。　　　　　　　　　　　　　　　　　　　　　　〔 ○ or × 〕

Q.16 ▸ 外来服薬支援料1のレセプトは、処方箋調剤のレセプトとは別に作成する。
★ 　　　　　　　　　　　　　　　　　　　　　　　　〔 ○ or × 〕

Q.17 ▶ 保険薬局へ服用中の薬剤等を持参する動機付けのために薬剤等を入れる袋のことを〔　　　　〕という。
★

Q.18 ▶ 外来服薬支援料1を算定する場合は、調剤技術料（調剤基本料・薬剤調製料）を算定することはできない。　　　　　　　　　　　　　　　〔　○ or ✕　〕
★★

Q.19 ▶ 在宅患者訪問薬剤管理指導料を算定している場合、外来服薬支援料1を算定することができない。　　　　　　　　　　　　　　　　　　〔　○ or ✕　〕
★★

Q.20 ▶ 服薬管理が困難な患者の求めに応じて、処方医の了解を得て服薬支援を行った場合、外来服薬支援料1を算定する。　　　　　　　　　〔　○ or ✕　〕
★★★

Q.21 ▶ 外来服薬支援料1と外来服薬支援料2は併せて算定できる。
★★
　　　　　　　　　　　　　　　　　　　　　　　　　　　　　　〔　○ or ✕　〕

Q.22 ▶ 治療上の必要性がなく、患者の希望により一包化を行った場合、外来服薬支援料2は算定できない。　　　　　　　　　　　　　　　〔　○ or ✕　〕
★★

Q.23 ▶ 以下の処方がされた場合、薬剤調製料および調剤管理料、外来服薬支援料2
★★★ の点数は以下の通りである。

Rp. 1）Aカプセル　　3 C

　　　　B錠　　　　　3錠

　　　　C錠　　　　　3錠　　　1日3回毎食後　14日分

　　2）Dカプセル　　1 C　　　1日1回就寝前　7日分

※1）2）一包化

薬剤調製料：1）〔　　　　〕点　　2）〔　　　　〕点

調剤管理料：1）〔　　　　〕点　　2）〔　　　　〕点

外来服薬支援料2：〔　　　　〕点

Q.24 ★★★ 以下の処方がされた場合、薬剤調製料および調剤管理料、外来服薬支援料2の点数は以下の通りである。

Rp. 1）A錠　3錠
　　　　B錠　3錠　1日3回毎食後　　　　10日分
　　2）C錠　2錠　1日2回朝・夕食後　　　7日分
　　3）D錠　1錠　1日1回朝食後　　　　　7日分
※1）～3）すべて一包化

薬剤調製料：1）〔　　　　　〕点　2）〔　　　　　〕点　3）〔　　　　　〕点
調剤管理料：1）〔　　　　　〕点　2）〔　　　　　〕点　3）〔　　　　　〕点
外来服薬支援料2：〔　　　　　〕点

Q.25 ★★★ 在宅患者訪問薬剤管理指導料を算定する場合は、以下の条件を満たす必要がある。

・あらかじめ〔a.　　　　　〕に届け出ていること
・〔b.　　　　〕の指示に基づいて行い、訪問結果について必要な情報提供を〔b.　　　　〕に対して文書で行うこと
・薬学的管理指導計画を策定し、在宅で療養している患者を訪問し、訪問薬剤管理指導を実施すること

Q.26 ★ 在宅患者訪問薬剤管理指導の際に、処方医の指示により、その患者の薬剤管理指導を主に行う薬局のことを〔a.　　　　〕薬局といい、この薬局がやむを得ず訪問指導を行うことができないときに、代わって訪問薬剤管理指導を行う薬局のことを〔b.　　　　〕薬局という。

Q.27 ★ 在宅基幹薬局が訪問指導を行うことができず、代わりにサポート薬局が訪問指導を行った場合、在宅患者訪問薬剤管理指導料は〔　　　　　〕薬局が算定を行い、調剤技術料や薬剤料等については実際に調剤を行った保険薬局が算定する。

Q.28 ★★ 患者が介護保険の要介護認定を受けている場合、在宅患者訪問薬剤管理指導料を算定することができない。　　　　　　　　〔　○　or　×　〕

Q.29 ▸ 在宅患者訪問薬剤管理指導に要した交通費は、患家が実費を負担する。
★★
〔　○ or ✕　〕

Q.30 ▸ 在宅療養中の患者の容体が急変したため、医療関係職種が患者の自宅で、今
★　後の診療・看護方針について話し合い、それに基づき薬学的管理指導を行っ
た場合、〔　　　　　〕料を算定する。

Q.31 ▸ 訪問診療を行っている処方医の要請に基づき、保険薬剤師が緊急に訪問指導
★　を行えば、患者の状態に関係なく、在宅患者緊急訪問薬剤管理指導料を算定
することができる。
〔　○ or ✕　〕

Q.32 ▸ 患者が入院している医療機関に行き、医師や看護師などと共同して、退院後
★★
の薬剤に関する説明や指導などを行ったときに、〔　　　　　〕料を算定する。

Q.33 ▸ 他の保険医療機関、社会福祉施設、介護老人保健施設、介護老人福祉施設に
★★
入院または入所する患者については、退院時共同指導料を算定することがで
きない。
〔　○ or ✕　〕

Q.34 ▸ 服薬情報等提供料は、〔　　　　　〕を得て、処方医への情報提供、患者等へ
★　の情報提供および指導等を行った場合に算定することができる。

Q.35 ▸「リフィル処方箋により調剤した場合は、調剤した内容、患者の服薬状況等
★　について必要に応じ処方医へ情報提供を行うこと」とされているが、この場
合において、服薬情報等提供料は算定できる。
〔　○ or ✕　〕

Q.36 ▸ 服薬情報等提供料は、処方箋の受付がない月でも算定することができる。
★
〔　○ or ✕　〕

Q.37 ▸ 同一患者について、同一月内に複数の医療機関に対して重複投薬等の解消に
★　係る提案を行った場合、提案を行った医療機関ごとに服用薬剤調整支援料2
を算定できる。
〔　○ or ✕　〕

Q.38 ★★
かかりつけ薬剤師指導料を算定するには、かかりつけ薬剤師の意義、業務内容、費用等について説明し、患者の〔　　　　　〕を得ることが必要である。

Q.39 ★★
かかりつけ薬剤師指導料を算定している保険薬局において、かかりつけ薬剤師が服薬指導を行うことができず、代わりに同じ保険薬局の保険薬剤師が服薬指導する場合でも、かかりつけ薬剤師指導料を算定できる。

〔　○　or　×　〕

Q.40 ★★
かかりつけ薬剤師指導料を算定するには、以下の施設要件を満たす必要がある。

・〔a.　　　〕年以上の薬局勤務経験がある
・同一薬局に週〔b.　　　〕時間以上勤務している
・当該薬局に〔c.　　　〕か月以上在籍している
・医療にかかわる地域活動の取り組みに参画している
・研修認定薬剤師（認定薬剤師）を取得している

Q.41 ★★★
かかりつけ薬剤師指導料は、服薬管理指導料と同時に算定することができる。

〔　○　or　×　〕

Q.42 ★★
かかりつけ薬剤師指導料を算定する患者に対して吸入薬指導加算は算定できない。

〔　○　or　×　〕

Chapter 5 電卓のメモリ機能について

薬剤料の算定では、複数の薬剤の薬価を合計してから点数に換算することがあります。薬剤ごとに小計を出してメモを残しながら再度合計してもよいのですが、電卓の M+ キーを用いると便利です。

M+ キーは、いくつかの項目ごとに計算をして最終的に合計を出したいとき、1つの項目の小計を電卓に記憶させながら合計を計算することができます。最終的に合計を出す場合は、MR または MRC キーを押します。

例えば、「1 錠 10 円の薬剤を 4 錠」と「1 枚 20 円の薬剤を 6 枚」の合計金額を計算する場合、以下の式で表すことができます。

$$10 \times 4 \ + \ 20 \times 6 \ = \ 160$$

上記の式を電卓で計算する場合は、以下の通り左から順番にボタンを押します。

| 10 × 4 | M+ | 20 × 6 | M+ | MR または MRC |

なお、別の計算を行うときに、計算機の画面に「M」の記号が残っていないか注意するようにしましょう。記号が残っている場合は、MRC キーまたは MC キーを押すと消えます。

Chapter

6

レセプト（調剤報酬明細書）の作成

Contents

調剤報酬は、一部を患者が負担し、残額は調剤した月の翌月10日までにレセプト（調剤報酬明細書）を作成して審査支払機関を通じて保険者に請求します。この章では、レセプトの作成方法について学ぶことにしましょう。

レセプトの作成と点検

✚ レセプトの作成の流れ

$$\boxed{\begin{array}{c}\text{処方箋の内容より}\\\text{調剤報酬の計算・入力}\end{array}} \rightarrow \boxed{\text{調剤録の作成}} \rightarrow \boxed{\text{レセプトの作成}}$$

○手書きレセプト作成の考え方（試験対策）

＊処方箋が1枚の場合

①調剤基本料、薬学管理料を計算する。

②薬剤料、薬剤調製料・調剤管理料およびそれらの加算を計算する。

※内服薬の「1剤」に気をつける。3剤まで算定する。

・複数の内服薬で服用時点が異なる場合、服用時点が同じでも液剤と固形剤の場合

→それぞれを1剤と考える

・複数の内服薬（固形剤）で服用時点が同じ・服用日数が異なる

→薬剤料は別々に計算、薬剤調製料・調剤管理料はまとめて1剤と考える

・複数の内服薬（固形剤）で、服用時点および服用日数が同じ

→薬剤料はまとめて計算、薬剤調製料・調剤管理料もまとめて1剤と考える

＊処方箋が複数枚の場合

①同一受付でそれぞれが同一の保険医療機関（医科）から交付された場合

→「処方箋が1枚の場合」に準じてまとめて計算する。ただし、複数の内服薬（固形剤）で、服用時点および服用日数が同じ場合でも、薬剤料は別々に計算する（レセプト上は別枠とする。P.116参照）

②別々に受け付けた場合

→それぞれの処方箋を、「処方箋が1枚の場合」に準じて計算する

○レセプトコンピュータで調剤録・レセプト作成するときの留意点

＊入力で誤りやすい部分

・患者情報・医療機関情報

・医薬品名・規格・用量・剤形・用法→正しく入力すれば正しく計算される

・時間帯の加算もれ

＊入力するとコンピュータで自動算定するもの

・調剤基本料

・薬剤料の計算、麻薬・向精神薬の加算、薬剤調製料・調剤管理料

※自動算定でも、データの削除・訂正の過程で誤入力が起こり、結果として

誤った算定になるケースもある。

○調剤報酬算定の点検

日常業務において、調剤録と処方箋を突き合わせる。

✚月の途中で被保険者証の変更がある場合

変更内容	対応
保険者番号の変更	保険者番号ごとにそれぞれ別のレセプトを作成 レセプトの摘要欄に「保険者変更」と記載
記号・番号のみの変更	1枚のレセプトで提出する。記号・番号欄には「新しい記号・番号」を記載
公費負担者番号、公費負担医療の受給者番号の変更	それぞれ別のレセプトを作成

✚査定と返戻

レセプトに不備がある場合、審査支払機関より査定または返戻の措置が行われる場合がある。

用語	説明
査定	調剤報酬請求において、「適応外、過剰、重複、不適当または不必要」というような理由によって、調剤費の請求額から減額または減点されること。
返戻	調剤報酬請求において、記載内容に不備があったときに、請求書・明細書が請求した保険薬局に差し戻されること。

レセプトの記載方法

✦処方箋とレセプト

○処方箋（番号は P.113 のレセプトの番号と対応）

処 方 箋

（この処方せんは、どの保険薬局でも有効です。）

①'

公費負担者番号							保 険 者 番 号						
公 費 負 担 医 療 の 受 給 者 番 号							被保険者証・被保険者 手帳の記号・番号						①

患者	氏　名	②			保険医療機関の 所在地及び名称 電話番号	③
	生年月日	明大昭平令	年　月　日	男・女	保険医氏名	④　　　　　印

⑥

区　分	被保険者	被扶養者		都道府県番号	点数表番号	医療機関コード	⑤

⑦

交付年月日	令和　年　月　日	処方箋の 使用期間	令和　年　月　日	特に記載のある場合を除き、交付の日を含めて4日以内に保険薬局に提出すること。

処方	変更不可 (医療上必要)	患者希望	個々の処方薬について、医療上の必要性があるため、後発医薬品（ジェネリック医薬品）への変更に差し支えがあると判断した場合には、「変更不可」欄に「✓」又は「×」を記載し、「保険医署名」欄に署名又は記名・押印すること。また、患者の希望を踏まえ、先発医薬品を処方した場合には、「患者希望」欄に「✓」又は「×」を記載すること。
			⑧
			リフィル可 □ （　　　回）

備考	保険医署名	「変更不可」欄に「✓」又は「×」を記載した場合は、署名又は記名・押印すること。	⑨（ 6歳、高一、高7などの 記載があるとき ）
	保険薬局が調剤時に残薬を確認した場合の対応（特に指示がある場合は「✔」又は「×」を記載すること。） □保険医療機関へ疑義照会したうえで調剤　　□保険医療機関へ情報提供		
	調剤実施回数（調剤回数に応じて、□に「レ」又は「×」を記載するとともに、調剤日及び次回調剤予定日を記載すること。） □1回目調剤日(年 月 日)　□2回目調剤日(年 月 日)　□3回目調剤日(年 月 日) 次回調剤予定日(年 月 日)　　次回調剤予定日(年 月 日)		

⑩

調剤済年月日	令和　年　月　日	公費負担者番号						①''

⑪

保険薬局の所在地 及び名称 保険薬剤師氏名	印	公 費 負 担 医 療 の 受 給 者 番 号						

○レセプトの概略図（図中Ａ～Ｄについては、P.114 以降参照）

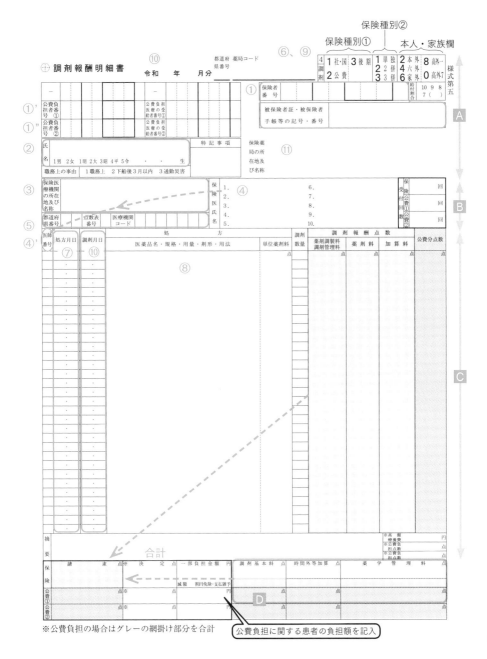

※公費負担の場合はグレーの網掛け部分を合計

公費負担に関する患者の負担額を記入

✚ レセプト各部分の解説

○調剤年月、患者情報、保険薬局情報（P.113 A ）

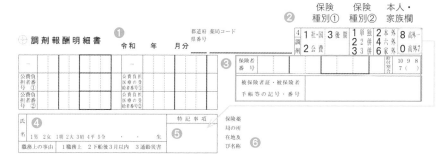

❶調剤した年月を記載する。

❷保険種別、本人・家族欄　　該当するものに○をつける。

保険種別①	1	社・国	法別番号 39、63、67 以外の 8 桁または 6 桁（国保）の保険者番号のとき
	2	公費	公費負担医療を行うとき
	3	後期	法別番号が 39 から始まる保険者番号のとき
保険種別②	1	単独	医療保険または公費負担医療 1 種類のみのとき
	2	2 併	医療保険と 1 種の公費負担医療との併用
	3	3 併	医療保険と 2 種以上の公費負担医療との併用
本人・家族欄	2	本外	処方箋の区分欄に「被保険者」とあり、備考欄に「高一」「高 7」「高 8」「高 9」がないとき
	4	六外	処方箋の区分欄に「被扶養者」とあり、備考欄が「6 歳」のとき
	6	家外	処方箋の区分欄に「被扶養者」とあり、備考欄に「高一」「高 7」「高 8」「高 9」「6 歳」がないとき
	8	高外一	備考欄が「高一」「高 8」「高 9」のとき
	0	高外 7	備考欄が「高 7」のとき

❸処方箋より記載する。給付割合は保険者番号が 6 桁（国民健康保険）で始まるときに○をつける。

❹処方箋より記載する。

　※処方箋には氏名の上にカタカナで読み方が書かれていることがあるが、レセプトでは読み方を記載しなくても問題ない。

❺本人・家族欄で、「8　高外一」「0　高外7」（70歳以上）に○をつけたとき、次の区分に従って記載する。

処方箋の備考欄	限度額適用認定証の記載等	「特記事項」欄等に記載する略号または略称
高7	高齢受給者で限度額適用認定証の提示がない、または後期高齢者医療被保険者証（一部負担金の割合（3割））の提示のみの場合	26区ア
	限度額適用認定証の適用区分が「現役並みⅡ」または「現役Ⅱ」の場合	27区イ
	限度額適用認定証の適用区分が「現役並みⅠ」または「現役Ⅰ」の場合	28区ウ
高一	高齢受給者証（一部負担金の割合（2割））の提示のみの場合	29区エ
高一 高9	「低所得者の世帯」の限度額適用認定証若しくは限度額適用・標準負担額減額認定証（適用区分が（Ⅰ又はⅡ）の場合	30区オ
高8	後期高齢者医療被保険者証（一部負担金の割合（2割））の場合	41区カ
高9	後期高齢者医療被保険者証（一部負担金の割合（1割））の場合	42区キ

❻保険薬局の所在地および名称を記載する。麻薬を調剤した場合は麻薬小売業者免許番号を記載。

○医療機関情報（P.113 **B**）

❶処方箋より転記する。なお、点数表番号は「1」が医科、「3」が歯科である。

❷処方した医師の姓名を順に記載する。

❸1か月で処方箋を受け付けた回数を記載する。

○処方、調剤数量、調剤報酬点数等（P.113 C）

❶ 医師番号	❷ 処方月日	❸ 調剤月日	処方 医薬品名・規格・用量・剤形・用法	単位薬剤料	❹ 調剤数量	❺ 調剤 薬剤調製料 調剤管理料	❻ 報酬点数 薬剤料	❼ 加算料	❽ 公費分点数
1	○・○・○	○・○・○	「内服」←内服薬の調剤のとき記入	A 点	Z	● ● 点	A×Z 点	点	点
	○・△・○	○・△・○	医薬品名 規格 1日用量 用法 ❹						
2	○・△・○	○・△・○	「内滴」←内用薬用滴剤の調剤のとき記入	B	1	10 0または4	B		
			医薬品名 規格 投薬全量						
			（1回の用量）用法 ❹						
1	○・○・○	○・○・○	「屯服」←屯服薬の調剤のとき記入	C	1	21または0 0または4	C		
			医薬品名 規格 投薬全量						
			1回の用量 用法 ❹						
3	○・▲・○	○・▲・○	「外用」←外用薬の調剤のとき記入	D	1	10または0 0または4	D		
			医薬品名 規格 投薬全量						
			1日枚数または投与日数※ ※湿布薬のみ						
			（1回の用量）（用法） ❹						
4	○・★・○	○・★・○	「注射」←注射薬の調剤のとき記入	E	1	26または0 0または4	E		
			医薬品名 規格 投薬全量 ❹						
			（1回の用量）（用法）						
4	○・★・○	○・★・○	「材料」←特定保険医療材料の調剤のとき記入	F	1	0	F		
			材料の名称 セット数 ❹						

摘要	❾		※高額療養費	円
			※公費負担点数	点
			※公費負担点数	点

※医薬品名は実際に調剤した名称を記載すること。

※医療保険と公費が混在する場合、公費分については処方欄および単位薬剤料欄にアンダーラインを引くこと。

❶「医療機関情報」の保険医氏名欄に該当する番号を記載する。

❷処方箋が交付された月日を記載する。

❸保険薬剤師が調剤した日を記載する。

❹剤形・服用時点（1調剤）ごとに線で区切り、それぞれ図中の例で示すように必要事項を記載する。四角で囲まれたものは必ず記載し、（　　）で囲まれたものは省略可能である。

以下の場合は、1つの欄にまとめて記載する。

・調剤日の異なる複数の処方箋で、処方内容が同じ場合

・同一の調剤日で、服用時点および服用日数が同一の場合

❺剤形に合わせて上段に薬剤調製料、下段に調剤管理料を記載する。算定できない場合は0と記載すること。

❻単位薬剤料に調剤数量を乗じたものを記載する。

❼以下の区分に従い、すべての略記号、加算の合計点数を記載する。

加算	略記号	加算	略記号	加算		略記号
外来服薬支援料2※	支B	覚醒剤原料加算	覚原	時間外加算	薬剤調製料 調剤管理料	薬時 調時
無菌製剤処理加算	菌	毒薬加算	毒	休日加算	薬剤調製料 調剤管理料	薬休 調休
麻薬加算	麻	自家製剤加算 錠剤の分割時	自 分自	深夜加算	薬剤調製料 調剤管理料	薬深 調深
向精神薬加算	向	予製剤使用	予			
計量混合調剤加算	計					

※外来服薬支援料2は、加算の対象となる剤すべてに 支B の記号をつけ、点数は調剤数量の一番大きいものの欄に1つだけ記載する。

❽調剤報酬の一部が公費負担となる場合で、公費負担に該当する調剤が行われたとき、薬剤調製料・調剤管理料、薬剤料、加算料の合計を記入する。該当しない場合は0を記載。

※調剤報酬の全部が公費負担となる場合は記入不要。

❾以下の場合に記載する。

調剤行為	記載内容
内服薬を別剤とした理由	・配合不適等調剤技術上の必要性から個別に調剤した場合 ・内服用固形剤と内服用液剤の場合 ・内服錠、チュアブル錠及び舌下錠等のように服用方法が異なる場合
処方欄の内容から自家製剤加算の理由が不明のとき	算定理由、数量不足の医薬品名など
時間外／休日／深夜／時間外特例の加算※	受付年月日および時刻
重複投薬・相互作用等防止加算	処方医に連絡・確認を行った内容の要点
特定薬剤管理指導加算2	情報提供年月日、医療機関名
特定薬剤管理指導加算3の調剤不足薬剤名	数量不足の薬剤名
吸入薬指導加算の吸入薬	調剤年月日（初回の場合は初回）、薬剤名称
服薬管理指導料（介護老人福祉施設等）	入所する施設類型（特養／ショートステイ／介護医療院／老健）
外来服薬支援料1 注1：患者や医療機関の求めに応じて処方医了解のもと、服薬管理支援した場合 注2：患者等から持参された服用薬を整理し、結果を医療機関に提供した場合	注1・注2の別、実施年月日、医療機関名

（次ページに続く）

調剤行為	記載内容
同一患者に対する複数の処方箋による調剤で、外来服薬支援料2を算定する場合	加算理由が不明の場合は算定理由
外来服薬支援料2・施設連携加算の理由	重点的な服薬管理の支援を行うことが必要な理由（施設入所時、服用薬多数／新規処方や用法変更時／副作用・体調変化で施設職員から相談があった場合）
服用薬剤調整支援料1	減薬提案日、提案保健医療機関の名称、調整前後の種類数
服用薬剤調整支援料2	提案先医療機関名
調剤後薬剤管理指導料1・2	情報提供年月日、医療機関名
在宅患者訪問薬剤管理指導料の算定患者への臨時投薬で、服薬指導管理料、かかりつけ薬剤師管理料等を算定する場合	算定年月日
在宅患者訪問薬剤管理指導料	訪問指導日（月2回以上の場合）、患者数（単一建物診療患者が2人以上の場合）など
在宅患者緊急訪問薬剤管理指導料（月8回超）	訪問が必要な理由
夜間・休日・深夜訪問加算	保険医からの指示受付日時、訪問指導日時、訪問が必要な理由
退院時共同指導料	指導年月日、患者が入院している医療機関名・保険医名、退院後の保険医療機関名
服薬情報提供料3	情報提供先の保険医療機関名と診療科名
在宅患者重複投薬・相互作用防止管理料1（残薬調整以外）	処方医に連絡・確認を行った内容の要点
在宅患者重複投薬・相互作用防止管理料2のイ　処方箋交付前（残薬調整以外）	提案内容、変更内容、・相談年月日
在宅患者重複投薬・相互作用防止管理料2のロ　処方箋交付前（残薬調整）の相談日	相談年月日
在宅移行初期管理料	訪問年月日、対象患者
一般名処方の後発医薬品を調剤しなかった場合	理由（患者の意向／保険薬局の備蓄／後発医薬品なし）
長期の旅行等特殊の事情がある場合に、日数制限を超えて投与された場合	理由（海外への渡航／年末・年始又は連休／その他）
貼付剤（63枚超）の処方確認方法	確認方法（処方箋記載／疑義照会）
介護保険相当サービスの利用	要介護・要支援度（要支援1～要介護5）、訪問指導日

※夜間・休日等加算を算定する場合は記載を要しないが、実務では記載が求められることもある。

○調剤基本料、時間外等加算、薬学管理料欄（P.113 D）

調剤基本料 点	時間外等加算 点	薬学管理料 点
❶　略記号	❷　略記号	❸　略記号、算定回数……
1か月分の合計点数	1か月分の合計点数	1か月分の合計点数

❶以下の区分に従い、上段にすべての略記号を、下段に1月分の合計点数を記載。

区分	略記号	区分	略記号	区分	略記号
調剤基本料1	基A	連携強化加算	連強	在宅患者調剤加算（略記号の横に算定回数を記載）	在
調剤基本料2	基B	後発医薬品調剤体制加算1	後A		
調剤基本料3イ）	基C				
調剤基本料3ロ）	基D	後発医薬品調剤体制加算2	後B	複数医療機関の処方箋の同時受付（2回目以降）	同
調剤基本料3ハ）	基E				
地域支援体制加算1	地支A	後発医薬品調剤体制加算3	後C	在宅薬学総合体制加算1	在総A
地域支援体制加算2	地支B				
地域支援体制加算3	地支C	長期投薬分割調剤	分	在宅薬学総合体制加算2	在総B
地域支援体制加算4	地支D	後発医薬品分割調剤	試	医療DX推進体制整備加算※	薬DX

※2024年10月より、「1」〜「3」の数字が追加になる。

❷以下の区分に従い、上段にすべての略記号を、下段に1月分の合計点数を記載。

区分	略記号	区分	略記号	区分	略記号
時間外加算	時	深夜加算	深	リフィル処方箋（a枚中のb枚目）	リ b/a
休日加算	休	夜間・休日等加算	夜		

❸次の区分に従い、上段にすべての略記号と1月分の算定回数、下段に1月分の合計点数を記載する。

○服薬管理指導料（受付1回につき）

	過去3月以内来局歴なし	過去3月以内来局＋手帳あり	過去3月以内来局＋手帳なし
通院・在宅患者	薬C	薬A	薬B
介護老人福祉施設等	薬3C	薬3A	薬3B
オンライン服薬指導	薬オC	薬オA	薬オB
服薬管理指導料の特例（P.80〜81参照）	特2C	特2A	特2B

（次ページに続く）

○その他の薬学管理料

区分	略記号※2	区分	略記号※2
医療情報取得加算1※1	医情A	在宅中心静脈栄養法加算	中静
医療情報取得加算2※1	医情B	オンライン薬剤管理指導料の乳幼児加算	乳オ
調剤管理加算1（初回）	調管A	在宅患者訪問薬剤管理指導料1（単一建物・患者1人）	訪A
調剤管理加算2（2回目以降）	調管B		
重複投薬・相互作用等防止加算1（残薬調整以外）	防A	在宅患者訪問薬剤管理指導料2（単一建物・患者2〜9人）	訪B
重複投薬・相互作用等防止加算2（残薬調整）	防B	在宅患者訪問薬剤管理指導料3（1、2以外）	訪C
吸入薬指導加算	吸	オンライン薬剤管理指導料の麻薬管理指導加算	麻オ
小児特定加算	小特		
特定薬剤管理指導加算1イ（初回）	特管Aイ	在宅患者緊急オンライン薬剤管理指導料	緊在オ
特定薬剤管理指導加算1ロ（2回目以降）	特管Aロ	在宅患者緊急訪問薬剤管理指導料1	緊訪A
特定薬剤管理指導加算2	特管B	在宅患者緊急訪問薬剤管理指導料2	緊訪B
特定薬剤管理指導加算3イ（RPMに基づく説明）	特管Cイ	在宅患者緊急訪問薬剤管理指導料の深夜訪問加算	深訪
特定薬剤管理指導加算3ロ（選定療養の対象品目および供給不足による医薬品変更）	特管Cロ	在宅患者緊急訪問薬剤管理指導料の夜間訪問加算	夜訪
乳幼児服薬指導加算	乳	在宅患者緊急訪問薬剤管理指導料の休日訪問加算	休訪
麻薬管理指導加算	麻	在宅患者緊急時等共同指導料	緊共
かかりつけ薬剤師指導料	薬指（薬指オ）	退院時共同指導料	退共
かかりつけ薬剤師包括管理料	薬包（薬包オ）	服薬情報等提供料1	服A
		服薬情報等提供料2のイ	服Bイ
外来服薬支援料1	支A	服薬情報等提供料2のロ	服Bロ
外来服薬支援料2	支B	服薬情報等提供料2のハ	服Bハ
施設連携加算	施連	服薬情報等提供料3	服C
服用薬剤調整支援料1	剤調A	在宅患者重複投薬・相互作用等防止管理料1のイ（残薬調整以外）	在防Aイ
服用薬剤調整支援料2のイ	剤調B	在宅患者重複投薬・相互作用等防止管理料1のロ（残薬調整）	在防Aロ
服用薬剤調整支援料2のロ	剤調C	在宅患者重複投薬・相互作用等防止管理料2のイ（残薬調整以外）	在防Bイ
調剤後薬剤管理指導料1（糖尿病）	調後A		
調剤後薬剤管理指導料2（慢性心不全）	調後B	在宅患者重複投薬・相互作用等防止管理料2のロ（残薬調整）	在防Bロ
医療用麻薬持続注射療法加算	医麻	経管投薬支援料	経
在宅患者オンライン薬剤管理指導料	在オ	在宅移行初期管理料	在初
オンライン薬剤管理指導料の小児特定加算	小特オ		

※1 2024年12月1日より「医療情報取得加算」に統合される。

※2 （ ）内はオンライン実施の場合

Chapter 6 チェックテスト

1 レセプトの作成と点検

Q.1
★★
就職のため、月の途中で被保険者証の保険者番号が変わった。この場合、調剤報酬明細書は1件の調剤報酬明細書として作成し、変更後の記号・番号を記載したものを作成する。　　　　　〔　○　or　×　〕

Q.2
★★
調剤報酬請求において、審査支払機関がレセプトに記載されている内容を不適切であると判断し、請求点数を減額することを〔　　　　〕という。

Q.3
★
審査支払機関に調剤報酬を請求後、保険の受給資格に誤りがあることを発見した。この場合、保険薬局はどのように対応したらよいか。
① 特に何もしない
② 審査支払機関に対してレセプトの返戻依頼を行う
③ 保険者に連絡してレセプトを訂正してもらう

Q.4
★★
調剤報酬請求において、審査支払機関では内容が適切であるかどうかを判断できない場合に、調剤報酬明細書を保険薬局に戻すことを〔　　　　〕という。

2 レセプトの記載方法

Q.1
★★★
保険薬局で麻薬を調剤した場合、レセプトの「保険薬局の所在地及び名称」欄の下部に〔　　　　〕の免許番号を記入する。

Q.2
★★★
一般名処方がされた処方箋の薬剤料は、後発医薬品の薬剤料で算定する。
〔　○　or　×　〕

Q.3
★★★
湿布薬を調剤した場合は、レセプトに投薬全量のほか、〔a.　　　〕または〔b.　　　〕を記載しなければならない。

Q.4
★
重複投薬・相互作用等防止加算を算定する際、レセプトの摘要欄には何も記載する必要はない。　　　　　　　　　　〔　○　or　×　〕

Q.5 ▶ 時間外、休日、深夜加算を算定した場合は、レセプトの摘要欄に受け付けた
★★★ 月日および時間等当該加算を算定した事由を記載しなければならない。

〔 ○ or ✕ 〕

Chapter 6 **レセコンについて**

Chapter 5・6を中心に調剤報酬のしくみとその請求について学んできました。
これらのことは、実際にはレセプトコンピュータ（通称：レセコン）を用いて行い
ます。

レセコンに処方箋の内容を入力することによって各種点数や薬価からなる調剤報
酬額を自動計算し、調剤録やレセプトの作成と調剤報酬請求も行います。

また、薬剤師が処方確認や処方歴管理、患者指導歴管理、疑義照会などを行う電
子薬歴、調剤過誤防止のための監査機や一包化を行うための分包機、医薬品の在庫
管理システムなどとも連動します。

2023年現在、ほとんどすべての保険薬局がレセコンを用いて、レセプトを審査
支払機関に提出をしています。

7

調剤報酬ケーススタディ

Contents

Chapter4 ～ 6 で学んだ内容に基づき、実際に調剤録を訂正したり、レセプトを作成したり、点検をしたりして、実践力を養いましょう。なお、レセプト作成問題については、算定の確認と解説を兼ねて、調剤報酬の計算の問題を設けています。

＜算定にあたって＞

・保険薬局の設定については、処方箋の下にある枠内の記載に従ってください。

・指定のない限り、オンライン資格確認等システムを導入している保険薬局とします。

・特に記載のない限り、患者は平日の開局時間内で 19：00 前に保険薬局へ来局したものとし、算定要件の基準はすべて満たしているものとします。

・本書の処方箋は、明細書作成のために作成されたものであり、医学的事実と異なるものもあります。ご了承ください。

※ 2021 年 4 月（可能な保険者は 2020 年 10 月ごろ）から新規発行の被保険者証の番号に 2 桁の枝番が付されています。ただし、発行済の被保険者証については番号が付与されておらず、更新までは有効に使用できます。設問のケースでは発行済の枝番がない被保険者証を用いて作成された処方箋の例とします。

以下の処方箋から作成した調剤録において、誤りの部分の番号をすべて答えなさい。

処　方　箋

（この処方せんは、どの保険薬局でも有効です。）

公費負担者番号		保険者番号	3 4 1 3 0 0 1 3
公費負担医療の受給者番号		被保険者証・被保険者手帳の記号・番号	公立東京　・55-187

患者	氏　名	オオタ　ミホコ 太田　美保子	保険医療機関の所在地及び名称 電話番号	千代田区神田 3-5 小浜医院 03-5280-9999
	生年月日	明 大 昭 30 年 12 月 8 日 平 令 　男・女	保険医氏名	小浜　史雄　㊞
	区　分	被保険者　　被扶養者	都道府県番号 13　点数表番号 1　医療機関コード 9 7 7 7 7 7	

交付年月日	令和 6 年 6 月 26 日	処方箋の使用期間	令和　年　月　日	特に記載のある場合を除き、交付の日を含めて4日以内に保険薬局に提出すること。

処方	変更不可（医療上必要）　患者希望	個々の処方薬について、医療上の必要性があるため、後発医薬品（ジェネリック医薬品）への変更に差し支えがあると判断した場合には、「変更不可」欄に「✓」又は「×」を記載し、「保険医署名」欄に署名・押印すること。また、患者の希望を踏まえ、先発医薬品を処方した場合には、「患者希望」欄に「✓」又は「×」を記載すること。 Rp. 1）シンバスタチン錠5mg「オーハラ」　1回1錠 　　　　　　　　　　　　　　1日1回朝食後　14日分 　　2）ロキソプロフェンナトリウム錠60mg「日医工」　1回1錠 　　　　　　　　　　　疼痛時　5回分 　　3）フルルビプロフェンテープ40mg「QQ」10cm×14cm　7枚 　　　　　　　　　　患部に貼付　1日1枚使用　7日分 　　　　　　　　　　—以下余白— リフィル可 □（　　回）

備考	保険医署名	「変更不可」欄に「✓」又は「×」を記載した場合は、署名又は記名・押印すること。

保険薬局が調剤時に残薬を確認した場合の対応（特に指示がある場合は「✔」又は「×」を記載すること。）
□保険医療機関へ疑義照会したうえで調剤　　□保険医療機関へ情報提供

調剤実施回数（調剤回数に応じて、□に「レ」又は「×」を記載するとともに、調剤日及び次回調剤予定日を記載すること。）
□1回目調剤日（　年　月　日）　□2回目調剤日（　年　月　日）　□3回目調剤日（　年　月　日）
次回調剤予定日（　年　月　日）　　次回調剤予定日（　年　月　日）

調剤済年月日	令和 6 年 6 月 26 日	公費負担者番号	
保険薬局の所在地及び名称 保険薬剤師氏名	千代田区神田3-1 斎田薬局　斎田　誠　㊞	公費負担医療の受給者番号	

○保険薬局の設定
・開局時間　月曜～金曜　9：00～18：00
　　　　　　土曜　　　　9：00～13：00
　　　　　　日曜・祝日　定休日
・調剤基本料1、後発医薬品調剤体制加算2
・服薬管理指導　実施

○来局状況
・前回来局日：　2月10日
・お薬手帳持参：　なし
○その他
・過去6月以内に医療情報取得加算を算定済み

✦ 調剤録

患者氏名： 太田　美保子　　　　　様

①	昭和30年12月08日　女　68歳6ヶ月		処方日	令和06年05月26日	調剤日	令和06年05月26日

②	社保		家族	負担割	30%	給付割	70%	公1	

③	保険者番号	34130013		公2	
	記号・番号	公立東京・55-187		公3	
	保険補足情報				

	処方箋	斎田　誠		会計	斎田　誠		薬歴	
④	医療機関	小浜医院						
	県番号	13	医コード	9777777	歯コード		医師	小浜　史雄（内科）
	所在地	東京都千代田区神田3－5						

	剤型	薬剤調製料	薬剤料	日／回	小計	加算		合計
⑤	内服*	24	2	14	52			52
⑥	内服*	24	1	5	29			29
⑦	外用	10	9	1	19			19

調剤基本料1	45	調剤報酬点数計	264 点
後発医薬品調剤体制加算2	28	医療保険給付額	1,850 円
⑧ 薬歴管理（3月外）*	59	保険適用分患者負担額	790 円
⑨ 内服薬調剤管理料（8～14日）	28	患者負担額合計金額	790 円
⑩ 内服薬調剤管理料（7日以下）	4		

	内容	数量	単位	日／回	剤型	別剤	混	加算	公費
⑪	シンバスタチン錠10mg「オーハラ」	1	錠		固型				
	1日1回朝食前服用			14 内服	固型				
⑫	ロキソプロフェンナトリウム錠 60mg「日医工」	1	錠		固型				
	起床時服用			5 内服	固型				
⑬	フルルビプロフェンテープ40mg 「QQ」	7	枚						
	患部に貼付 1日1枚使用　7日分			1 外用					

※薬局に過去3か月以内に来局歴がないことを示す。

✦ 薬価（後発医薬品、日本薬局方の表記は省略）

	品名	規格・単位	薬価（円）	備考
内用薬	シンバスタチン錠5mg「オーハラ」	5mg 1錠	11.10	高脂血症用剤
	ロキソプロフェンナトリウム錠 60mg「日医工」	60mg 1錠	9.80	消炎鎮痛剤
外用薬	フルルビプロフェンテープ40mg 「QQ」	10cm×14cm 1枚	13.10	貼付用消炎鎮痛剤

処　方　箋

（この処方せんは、どの保険薬局でも有効です。）

公費負担者番号								保険者番号	3	4	1	3	0	0	2	1
公費負担医療の受給者番号								被保険者証・被保険者手帳の記号・番号	11K　・12345							

患者	氏　名	原　恵美
	生年月日	明大昭平令　52 年 4 月 11 日　男・囡
	区　分	被保険者　　被扶養者

保険医療機関の所在地及び名称 電話番号　さいたま市大宮区上小町 99
さいたま皮膚科医院
048-642-0000

保険医氏名　長嶋 茂　　印

都道府県番号	1 1	点数表番号	1	医療機関コード	7 7 7 7 7 7

交付年月日	令和 6 年 6 月 12 日	処方箋の使用期間	令和　年　月　日	特に記載のある場合を除き、交付の日を含めて4日以内に保険薬局に提出すること。

	変更不可（医療上必要）	患者希望	個々の処方薬について、医療上の必要性があるため、後発医薬品（ジェネリック医薬品）への変更に差し支えがあると判断した場合には、「変更不可」欄に「✓」又は「×」を記載し、「保険医署名」欄に署名又は記名・押印すること。また、患者の希望を踏まえ、先発医薬品を処方した場合には、「患者希望」欄に「✓」又は「×」を記載すること。

処方

Ｒｐ． 1）シムビコートタービュヘイラー30 吸入　1キット
1日2回　1回1吸入　発作時1吸入

2）オノンカプセル112.5mg　4カプセル
1日2回　朝・夕食後　7日分

3）アレジオン錠20　1錠　　1日1回　朝食後　7日分

4）アストミン錠10mg　3錠
ムコダイン錠500mg　3錠　1日3回　毎食後　7日分

―以下余白―

リフィル可 □ （　　回）

備考	保険医署名	「変更不可」欄に「✓」又は「×」を記載した場合は、署名又は記名・押印すること。

保険薬局が調剤時に残薬を確認した場合の対応（特に指示がある場合は「✓」又は「×」を記載すること。）
□保険医療機関へ疑義照会したうえで調剤　　□保険医療機関へ情報提供

調剤実施回数（調剤回数に応じて、□に「レ」又は「×」を記載するとともに、調剤日及び次回調剤予定日を記載すること。）
□1回目調剤日(　年　月　日)　　□2回目調剤日(　年　月　日)　　□3回目調剤日(　年　月　日)
次回調剤予定日(　年　月　日)　　次回調剤予定日(　年　月　日)

調剤済年月日	令和 6 年 6 月 12 日	公費負担者番号	
保険薬局の所在地及び名称 保険薬剤師氏名	印	公費負担医療の受給者番号	

○保険薬局の設定
・開局時間　月曜～金曜　9:00～18:00
　　　　　　土曜　　　　9:00～13:00
　　　　　　日曜・祝日　定休日
・調剤基本料1
・服薬管理指導　実施

○来局状況
・前回来局日：　なし
・お薬手帳持参：　なし
・マイナ保険証による情報取得：　あり
○その他

✚ 薬価 (後発医薬品、日本薬局方の表記は省略)

	品名	規格・単位	薬価(円)	備考
内用薬	アストミン錠10mg	10mg 1 錠	6.80	鎮咳剤
	アレジオン錠20	20mg 1 錠	27.30	アレルギー用剤
	オノンカプセル112.5mg	112.5mg 1 カプセル	24.70	アレルギー用剤
	ムコダイン錠500mg	500mg 1 錠	10.10	去痰剤
外用薬	シムビコートタービュヘイラー 30 吸入	30 吸入 1 キット	1638.20	気管支喘息用剤

✚ 調剤報酬の計算

（1）調剤基本料の点数は①〔＿＿＿＿〕点で、レセプトの略記号は②〔＿＿＿＿〕である。

（2）マイナ保険証を利用してオンライン資格等確認システムより情報を取得しているので、調剤管理料に①〔＿＿＿＿〕を算定し、その点数は②〔＿＿＿＿〕点である。また、レセプトの略記号は③〔＿＿＿＿〕である。

（3）服薬管理指導を実施、3か月以内の来局なし、手帳なし。
　　よって、服薬管理指導料は、①〔＿＿＿＿〕点を算定し、レセプトの略記号は②〔　a. 薬A　　b. 薬B　　c. 薬C　〕となる。

（4）薬料、薬剤調製料・調剤管理料および加算について

1 Rp. 1）の医薬品は〔　a. 内服薬　　b. 屯服薬　　c. 外用薬　〕である。

2 Rp. 2）～4）の医薬品はすべて、〔　a. 内服薬　　b. 屯服薬　　c. 外用薬　〕であり、服用方法が異なるので、薬剤料、薬剤調製料および調剤管理料はそれぞれ算定できる。

3 1・2より、調剤報酬点数表欄は以下のように整理できる。

Rp.	単位薬剤料	調剤数量	薬剤料	薬剤調製料	調剤管理料	加算
1）						
2）						
3）						
4）						

（単位：点）

処　方　箋

（この処方せんは、どの保険薬局でも有効です。）

公費負担者番号		保険者番号	0 1 1 3 1 1 6 8
公費負担医療の受給者番号		被保険者証・被保険者手帳の記号・番号	987654　・　12

患者	氏　名	トリイ　ユキエ 鳥居　幸恵	保険医療機関の所在地及び名称 電話番号	東京都新宿区大久保 3-5-8 大久保第一病院 03-1700-32**
	生年月日	明大昭平令 63 年 4 月 24 日　男・女	保険医氏名	島津　浩一　　印
	区　分	被保険者　　被扶養者	都道府県番号 13　点数表番号 1　医療機関コード 1 4 1 4 8 8 1	

交付年月日	令和6年　6月　22日	処方箋の使用期間	令和　年　月　日	特に記載のある場合を除き、交付の日を含めて4日以内に保険薬局に提出すること。

処方	変更不可 （医療上必要）　患者希望	個々の処方薬について、医療上の必要性があるため、後発医薬品（ジェネリック医薬品）への変更に差し支えがあると判断した場合には、「変更不可」欄に「✓」又は「×」を記載し、「保険医署名」欄に署名又は記名・押印すること。また、患者の希望を踏まえ、先発医薬品を処方した場合には、「患者希望」欄に「✓」又は「×」を記載すること。
		Ｒｐ．1）フェキソフェナジン塩酸塩錠 60mg「サワイ」　2錠 　　　　　　　　　　　　　1日2回　朝・夕食後　60日分 　　2）パタノール点眼液 0.1% 10mL　1日4回　両点眼 　　3）フルオロメトロン 0.1% 1mL 点眼液　5mL 　　　　　　　　　　　　　　　　1日2回　両点眼 　　4）ナゾネックス点鼻液 50μg 56 噴霧用　5mg 10g　1瓶 　　　　　　　　　　　　　　　　　1日1回　点鼻 　　　　　　　　　―以下余白― リフィル可　□　（　　　回）

備考	保険医署名	「変更不可」欄に「✓」又は「×」を記載した場合は、署名又は記名・押印すること。
	6/22（土）13：30　受付調剤	
	保険薬局が調剤時に残薬を確認した場合の対応（特に指示がある場合は「✔」又は「×」を記載すること。） □保険医療機関へ疑義照会したうえで調剤　　□保険医療機関へ情報提供	

調剤実施回数（調剤回数に応じて、□に「レ」又は「×」を記載するとともに、調剤日及び次回調剤予定日を記載すること。）
□1回目調剤日(　年　月　日)　　□2回目調剤日(　年　月　日)　　□3回目調剤日(　年　月　日)
　次回調剤予定日(　年　月　日)　　次回調剤予定日(　年　月　日)

調剤済年月日	令和6年　6月　22日	公費負担者番号	
保険薬局の所在地及び名称 保険薬剤師氏名	（省略）　　印	公費負担医療の受給者番号	

○保険薬局の設定
・開局時間　月曜〜金曜　9：00〜18：00
　　　　　　土曜　　　　9：00〜15：00
　　　　　　日曜・祝日　定休日
・調剤基本料1・地域支援体制加算1
　後発医薬品調剤体制加算1
・服薬管理指導　実施

○来局状況
・前回来局日：　5　月　31　日
・お薬手帳持参：　あり
○その他
・過去6月以内に医療情報取得加算を算定済み

✚ 薬価（後発医薬品、日本薬局方の表記は省略）

	品名	規格・単位	薬価(円)	備考
内用薬	フェキソフェナジン塩酸塩錠60mg「サワイ」	60mg 1錠	11.50	アレルギー用剤
外用薬	パタノール点眼液0.1%	0.1% 1mL	96.40	点眼用アレルギー用剤
	フルオロメトロン0.1%1mL点眼液	0.1% 1mL	17.90	眼科用副腎皮質ホルモン剤
	ナゾネックス点鼻液50μg56噴霧用	5mg10g 1瓶	856.40	アレルギー性鼻炎用剤

✚ 調剤報酬の計算

（1）調剤基本料の点数は①〔＿＿＿＿〕点で、レセプトの略記号は②〔＿＿＿＿〕である。

（2）土曜日13：30に来局したので、〔　a.　時間外加算　　b.　夜間・休日等加算〕が算定できる。

（3）服薬管理指導を実施、3か月以内の来局あり、手帳あり。

よって、服薬管理指導料は、①〔＿＿＿＿〕点を算定し、レセプトの略記号は②〔　a.　薬A　　　b.　薬B　　　c.　薬C　〕となる。

（4）薬剤料、薬剤調製料・調剤管理料および加算について

① Rp.1）の医薬品は〔　a.　内服薬　　b.　屯服薬　　c.　外用薬　〕である。

② Rp.2）〜4）の医薬品はすべて、〔　a.　内服薬　　b.　屯服薬　　c.　外用薬　〕であり、1調剤行為ごとに算定するので、薬剤料、薬剤調製料をそれぞれ算定できる。

③ ①・②より、調剤報酬点数表欄は以下のように整理できる。

Rp.	単位薬剤料	調剤数量	薬剤料	薬剤調製料	調剤管理料	加算
1）						
2）						
3）						
4）						

（単位：点）

処　方　箋

(この処方せんは、どの保険薬局でも有効です。)

公費負担者番号					保険者番号	0 1 1 3 0 0 1 2
公費負担医療の受給者番号					被保険者証・被保険者手帳の記号・番号	11020304 ・ 89

患者	氏　名	ウミノ　アツシ 海野　淳史		保険医療機関の所在地及び名称電話番号	さいたま市大宮区大門町999 さいたまこころのクリニック 048-699-**87
	生年月日	明大昭平令 48 年 10 月 14 日	男・女	保険医氏名	津田　奈々子　印
	区　分	被保険者	被扶養者	都道府県番号 11 点数表番号 1 医療機関コード 9 9 9 9 9 2 1	

交付年月日	令和6年　6月　27日	処方箋の使用期間	令和　年　月　日	特に記載のある場合を除き、交付の日を含めて4日以内に保険薬局に提出すること。

処方	変更不可(医療上必要)	患者希望	個々の処方薬について、医療上の必要性があるため、後発医薬品（ジェネリック医薬品）への変更に差し支えがあると判断した場合には、「変更不可」欄に「✓」又は「×」を記載し、「保険医署名」欄に署名又は記名・押印すること。また、患者の希望を踏まえ、先発医薬品を処方した場合には、「患者希望」欄に「✓」又は「×」を記載すること。
			Ｒｐ. 1）トフラニール錠25mg　4錠 　　　　リーゼ錠5mg　2錠 　　　　　　　　　　1日2回　朝・夕食後　30日分 　　　2）セルベックスカプセル50mg　3カプセル 　　　　　　　　　　1日3回　毎食後　14日分 　　　3）マイスリー錠10mg　1錠 　　　　デパス錠1mg　1錠 　　　　　　　　　　1日1回就寝前　30日分 　　　　　　　　―以下余白― リフィル可　□　（　　　回）

備考	保険医署名	「変更不可」欄に「✓」又は「×」を記載した場合は、署名又は記名・押印すること。
	特に安全管理が必要な医薬品（トフラニール錠、リーゼ錠、デパス錠）に対し、服薬状況・副作用の有無を確認し、薬歴管理・指導を行う。	

保険薬局が調剤時に残薬を確認した場合の対応（特に指示がある場合は「✔」又は「×」を記載すること。）
　　　　□保険医療機関へ疑義照会したうえで調剤　　□保険医療機関へ情報提供

調剤実施回数（調剤回数に応じて、□に「レ」又は「×」を記載するとともに、調剤日及び次回調剤予定日を記載すること。）
□1回目調剤日(　年　月　日)　　□2回目調剤日(　年　月　日)　　□3回目調剤日(　年　月　日)
次回調剤予定日(　年　月　日)　　次回調剤予定日(　年　月　日)

調剤済年月日	令和6年　6月　27日	公費負担者番号	
保険薬局の所在地及び名称保険薬剤師氏名	（省略）　　印	公費負担医療の受給者番号	

○保険薬局の設定
・開局時間　月曜～金曜　9：00～18：00
　　　　　　土曜　　　　9：00～13：00
　　　　　　日曜・祝日　定休日
・調剤基本料3ロ）、後発医薬品調剤体制加算3
・医療DX推進体制整備加算
・服薬管理指導　実施

○来局状況
・前回来局日：　5月　30日
・お薬手帳持参：　あり
○その他
・過去6月以内に医療情報取得加算を算定済み
・処方内容は前回来局時と同じ

✚ 薬価 (後発医薬品、日本薬局方の表記は省略)

	品名	規格・単位	薬価(円)	備考
内用薬	トフラニール錠25mg	25mg 1錠	10.10	抑うつ病用剤
	リーゼ錠5mg	5mg 1錠	向 6.40	精神神経用剤
	セルベックスカプセル50mg	50mg 1カプセル	9.60	消化性潰瘍用剤
	マイスリー錠10mg	10mg 1錠	向 31.00	催眠剤
	デパス錠1mg	1mg 1錠	向 10.10	精神神経用剤

✚ 調剤報酬の計算

（1）調剤基本料の点数は①〔＿＿＿〕点で、レセプトの略記号は②〔＿＿＿〕である。

（2）服薬管理指導を実施、3か月以内の来局あり、手帳あり。

よって、服薬管理指導料は、①〔＿＿＿〕点を算定し、レセプトの略記号は②〔 a. 薬A b. 薬B c. 薬C 〕となる。

（3）特に安全管理が必要な医薬品に対し、服薬状況・副作用の有無を確認し、薬歴管理・指導を行っている。この場合、服薬管理指導料に加えて算定できるものは、〔 a. 特定薬剤管理指導加算1である b. 特定薬剤管理指導加算3である c. ない 〕。

（4）薬剤料、薬剤調製料・調剤管理料および加算について

1 Rp. 1）および3）について向精神薬を調剤した。このとき、①〔 a. Rp. 1）または3）に対して b. Rp. 1）および3） 〕の薬剤調製料に対して、向精神薬加算②〔＿＿＿〕点を算定できる。なお、レセプトの略記号は③〔＿＿＿〕である。

2 上記より、調剤報酬点数表欄は以下のように整理できる。

Rp.	単位薬剤料	調剤数量	薬剤料	薬剤調製料	調剤管理料	加算
1）						
2）						
3）						

（単位：点）

131

処　方　箋

（この処方せんは、どの保険薬局でも有効です。）

公費負担者番号							保険者番号	0	6	1	3	0	3	4	8
公費負担医療の受給者番号							被保険者証・被保険者手帳の記号・番号		43　　・　　345						

患者	氏　名	コンドウ　リュウノスケ 近藤　龍之介		保険医療機関の所在地及び名称電話番号	東京都中野区中野 4-13-21 石川内科医院 03-3333-88**
	生年月日	明大昭平令 41 年 4 月 11 日 男・女		保険医氏名	石川　耕太郎　㊞
	区　分	被保険者　　　被扶養者		都道府県番号 1 3　点数表番号 1　医療機関コード 7 5 6 8 9 8 8	

交付年月日	令和 6 年　6 月　8 日	処方箋の使用期間	令和　年　月　日	特に記載のある場合を除き、交付の日を含めて4日以内に保険薬局に提出すること。

処方	変更不可 （医療上必要）　患者希望	個々の処方薬について、医療上の必要性があるため、後発医薬品（ジェネリック医薬品）への変更に差し支えがあると判断した場合には、「変更不可」欄に「✓」又は「×」を記載し、「保険医署名」欄に署名又は記名・押印すること。また、患者の希望を踏まえ、先発医薬品を処方した場合には、「患者希望」欄に「✓」又は「×」を記載すること。
		Ｒp．1）エクア錠 50mg　2錠　1日2回　朝・夕食後　98日分 　　　　2）ロスバスタチン錠 2.5mg「杏林」　1錠 　　　　　　　　　　　　　　　　　　1日1回　夕食後　98日分 　　　　3）ネキシウムカプセル 20mg　1カプセル 　　　　　　　　　　　　　　　　　　1日1回　夕食後　98日分 　　　　4）エパルレスタット錠 50mg「NP」　3錠 　　　　　　　　　　　　　　　　　　1日3回　毎食後　98日分 　　　　5）リリカカプセル 25mg　1カプセル 　　　　　　　　　　　　　　　　　　1日1回　朝食後　98日分 　　　　　　　　—以下余白— リフィル可　□　（　　　回）

備考	保険医署名	「変更不可」欄に「✓」又は「×」を記載した場合は、署名又は記名・押印すること。
	特に安全管理が必要な医薬品（エクア錠）に対し、服薬状況・副作用の有無を確認し、薬歴管理・指導を行う。	
	保険薬局が調剤時に残薬を確認した場合の対応（特に指示がある場合は「✔」又は「×」を記載すること。） 　　　□保険医療機関へ疑義照会したうえで調剤　　　□保険医療機関へ情報提供	
	調剤実施回数（調剤回数に応じて、□に「レ」又は「×」を記載するとともに、調剤日及び次回調剤予定日を記載すること。） □1回目調剤日（　年　月　日）　□2回目調剤日（　年　月　日）　□3回目調剤日（　年　月　日） 　次回調剤予定日（　年　月　日）　　次回調剤予定日（　年　月　日）	

調剤済年月日	令和 6 年　6 月　8 日	公費負担者番号	
保険薬局の所在地及び名称保険薬剤師氏名	（省略）　　　　㊞	公費負担医療の受給者番号	

○保険薬局の設定
・開局時間　月曜〜金曜　　9：00〜18：00
　　　　　　土曜　　　　　9：00〜13：00
　　　　　　日曜・祝日　定休日
・調剤基本料2、後発医薬品調剤体制加算1
・服薬管理指導　実施

○来局状況
・前回来局日：　3 月　24 日
・お薬手帳持参：　あり
○その他
・過去6月以内に医療情報取得加算を算定済み
・処方内容は前回来局時と同じ

✚ 薬価（後発医薬品、日本薬局方の表記は省略）

	品名	規格・単位	薬価（円）	備考
内用薬	エクア錠50mg	50mg 1錠	60.60	経口糖尿病用剤
	エパルレスタット錠50mg「NP」	50mg 1錠	15.80	糖尿病性末梢神経用剤
	ネキシウムカプセル20mg	20mg 1カプセル	69.70	消化性潰瘍用剤
	リリカカプセル25mg	25mg 1カプセル	36.40	末梢性神経障害性疼痛用剤
	ロスバスタチン錠2.5mg「杏林」	2.5mg 1錠	10.10	高コレステロール血症用剤

✚ 調剤報酬の計算

（1）調剤基本料の点数は①〔＿＿＿＿〕点で、レセプトの略記号は②〔＿＿＿＿〕である。

（2）服薬管理指導を実施、3か月以内の来局あり、手帳あり。

　　よって、服薬管理指導料は、①〔＿＿＿＿＿〕点を算定し、レセプトの略記号は②〔　a. 薬A　　b. 薬B　　c. 薬C 〕となる。

（3）特に安全管理が必要な医薬品に対し、服薬状況・副作用の有無を確認し、薬歴管理・指導を行っている。この場合、服薬管理指導料に加えて算定できるものは、〔　a. 特定薬剤管理指導加算1である　　b. 特定薬剤管理指導加算3である　　c. ない 〕。

（4）薬剤料、薬剤調製料・調剤管理料および加算について

① 処方された医薬品はすべて〔　a. 内服薬　　b. 屯服薬　　c. 外用薬 〕である。

　　Rp. 2）と3）は、服用時点および服用日数が同じであることから、2つの薬剤を1つのものとして、薬剤料、薬剤調製料・調剤管理料等を考える。

② 上記より、調剤報酬点数表欄は以下のように整理できる。

Rp.	単位薬剤料	調剤数量	薬剤料	薬剤調製料	調剤管理料	加算

（単位：点）

処　方　箋

（この処方せんは、どの保険薬局でも有効です。）

公費負担者番号		保険者番号	1 1 4 0 3 1
公費負担医療の受給者番号		被保険者証・被保険者手帳の記号・番号	21700098 ・ 39

患者	氏　名	シミズ　タケル 清水　健	保険医療機関の所在地及び名称 電話番号	さいたま市大宮区堀之内 *** 大宮第一皮膚科医院 048-642-2***
	生年月日	明大昭平令 62 年 11 月 15 日 男・女	保険医氏名	石島　洋一　印
	区　分	被保険者　　被扶養者	都道府県番号 11 点数表番号 1 医療機関コード 7970101	

交付年月日	令和6年　6月　8日	処方箋の使用期間	令和　年　月　日	特に記載のある場合を除き、交付の日を含めて4日以内に保険薬局に提出すること。

処方	変更不可（医療上必要）	患者希望	個々の処方薬について、医療上の必要性があるため、後発医薬品（ジェネリック医薬品）への変更に差し支えがあると判断した場合には、「変更不可」欄に「✓」又は「×」を記載し、「保険医署名」欄に署名又は記名・押印すること。また、患者の希望を踏まえ、先発医薬品を処方した場合には、「患者希望」欄に「✓」又は「×」を記載すること。

Ｒｐ．1）リンデロン - ＶＧクリーム 0.12%　25 g
　　　　　　オイラックスクリーム 10%　25 g
　　　　　　頚部、躯幹、四肢　1日2～3回
　　　2）クラリチン錠10mg　　1錠　1日1回　朝食後　5日分
　　　3）セレスタミン配合錠　　1錠　1日1回　夕食後　5日分
　　　　　　　　―以下余白―

リフィル可　□　（　　　　回）

備考	保険医署名	「変更不可」欄に「✓」又は「×」を記載した場合は、署名又は記名・押印すること。

Ｒｐ．1）は混合のこと。

保険薬局が調剤時に残薬を確認した場合の対応（特に指示がある場合は「✓」又は「×」を記載すること。）
　□保険医療機関へ疑義照会したうえで調剤　　□保険医療機関へ情報提供

調剤実施回数（調剤回数に応じて、□に「レ」又は「×」を記載するとともに、調剤日及び次回調剤予定日を記載すること。）
　□1回目調剤日（　年　月　日）　　□2回目調剤日（　年　月　日）　　□3回目調剤日（　年　月　日）
　次回調剤予定日（　年　月　日）　　次回調剤予定日（　年　月　日）

調剤済年月日	令和6年　6月　8日	公費負担者番号	
保険薬局の所在地及び名称保険薬剤師氏名	（省略）　印	公費負担医療の受給者番号	

○保険薬局の設定
　・開局時間　月曜～金曜　9：00～18：00
　　　　　　　土曜　　　　9：00～13：00
　　　　　　　日曜・祝日　定休日
　・調剤基本料1、地域支援体制加算2
　・服薬管理指導　実施

○来局状況
　・前回来局日：　なし
　・お薬手帳持参：　なし
　・マイナ保険証による情報取得：　あり
○その他
　　お薬手帳を交付。

✚ 薬価 (後発医薬品、日本薬局方の表記は省略)

	品名	規格・単位	薬価(円)	備考
外用薬	リンデロン‐VGクリーム0.12%	1 g	27.70	抗生物質、副腎皮質ホルモン混合製剤
	オイラックスクリーム10%	10% 10g	58.10	外用鎮痒剤
内用薬	クラリチン錠10mg	10mg 1錠	37.50	アレルギー用剤(鼻炎・蕁麻疹・そう痒)
	セレスタミン配合錠	1錠	8.00	抗ヒスタミン剤

✚ 調剤報酬の計算

(1) 調剤基本料の点数は①〔＿＿＿＿〕点で、レセプトの略記号は②〔＿＿＿＿〕である。

(2) マイナ保険証を利用してオンライン資格等確認システムより情報を取得しているので、調剤管理料に①〔＿＿＿＿〕を算定し、その点数は②〔＿＿＿＿〕点である。また、レセプトの略記号は③〔＿＿＿＿〕である。

(3) 服薬管理指導を実施、3か月以内の来局なし。

よって、服薬管理指導料は、①〔＿＿＿＿〕点を算定し、レセプトの略記号は②〔 a. 薬A　　b. 薬B　　c. 薬C 〕となる。

(4) 薬剤料、薬剤調製料・調剤管理料および加算について

[1] Rp. 1) において、2種類のクリームを混合するよう指示があった。このとき、薬剤調製料に①〔＿＿＿＿＿＿＿〕加算を算定し、その点数は②〔＿＿＿＿＿〕点である。また、レセプトの略記号は③〔＿＿＿＿＿〕である。

[2] 上記より、調剤報酬点数表欄は以下のように整理できる。

Rp.	単位薬剤料	調剤数量	薬剤料	薬剤調製料	調剤管理料	加算
1)						
2)						
3)						

(単位：点)

処 方 箋

（この処方せんは、どの保険薬局でも有効です。）

公費負担者番号								保　険　者　番　号	0	1	1	1	0	0	1	4
公費負担医療の受給者番号								被保険者証・被保険者手帳の記号・番号			3111　・　2211					

患者	氏　名	ヤマカワ　マキ 山川　真希	保険医療機関の所在地及び名称 電話番号	埼玉県さいたま市浦和区領家 5－99 うらわ内科医院 048-846-****
	生年月日	明大昭平令 37年5月8日　男・女	保険医氏名	長嶋　隆一　印
	区　分	被保険者　　被扶養者	都道府県番号 11　点数表番号 1　医療機関コード 030777x	

交付年月日	令和6年　6月　10日	処方箋の使用期間	令和　年　月　日	特に記載のある場合を除き、交付の日を含めて4日以内に保険薬局に提出すること。

処方	変更不可 （医療上必要）　患者希望	個々の処方薬について、医療上の必要性があるため、後発医薬品（ジェネリック医薬品）への変更に差し支えがあると判断した場合には、「変更不可」欄に「✓」又は「×」を記載し、「保険医署名」欄に署名又は記名・押印すること。また、患者の希望を踏まえ、先発医薬品を処方した場合には、「患者希望」欄に「✓」又は「×」を記載すること。

Rp. 1）　アムロジピン錠5mg「タカタ」　　　1錠
　　　　　フェブリク錠20mg　　　　　　　　1錠
　　　　　カルベジロール錠2.5mg　　　　　1錠
　　　　　ロスバスタチン錠2.5mg「タカタ」　1錠
　　　　　　　　　　　　　1日1回　朝食後　30日分
　　　2）　シュアポスト錠0.5mg　1錠
　　　　　　　　　　　　　1日1回　朝食直前 30日分

―以下余白―

リフィル可　□　（　　　回）

備考	保険医署名	「変更不可」欄に「✓」又は「×」を記載した場合は、署名又は記名・押印すること。

※薬歴よりシュアポスト錠が、前回の0.25mgから増量を確認。特に安全管理が必要な医薬品（カルベジロール錠、シュアポスト錠）につき、服薬状況・副作用の有無を確認し、薬歴管理・指導を行う。

保険薬局が調剤時に残薬を確認した場合の対応（特に指示がある場合は「✔」又は「×」を記載すること。）
　　□保険医療機関へ疑義照会したうえで調剤　　□保険医療機関へ情報提供

調剤実施回数（調剤回数に応じて、□に「レ」又は「×」を記載するとともに、調剤日及び次回調剤予定日を記載すること。）
　□1回目調剤日（　年　月　日）　　□2回目調剤日（　年　月　日）　　□3回目調剤日（　年　月　日）
　次回調剤予定日（　年　月　日）　　次回調剤予定日（　年　月　日）

調剤済年月日	令和6年　6月　10日	公費負担者番号	
保険薬局の所在地及び名称 保険薬剤師氏名	印	公費負担医療の受給者番号	

○保険薬局の設定
　・開局時間　月曜～金曜　9：00～18：00
　　　　　　　土曜　　　　9：00～13：00
　　　　　　　日曜・祝日　定休日
　・麻薬小売業者免許番号：
　・調剤基本料2、後発医薬品調剤体制加算1
　・服薬管理指導　実施

○来局状況
　・前回来局日：　5月　15日
　・お薬手帳持参：　あり
○その他
　・過去6月以内に医療情報取得加算を算定済み

✚ 薬価 (後発医薬品、日本薬局方の表記は省略)

	品名	規格・単位	薬価(円)	備考
内用薬	アムロジピン錠5mg「タカタ」	5mg 1錠	10.10	高血圧・狭心症用剤
	フェブリク錠20mg	20mg 1錠	29.80	痛風・高尿酸血症用剤
	カルベジロール錠2.5mg	2.5mg 1錠	10.10	強心剤
	ロスバスタチン錠2.5mg「タカタ」	2.5mg 1錠	11.40	高コレステロール血症用剤
	シュアポスト錠0.5mg	0.5mg 1錠	31.60	経口糖尿病用剤

✚ 調剤報酬の計算

（1）調剤基本料の点数は①〔＿＿＿＿＿〕点で、レセプトの略記号は②〔＿＿＿＿＿〕である。

（2）服薬管理指導を実施、3か月以内の来局あり、手帳あり。

よって、服薬管理指導料は、①〔＿＿＿＿＿〕点を算定し、レセプトの略記号は②
〔　a.　薬A　　b.　薬B　　c.　薬C　〕となる。

（3）特に安全管理が必要な医薬品に対し、服薬状況・副作用の有無を確認し、薬歴管理・指導を行っている。算定できるものは、〔　a.　特定薬剤管理指導加算1　10点である　　b.　特定薬剤管理指導加算1　5点である　　c.ない　〕。

（4）薬剤料、薬剤調製料・調剤管理料および加算について

調剤報酬点数表欄は以下のように整理できる。

Rp.	単位薬剤料	調剤数量	薬剤料	薬剤調製料	調剤管理料	加算
1）						
2）						

（単位：点）

処　方　箋

(この処方せんは、どの保険薬局でも有効です。)

公費負担者番号		保険者番号	3 9 1 1 2 1 9 8
公費負担医療の受給者番号		被保険者証・被保険者手帳の記号・番号	12345678

患者	氏　名	マエカワ　セイコ 前川　清子		保険医療機関の所在地及び名称電話番号	埼玉県上尾市小泉9-9-9 小泉医院 048-725-****
	生年月日	明大昭平令 12 年 8 月 7 日	男・女	保険医氏名	小泉　順一　印
	区　分	被保険者		都道府県番号 11 点数表番号 1 医療機関コード 2 9 2 9 8 8 1	

交付年月日	令和6年 8 月 7 日	処方箋の使用期間	令和　年　月　日	特に記載のある場合を除き、交付の日を含めて4日以内に保険薬局に提出すること。

処方	変更不可(医療上必要)	患者希望	個々の処方薬について、医療上の必要性があるため、後発医薬品（ジェネリック医薬品）への変更に差し支えがあると判断した場合には、「変更不可」欄に「✔」又は「×」を記載し、「保険医署名」欄に署名又は記名・押印すること。また、患者の希望を踏まえ、先発医薬品を処方した場合には、「患者希望」欄に「✔」又は「×」を記載すること。

Ｒｐ．1）アテレック錠10　1錠
　　　　　ラシックス錠40mg　1錠
　　　　　フェブリク錠20mg　1錠　1日1回朝食後　14日分
　　　2）デプロメール錠50　50mg1錠　1日1回就寝前　14日分
　　　3）フランドルテープ40mg　14枚　1日1枚　胸部に貼付
　　　4）リバスタッチパッチ4.5mg　14枚　1日1枚　背部に貼付
　　　　　　　　　　―以下余白―

リフィル可　□　（　　　回）

備考	保険医署名	「変更不可」欄に「✔」又は「×」を記載した場合は、署名又は記名・押印すること。

高9　※所得区分：42区キ　　Rp1、2については一包化のこと。
特に安全管理が必要な医薬品（デプロメール錠）に対し、服薬状況・副作用の有無を確認し、薬歴管理・指導を行う。

保険薬局が調剤時に残薬を確認した場合の対応（特に指示がある場合は「✔」又は「×」を記載すること。）
　　□保険医療機関へ疑義照会したうえで調剤　　□保険医療機関へ情報提供

調剤実施回数（調剤回数に応じて、□に「レ」又は「×」を記載するとともに、調剤日及び次回調剤予定日を記載すること。）
□1回目調剤日(　年　月　日)　□2回目調剤日(　年　月　日)　□3回目調剤日(　年　月　日)
次回調剤予定日(　年　月　日)　次回調剤予定日(　年　月　日)

調剤済年月日	令和6年 8 月 7 日	公費負担者番号	
保険薬局の所在地及び名称保険薬剤師氏名	（省略）　印	公費負担医療の受給者番号	

○保険薬局の設定
　・開局時間　月曜～金曜　9：00～18：00
　　　　　　　土曜　　　　9：00～13：00
　　　　　　　日曜・祝日　定休日
　・調剤基本料1、地域支援体制加算1、連携強化加算
　・かかりつけ薬剤師指導　実施

○来局状況
　・前回来局日：　7 月　26 日
　・お薬手帳持参：　あり
○その他
　・過去6月以内に医療情報情報加算を算定済み
　・処方内容は前回来局時と同じ

✚ 薬価 (後発医薬品、日本薬局方の表記は省略)

	品名	規格・単位	薬価(円)	備考
内用薬	アテレック錠10	10mg 1錠	27.10	血圧降下剤
	ラシックス錠40mg	40mg 1錠	11.60	利尿降圧剤
	フェブリク錠20mg	20mg 1錠	29.80	痛風・高尿酸血症用剤
	デプロメール錠50	50mg 1錠	32.90	うつ病用剤
外用薬	フランドルテープ40mg	40mg 1枚	42.90	狭心症用剤
	リバスタッチパッチ4.5mg	4.5mg 1枚	186.70	アルツハイマー型認知症用剤

✚ 調剤報酬の計算

(1) 調剤基本料の点数は① 〔＿＿＿＿〕点で、レセプトの略記号は② 〔＿＿＿＿〕である。

(2) かかりつけ薬剤師指導を実施。よって、かかりつけ薬剤師指導料は① 〔＿＿＿＿〕点でレセプトの略記号は② 〔＿＿＿＿〕となる。

(3) 特に安全管理が必要な医薬品（デプロメール錠）に対し、服薬状況・副作用の有無を確認し、薬歴管理・指導を行っている。この場合、服薬管理指導料に加えて算定できるものは、〔 a. 特定薬剤管理指導加算1である　　b. 特定薬剤管理指導加算3である　　c. ない 〕。

(4) 薬剤料、薬剤調製料・調剤管理料および加算等について

1 Rp. 1)、2) の医薬品は 〔 a. 内服薬　　b. 屯服薬　　c. 外用薬 〕である。服用方法が異なるので、薬剤料、薬剤調製料および調剤管理料がそれぞれ算定できる。

2 Rp. 3)、4) の医薬品は 〔 a. 内服薬　　b. 屯服薬　　c. 外用薬 〕であり、服用方法が異なるので、薬剤料および薬剤調製料がそれぞれ算定できる。

3 Rp 1)、2) は一包化の指示がある。この場合、① 〔＿＿＿＿〕が算定でき、その点数は② 〔＿＿＿＿〕点である。また、レセプトの略記号は③ 〔＿＿＿＿〕である。

4 1 ～ 3 より、調剤報酬点数表欄は以下のように整理できる。

Rp.	単位薬剤料	調剤数量	薬剤料	薬剤調製料	調剤管理料	加算
1)						
2)						
3)						
4)						

(単位：点)

処　方　箋

（この処方せんは、どの保険薬局でも有効です。）

公費負担者番号					保 険 者 番 号	1	3	8	1	2	3
公費負担医療の受給者番号					被保険者証・被保険者手帳の記号・番号	12-38 ・ 8556					

患者	氏　名	シイナ ヒロカズ 椎名 博一	保険医療機関の所在地及び名称電話番号	東京都港区港南 3-9-99 港南病院 03-3471-99**
	生年月日	明大昭平令 30 年 11 月 26 日 男・女	保険医氏名	南　洋一郎　印
	区　分	被保険者　　　被扶養者	都道府県番号 1 3　点数表番号 1　医療機関コード 9 1 3 8 1 2 3	

交付年月日	令和 6 年　10 月　11 日	処方箋の使用期間	令和　年　月　日	特に記載のある場合を除き、交付の日を含めて4日以内に保険薬局に提出すること。

処方	変更不可（医療上必要）	患者希望	個々の処方薬について、医療上の必要性があるため、後発医薬品（ジェネリック医薬品）への変更に差し支えがあると判断した場合には、「変更不可」欄に「✓」又は「×」を記載し、「保険医署名」欄に署名又は記名・押印すること。また、患者の希望を踏まえ、先発医薬品を処方した場合には、「患者希望」欄に「✓」又は「×」を記載すること。

Ｒｐ．〔般〕グリコピロニウム臭化物吸入用カプセル 50μg　28 カプセル

　　　　　　　　　　　　　　　　1日1回　1カプセル　朝吸入

　　　　　―以下余白―

リフィル可 □　（　　　回）

備考	保険医署名	「変更不可」欄に「✓」又は「×」を記載した場合は、署名又は記名・押印すること。

※港泌尿器科医院でナフトピジル口腔内崩壊錠投与。排尿困難の症状を悪化させる恐れがあるため、10/11　15：00 に処方医に電話で確認し、オンブレス吸入用カプセル 150μg 28 カプセルに処方変更。（薬剤師　内田美穂）　　　　吸入手技の指導を実施。報告書を病院へ送信。

保険薬局が調剤時に残薬を確認した場合の対応（特に指示がある場合は「✔」又は「×」を記載すること。）
□保険医療機関へ疑義照会したうえで調剤　　□保険医療機関へ情報提供

調剤実施回数（調剤回数に応じて、□に「レ」又は「×」を記載するとともに、調剤日及び次回調剤予定日を記載すること。）
□1回目調剤日（　年　月　日）　□2回目調剤日（　年　月　日）　□3回目調剤日（　年　月　日）
次回調剤予定日（　年　月　日）　次回調剤予定日（　年　月　日）

調剤済年月日	令和 6 年　10 月　11 日	公費負担者番号	
保険薬局の所在地及び名称保険薬剤師氏名	（省略）　印	公費負担医療の受給者番号	

○保険薬局の設定
・開局時間　月曜～金曜　9：00～18：00
　　　　　　土曜　　　　9：00～13：00
　　　　　　日曜・祝日　定休日
・調剤基本料1、後発医薬品調剤体制加算1
・服薬管理指導　実施

○来局状況
・前回来局日：　9 月 15 日
・お薬手帳持参：　あり
○その他
・病院作成の吸入指導依頼書・同意書添付
・初回の吸入手技
・過去6月以内に医療情報取得加算を算定済み

✚ 薬価 （後発医薬品、日本薬局方の表記は省略）

	品名	規格・単位	薬価(円)	備考
外用薬	オンブレス吸入用 カプセル 150 μg	150 μg 1 カプセル	131.40	慢性閉塞性肺疾患用吸入剤

✚ 調剤報酬の計算

（1）調剤基本料の点数は①〔＿＿＿＿〕点で、レセプトの略記号は②〔＿＿＿＿〕である。

（2）服薬管理指導を実施、3か月以内の来局あり、手帳あり。
　　　よって、服薬管理指導料は、①〔＿＿＿＿〕点を算定し、レセプトの略記号は②〔　a.　薬A　　　b.　薬B　　　c.　薬C　〕となる。

（3）保険医療機関の求めに応じて、吸入手技の指導を行い、報告書を病院へ送信していることから、服薬管理指導料に①〔＿＿＿＿＿＿〕加算ができ、その点数は②〔＿＿＿＿〕点である。また、レセプトの略記号は③〔＿＿＿＿〕である。

（4）処方箋の内容につき、薬剤服用歴に基づき処方医に疑義照会後、オンブレス吸入用カプセルに処方の変更が行われているので、調剤管理料に①〔＿＿＿＿＿＿＿＿〕加算が算定でき、その点数は②〔＿＿＿＿〕点である。また、レセプトの略記号は③〔＿＿＿＿＿＿〕である。

（5）薬剤料、薬剤調製料・調剤管理料および加算について
　①　処方された医薬品は〔　a.　内服薬　　　b.　屯服薬　　　c.　外用薬　〕である。
　②　上記より、調剤報酬点数表欄は以下のように整理できる。

単位薬剤料	調剤数量	薬剤料	薬剤調製料	調剤管理料	加算

（単位：点）

処　方　箋

（この処方せんは、どの保険薬局でも有効です。）

公費負担者番号				保 険 者 番 号	0 6 2 7 0 0 1 7
公費負担医療の受給者番号				被保険者証・被保険者手帳の記号・番号	5432　・　8

患者	氏　名	オオギ　ケンゾウ 仰木　健三		保険医療機関の所在地及び名称電話番号	京都市下京区御器屋町9999 大谷病院 075-36*-**97
	生年月日	明大昭平令	26 年 9 月 13 日	男・女	保険医氏名	小谷　正平　　印
	区　分	被保険者	被扶養者	都道府県番号 26 点数表番号 1 医療機関コード 6 9 6 9 6 9 6

交付年月日	令和6年　7月　6日	処方箋の使用期間	令和　年　月　日	特に記載のある場合を除き、交付の日を含めて4日以内に保険薬局に提出すること。

	変更不可 (医療上必要)	患者希望	個々の処方薬について、医療上の必要性があるため、後発医薬品（ジェネリック医薬品）への変更に差し支えがあると判断した場合には、「変更不可」欄に「✔」又は「×」を記載し、「保険医署名」欄に署名又は記名・押印すること。また、患者の希望を踏まえ、先発医薬品を処方した場合には、「患者希望」欄に「✔」又は「×」を記載すること。

処方

Ｒｐ．1）レスタミンコーワ錠10mg　4錠
　　　　セフポドキシムプロキセチル錠100mg「サワイ」　2錠
　　　　　　　　　　1日2回　朝・夕食後　3日分
　　　2）イブプロフェン顆粒20%「ツルハラ」　1回1g　5回分
　　　　　　　　　　　　　　　　疼痛時服用
　　　3）ベタメタゾン吉草酸エステル軟膏0.12%「イワキ」　30ｇ
　　　　白色ワセリン　30ｇ
　　　　　　　　　　上記混合　1日2回　背中に塗布
　　　　　　　　　—以下余白—

リフィル可　□　（　　　回）

備考

保険医署名　「変更不可」欄に「✔」又は「×」を記載した場合は、署名又は記名・押印すること。

7/6（土）15：00 受付
高7　※所得区分28区ウ

Ｒｐ．1）については嚥下困難のため粉砕し、一包にして調剤のこと
※イブプロフェン顆粒については、他院で非ステロイド性消炎鎮痛剤が処方されているため、7/6
　16：00に小谷先生に電話照会し、削除となる。（薬剤師　　○○）

保険薬局が調剤時に残薬を確認した場合の対応（特に指示がある場合は「✔」又は「×」を記載すること。）
　　　□保険医療機関へ疑義照会したうえで調剤　　　□保険医療機関へ情報提供

調剤実施回数（調剤回数に応じて、□に「レ」又は「×」を記載するとともに、調剤日及び次回調剤予定日を記載すること。）
□1回目調剤日（　　年　月　日）　□2回目調剤日（　　年　月　日）　□3回目調剤日（　　年　月　日）
次回調剤予定日（　　年　月　日）　次回調剤予定日（　　年　月　日）

調剤済年月日	令和6年　7月　6日	公費負担者番号	
保険薬局の所在地及び名称保険薬剤師氏名	（省略）　　印	公費負担医療の受給者番号	

○保険薬局の設定
・開局時間　月曜～金曜　9：00～18：00
　　　　　　土曜　　　　9：00～19：00
　　　　　　日曜・祝日　定休日
・調剤基本料1、後発医薬品調剤体制加算1
・かかりつけ薬剤師指導　実施

○来局状況
・前回来局日：　5 月　24 日
・お薬手帳持参：　あり
○その他
・過去6月以内に医療情報取得加算を算定済み

✚ 薬価 （後発医薬品、日本薬局方の表記は省略）

	品名	規格・単位	薬価(円)	備考
内用薬	レスタミンコーワ錠 10mg	10mg 1 錠	5.90	アレルギー用剤 （鼻炎・蕁麻疹・そう痒）
	セフポドキシムプロキセチル錠 100mg「サワイ」	100mg 1 錠	28.10	経口用セフェム系抗生物質製剤
	イブプロフェン顆粒 20%「ツルハラ」	20% 1 g	6.30	消炎鎮痛剤
外用薬	ベタメタゾン吉草酸エステル軟膏 0.12%「イワキ」	0.12% 1 g	8.50	外用副腎皮質ホルモン剤
	白色ワセリン	10 g	20.90	軟膏基剤

✚ 調剤報酬の計算

（1）調剤基本料の点数は①〔＿＿＿＿〕点で、レセプトの略記号は②〔＿＿＿＿〕である。

（2）土曜日 15：00 に来局したので、〔 a. 時間外加算　　b. 夜間・休日等加算〕が算定できる。

（3）かかりつけ薬剤師指導を実施。よって、かかりつけ薬剤師指導料は①〔＿＿＿＿〕点でレセプトの略記号は②〔＿＿＿＿〕となる。

（4）Rp. 2）について、疑義照会後、処方が削除されている。このとき、調剤管理料に①〔＿＿＿＿＿＿〕加算が算定でき、その点数は②〔＿＿＿＿〕点である。また、レセプトの略記号は③〔＿＿＿＿＿＿〕である。

（5）薬剤料、薬剤調製料・調剤管理料および加算について

1 Rp. 1）には「嚥下困難のため粉砕し、一包にして調剤」という指示があった。このとき、①〔 a. 自家製剤加算　　b. 外来服薬支援料2 〕を算定し、その点数は②〔＿＿＿＿〕点である。また、レセプトの略記号は③〔＿＿＿＿〕である。

2 Rp. 3）において、外用薬を混合するよう指示があった。このとき、薬剤調製料に①〔＿＿＿＿＿＿〕加算を算定し、その点数は②〔＿＿＿＿〕点である。また、レセプトの略記号は③〔＿＿＿＿〕である。

3 1・2より、調剤報酬点数表欄は以下のように整理できる。

Rp.	単位薬剤料	調剤数量	薬剤料	薬剤調製料	調剤管理料	加算

（単位：点）

7

調剤報酬ケーススタディ

処　方　箋

（この処方せんは、どの保険薬局でも有効です。）

公費負担者番号							保険者番号	0	1	1	1	0	0	1	4
公費負担医療の受給者番号							被保険者証・被保険者手帳の記号・番号		12	・		001			

患者	氏　名	シンジョウ タケシ 新城　武	保険医療機関の所在地及び名称電話番号	さいたま市北区宮原町 9999 宮原内科 048-726-00**
	生年月日	明大昭平令　60 年 7 月 7 日　男・女	保険医氏名	宮原　敬一郎　印
	区　分	被保険者　　被扶養者	都道府県番号 1 1　点数表番号 1　医療機関コード 1 9 9 9 8 8 7	

交付年月日	令和 6 年　7 月　8 日	処方箋の使用期間	令和　年　月　日	特に記載のある場合を除き、交付の日を含めて4日以内に保険薬局に提出すること。

	変更不可（医療上必要）	患者希望	個々の処方薬について、医療上の必要性があるため、後発医薬品（ジェネリック医薬品）への変更に差し支えがあると判断した場合には、「変更不可」欄に「✓」又は「×」を記載し、「保険医署名」欄に署名又は記名・押印すること。また、患者の希望を踏まえ、先発医薬品を処方した場合には、「患者希望」欄に「✓」又は「×」を記載すること。

処方	Ｒｐ．1）メトホルミン塩酸塩錠250mg「SN」　2錠 　　　　ベザフィブラート徐放錠200mg「トーワ」　2錠 　　　　　　　　　　　　　1日2回　朝夕食後　28日分 　　　2）バイエッタ皮下注5μg ペン 300　1キット 　　　　　　　　　　1日5μg　皮下注射　1日2回　朝夕食前 　　　3）ナノパスニードルII 34G　56 本 　　　　―以下余白― リフィル可 □　（　　　回）

備考	保険医署名	「変更不可」欄に「✓」又は「×」を記載した場合は、署名又は記名・押印すること。

19：00 受付　※薬歴より、今回バイエッタ皮下注が新規追加。特に安全管理が必要な医薬品（メトホルミン塩酸塩錠、バイエッタ皮下注）につき、服薬状況・副作用の有無を確認し、薬歴管理・指導を行う。

保険薬局が調剤時に残薬を確認した場合の対応（特に指示がある場合は「✓」又は「×」を記載すること。）
　　　□保険医療機関へ疑義照会したうえで調剤　　　□保険医療機関へ情報提供

調剤実施回数（調剤回数に応じて、□に「レ」又は「×」を記載するとともに、調剤日及び次回調剤予定日を記載すること。）
□1回目調剤日（　年　月　日）　　□2回目調剤日（　年　月　日）　　□3回目調剤日（　年　月　日）
　次回調剤予定日（　年　月　日）　　次回調剤予定日（　年　月　日）

調剤済年月日	令和 6 年　7 月　8 日	公費負担者番号	
保険薬局の所在地及び名称保険薬剤師氏名	印	公費負担医療の受給者番号	

○保険薬局の設定
・開局時間　月曜〜金曜　　9：00〜20：00
　　　　　　土曜　　　　　9：00〜13：00
　　　　　　日曜・祝日　　定休日
・調剤基本料3ハ）、地域支援体制加算3、
　後発医薬品調剤体制加算3、連携強化加算、
　医療DX推進体制整備加算

・服薬管理指導　実施
○来局状況
・前回来局日：　6 月 12 日
・お薬手帳持参：　あり
○その他
・過去6月以内に医療情報取得加算を算定済み

✤ 薬価（後発医薬品、日本薬局方の表記は省略）

	品名	規格・単位	薬価（円）	備考
内用薬	メトホルミン塩酸塩錠 250mg「SN」	250mg 1 錠	9.80	経口糖尿病用剤
	ベザフィブラート徐放錠 200mg「トーワ」	200mg 1 錠	10.10	高脂血症用剤
注射薬	バイエッタ皮下注 5μg ペン 300	300μg（5μg）1 キット	8,237	注射 2 型糖尿病用剤

✤ 材料価格

ナノパスニードル II 34G〔万年筆型注入器用注射針 （2）超微細型〕 1 本 18 円

✤ 調剤報酬の計算

（1）調剤基本料の点数は①〔＿＿＿＿〕点で、レセプトの略記号は②〔＿＿＿＿〕である。

（2）19：00 に来局したので、〔 a. 時間外加算　　b. 夜間・休日等加算〕が算定できる。

（3）服薬管理指導を実施、3 か月以内の来局あり、手帳あり。

　　よって、服薬管理指導料は、①〔＿＿＿＿〕点を算定し、レセプトの略記号は②

　　〔 a. 薬A　　b. 薬B　　c. 薬C 〕となる。

（4）特に安全管理が必要な医薬品に対し、服薬状況・副作用の有無を確認し、薬歴管理・指導を行っているので、服薬管理指導料に加えて算定できるものは、

　　〔 a. 特定薬剤管理指導加算1　10 点である　　b. 特定薬剤管理指導加算1　5 点である　　c. ない 〕。

（5）薬剤料、薬剤調製料・調剤管理料および加算について

1 ナノパスニードルII（万年筆型注入器用注射針・特定保険医療材料）は、使用本数分の材料価格を①〔＿＿＿＿〕円で割って、小数点以下を②〔＿＿＿＿〕する。

2 調剤報酬点数表欄は以下のように整理できる。

Rp.	単位薬剤料	調剤数量	薬剤料	薬剤調製料	調剤管理料	加算
1）						
2）						
3）						

（単位：点）

処　方　箋

（この処方せんは、どの保険薬局でも有効です。）

公費負担者番号						保 険 者 番 号	1	1	4	0	0	9
公費負担医療の受給者番号						被保険者証・被保険者手帳の記号・番号	123 ・ 456					

患者	氏　名	ナカヤマ ケンジロウ 中山　健次郎		保険医療機関の所在地及び名称電話番号	さいたま市西区島根999与野第一病院048-624-9999
	生年月日	明大昭平令 30年1月12日 男・女		保険医氏名	杉田　香　㊞
	区　分	被保険者	被扶養者	都道府県番号 11 点数表番号 1 医療機関コード 0300011	

交付年月日	令和6年　6月10日	処方箋の使用期間	令和　年　月　日	特に記載のある場合を除き、交付の日を含めて4日以内に保険薬局に提出すること。

変更不可 (医療上必要)	患者希望	個々の処方薬について、医療上の必要性があるため、後発医薬品（ジェネリック医薬品）への変更に差し支えがあると判断した場合には、「変更不可」欄に「✓」又は「×」を記載し、「保険医署名」欄に署名又は記名・押印すること。また、患者の希望を踏まえ、先発医薬品を処方した場合には、「患者希望」欄に「✓」又は「×」を記載すること。

処方

```
Rp. 1）テルミサルタン錠40mg「明治」　1錠
        アムロジピンOD錠2.5mg「明治」　1錠
        セララ錠50mg　1錠
        アスピリン腸溶錠100mg「JG」　1錠
        フェブリク錠10mg　1錠
                              1日1回　朝食後　28日分
     2）ロスバスタチン錠2.5mg「サワイ」　1錠
                              1日1回　夕食後　28日分
                    ―以下余白―
   リフィル可 □　（　　　回）
```

備考	保険医署名 「変更不可」欄に「✓」又は「×」を記載した場合は、署名又は記名・押印すること。

特に安全管理が必要な医薬品（アスピリン腸溶錠）に対し、服薬状況・副作用の有無を確認し、薬歴管理・指導を行う。
投薬量の増加、服薬に不安を抱えている。患者の同意を得て処方医へ服薬情報提供書を作成。

保険薬局が調剤時に残薬を確認した場合の対応（特に指示がある場合は「✓」又は「×」を記載すること。）
□保険医療機関へ疑義照会したうえで調剤　　□保険医療機関へ情報提供

調剤実施回数（調剤回数に応じて、□に「レ」又は「×」を記載するとともに、調剤日及び次回調剤予定日を記載すること。）
□1回目調剤日（　年　月　日）　　□2回目調剤日（　年　月　日）　　□3回目調剤日（　年　月　日）
次回調剤予定日（　年　月　日）　　次回調剤予定日（　年　月　日）

調剤済年月日	令和6年　6月10日	公費負担者番号	
保険薬局の所在地及び名称保険薬剤師氏名	㊞	公費負担医療の受給者番号	

○保険薬局の設定
・開局時間　月曜～金曜　9：00～18：00
　　　　　　土曜　　　　9：00～13：00
　　　　　　日曜・祝日　定休日
・調剤基本料1、後発医薬品調剤体制加算2
・服薬管理指導　実施

○来局状況
・前回来局日：　5月　15日
・お薬手帳持参：　あり
○その他
・過去6月以内に医療情報取得加算を算定済み
・処方内容は前回来局時と同じ

✚ 薬価（後発医薬品、日本薬局方の表記は省略）

	品名	規格・単位	薬価（円）	備考
内用薬	テルミサルタン錠40mg「明治」	40mg 1錠	19.20	血圧降下剤
	アムロジピンOD錠2.5mg「明治」	2.5mg 1錠	10.10	高血圧・狭心症用剤
	セララ錠50mg	50mg 1錠	44.00	血圧降下剤
	アスピリン腸溶錠100mg「JG」	100mg 1錠	5.70	血液凝固阻止剤
	フェブリク錠10mg	10mg 1錠	15.50	痛風・高尿酸血症用剤
	ロスバスタチン錠2.5mg「サワイ」	2.5mg 1錠	10.10	高コレステロール血症用剤

✚ 調剤報酬の計算

（1）調剤基本料の点数は①〔＿＿＿＿＿〕点で、レセプトの略記号は②〔＿＿＿＿＿〕である。

（2）服薬管理指導を実施、3か月以内の来局あり、手帳あり。

　　　よって、服薬管理指導料は、①〔＿＿＿＿＿〕点を算定し、レセプトの略記号は②〔　a. 薬A　　b. 薬B　　c. 薬C　〕となる。

（3）特に安全管理が必要な医薬品に対し、服薬状況・副作用の有無を確認し、薬歴管理指導を行っている。この場合、服薬管理指導料に加えて算定できるものは、〔　a. 特定薬剤管理指導加算1である　　b. 特定薬剤管理指導加算3である　c. ない　〕。

（4）患者の同意を得て処方医へ服薬情報提供書を作成。この場合、①〔＿＿＿＿＿＿＿＿＿＿＿〕を算定することができ、②〔＿＿＿＿＿〕点を算定する。レセプトの略記号は③〔＿＿＿＿＿〕である。

（5）薬剤料、薬剤調製料・調剤管理料および加算について

　　　調剤報酬点数表欄は以下のように整理できる。

Rp.	単位薬剤料	調剤数量	薬剤料	薬剤調製料	調剤管理料	加算
1）						
2）						

（単位：点）

処 方 箋

（この処方せんは、どの保険薬局でも有効です。）

公費負担者番号		保険者番号	0 2 1 3 0 0 2 1
公費負担医療の受給者番号		被保険者証・被保険者手帳の記号・番号	12345 ・ 76890

患者	氏 名	津田 健太 （ツダ ケンタ）	保険医療機関の所在地及び名称電話番号	千葉市美浜区高洲999 千葉美浜病院 043-210-9*99
	生年月日	明大昭平令 42 年 12 月 11 日 男・女	保険医氏名	循環器内科 中山 浩二 ㊞
	区 分	被保険者 被扶養者		

都道府県番号 1 2	点数表番号 1	医療機関コード 2 2 9 9 8 7 7

交付年月日	令和6年 11 月 11 日	処方箋の使用期間	令和 年 月 日	特に記載のある場合を除き、交付の日を含めて4日以内に保険薬局に提出すること。

	変更不可（医療上必要）	患者希望	個々の処方薬について、医療上の必要性があるため、後発医薬品（ジェネリック医薬品）への変更に差し支えがあると判断した場合には、「変更不可」欄に「✓」又は「×」を記載し、「保険医署名」欄に署名又は記名・押印すること。また、患者の希望を踏まえ、先発医薬品を処方した場合には、「患者希望」欄に「✓」又は「×」を記載すること。
処方			Ｒｐ．1）ニフェジピンCR錠40mg「サワイ」 2錠 　　　　　　　　　　　　　　　1日2回　朝夕食後　28日分 　　　　2）フロセミド錠20mg「NP」 2錠 　　　　　　　　　　　　　　　1日2回　朝夕食後　28日分 　　　　3）ワーファリン錠1mg 1.5錠 1日1回 朝食後 28日分 　　　　4）ロスバスタチン錠2.5mg「サワイ」 1錠 　　　　　　　　　　　　　　　1日1回　朝食後　28日分 　　　　　　　　　　　―以下余白― リフィル可 □ （ 　　　回）

備考	保険医署名	「変更不可」欄に「✓」又は「×」を記載した場合は、署名又は記名・押印すること。
	※ワーファリン錠1mg 1.5錠は、1mg 1錠、0.5mg 1錠で調剤。	
	※特に安全管理が必要な医薬品（ワーファリン錠）につき、服薬状況・副作用の有無を確認し、薬歴管理・指導を行う。	
	保険薬局が調剤時に残薬を確認した場合の対応（特に指示がある場合は「✓」又は「×」を記載すること。） 　　　　□保険医療機関へ疑義照会したうえで調剤　　□保険医療機関へ情報提供	

調剤実施回数（調剤回数に応じて、□に「レ」又は「×」を記載するとともに、調剤日及び次回調剤予定日を記載すること。）
□1回目調剤日(年 月 日) □2回目調剤日(年 月 日) □3回目調剤日(年 月 日)
次回調剤予定日(年 月 日) 次回調剤予定日(年 月 日)

調剤済年月日	令和6年 11 月 11 日	公費負担者番号	
保険薬局の所在地及び名称保険薬剤師氏名	㊞	公費負担医療の受給者番号	

処　方　箋

(この処方せんは、どの保険薬局でも有効です。)

公費負担者番号								保 険 者 番 号	0 2 1 3 0 0 2 1
公費負担医療の 受 給 者 番 号								被保険者証・被保険者 手帳の記号・番号	12345　・　76890

患者	氏　名	ツダ　ケンタ 津田　健太		保険医療機関の 所在地及び名称 電話番号	千葉市美浜区高洲999 千葉美浜病院 043-210-9*99
	生年月日	明大昭平令 42 年 12 月 11 日	男・女	保険医氏名	耳鼻咽喉科　杉浦　伸一　印
	区　分	被保険者	被扶養者	都道府県番号 1 2 点数表番号 1 医療機関コード 2 2 9 9 8 7 7	

交付年月日	令和 6 年　11 月　11 日	処方箋の 使用期間	令和　年　月　日	特に記載のある場合を除き、交付の日を含めて4日以内に保険薬局に提出すること。

	変更不可 (医療上必要)	患者希望	個々の処方薬について、医療上の必要性があるため、後発医薬品(ジェネリック医薬品)への変更に差し支えがあると判断した場合には、「変更不可」欄に「✓」又は「×」を記載し、「保険医署名」欄に署名又は記名・押印すること。また、患者の希望を踏まえ、先発医薬品を処方した場合には、「患者希望」欄に「✓」又は「×」を記載すること。

処方

Ｒｐ．1）ロキソプロフェンナトリウム錠60mg「CH」　3錠
　　　　レバミピド錠100mg「サワイ」　3錠
　　　　　　　　　　　　1日3回　毎食前　7日分
　　　2）アズノールうがい液4％10mL　1瓶　　1日数回うがい

　　　　　　　　　　　―以下余白―

リフィル可　□　（　　　回）

備考

保険医署名 「変更不可」欄に「✓」又は「×」を記載した場合は、署名又は記名・押印すること。

保険薬局が調剤時に残薬を確認した場合の対応(特に指示がある場合は「✔」又は「×」を記載すること。)
　□保険医療機関へ疑義照会したうえで調剤　　□保険医療機関へ情報提供

調剤実施回数(調剤回数に応じて、□に「レ」又は「×」を記載するとともに、調剤日及び次回調剤予定日を記載すること。)
　□1回目調剤日(　年　月　日)　　□2回目調剤日(　年　月　日)　　□3回目調剤日(　年　月　日)
　　次回調剤予定日(　年　月　日)　　　次回調剤予定日(　年　月　日)

調剤済年月日	令和 6 年　11 月　11 日	公費負担者番号	
保険薬局の所在地 及 び 名 称 保険薬剤師氏名	印	公費負担医療 の 受 給 者 番 号	

○保険薬局の設定
　・開局時間　月曜～金曜　9：00～18：00
　　　　　　　土曜　　　　9：00～13：00
　　　　　　　日曜・祝日　定休日
　・調剤基本料2、後発医薬品調剤体制加算2
　・服薬管理指導　実施

○来局状況
　・前回来局日：　10 月 15 日
　・お薬手帳持参：　あり
○その他
　・過去6月以内に医療情報取得加算を算定済み
　・循環器内科の処方は前回来局時と同じ。

✚ 薬価 (後発医薬品、日本薬局方の表記は省略)

	品名	規格・単位	薬価(円)	備考
内用薬	ニフェジピン CR 錠 40mg「サワイ」	40mg 1 錠	17.00	血圧降下剤、狭心症用剤
	フロセミド錠 20mg「NP」	20mg 1 錠	6.10	利尿降圧剤
	ワーファリン錠 0.5mg	0.5mg 1 錠	9.80	血液凝固阻止剤
	ワーファリン錠 1 mg	1 mg 1 錠	9.80	血液凝固阻止剤
	ロスバスタチン錠 2.5mg「サワイ」	2.5mg 1 錠	10.10	高コレステロール血症用剤
	ロキソプロフェンナトリウム錠 60mg「CH」	60mg 1 錠	9.80	消炎鎮痛剤
	レバミピド錠 100mg「サワイ」	100mg 1 錠	10.10	消化性潰瘍用剤
外用薬	アズノールうがい液 4 %	4 % 1mL	26.90	口腔用消炎剤

✚ 調剤報酬の計算

（1）同一日に、同一医療機関の歯科以外の医師からの処方箋を 2 枚同時に受け付けた。このときの処方箋の受付回数は〔　a. 1 回　　b. 2 回　〕である。

（2）調剤基本料の点数は①〔＿＿＿＿〕点で、レセプトの略記号は②〔＿＿＿＿〕である。

（3）服薬管理指導を実施、3 か月以内の来局あり、手帳あり。

よって、服薬管理指導料は、①〔＿＿＿＿〕点を算定し、レセプトの略記号は②〔　a. 薬A　　b. 薬B　　c. 薬C　〕となる。

（4）特に安全管理が必要な医薬品に対し、服薬状況・副作用の有無を確認し、薬歴管理・指導を行っている。この場合、服薬管理指導料に加えて算定できるものは、〔　a. 特定薬剤管理指導加算 1 である　　b. 特定薬剤管理指導加算 3 である　　c. ない　〕。

（5）内服薬の剤数は〔＿＿＿＿〕剤である。

（6）薬剤料、薬剤調製料・調剤管理料および加算について

調剤報酬点数表欄は以下のように整理できる。

	Rp.	単位薬剤料	調剤数量	薬剤料	薬剤調製料	調剤管理料	加算
循環器内科							
耳鼻咽喉科							

処　方　箋

（この処方せんは、どの保険薬局でも有効です。）

公費負担者番号		保険者番号	3 1 1 3 0 0 2 4
公費負担医療の受給者番号		被保険者証・被保険者手帳の記号・番号	1001　・　1234

患者	氏　名	サカモト　エリ 坂本　絵梨		保険医療機関の所在地及び名称電話番号	東京都北区王子 9-9-999 王子皮膚科 03-3908-****
	生年月日	明大昭平令 13 年 3 月 17 日	男・女	保険医氏名	山本　理恵　　印
	区　分	被保険者	被扶養者	都道府県番号 13 点数表番号 1 医療機関コード 9 3 1 4 9 3 1	

交付年月日	令和 6 年 11 月 2 日	処方箋の使用期間	令和　年　月　日	特に記載のある場合を除き、交付の日を含めて4日以内に保険薬局に提出すること。

処方	変更不可（医療上必要）	患者希望	個々の処方薬について、医療上の必要性があるため、後発医薬品（ジェネリック医薬品）への変更に差し支えがあると判断した場合には、「変更不可」欄に「✓」又は「×」を記載し、「保険医署名」欄に署名又は記名・押印すること。また、患者の希望を踏まえ、先発医薬品を処方した場合には、「患者希望」欄に「✓」又は「×」を記載すること。

Rp. 1) ハイボン錠20mg　2錠
　　　ピドキサール錠30mg　2錠　1日2回　朝夕食後　14日分
　　2) アレロック OD 錠2.5　2.5mg　2錠
　　　　　　　　　　　　　　1日2回　朝夕食後　　10日分
　　3) ダラシンTゲル1%　10g　塗布　顔面　1日2回
　　4) ディフェリンゲル0.1%　15g
　　　　　　　　　　　塗布　顔面　1日1回　就寝前

―以下余白―

リフィル可 □　（　　　回）

備考	保険医署名	「変更不可」欄に「✓」又は「×」を記載した場合は、署名又は記名・押印すること。

保険薬局が調剤時に残薬を確認した場合の対応（特に指示がある場合は「✓」又は「×」を記載すること。）
　　　　□保険医療機関へ疑義照会したうえで調剤　　　□保険医療機関へ情報提供

調剤実施回数（調剤回数に応じて、□に「レ」又は「×」を記載するとともに、調剤日及び次回調剤予定日を記載すること。）
　□1回目調剤日（　年　月　日）　□2回目調剤日（　年　月　日）　□3回目調剤日（　年　月　日）
　　次回調剤予定日（　年　月　日）　　次回調剤予定日（　年　月　日）

調剤済年月日	令和 6 年 11 月 2 日	公費負担者番号	
保険薬局の所在地及び名称保険薬剤師氏名	印	公費負担医療の受給者番号	

○保険薬局の設定
　・開局時間　月曜～金曜　9：00～18：00
　　　　　　　土曜　　　　9：00～13：00
　　　　　　　日曜・祝日　定休日
　・調剤基本料1、後発医薬品調剤体制加算2
　・服薬管理指導　実施

○来局状況
　・前回来局日：　なし
　・お薬手帳持参：　なし
　・マイナ保険証による情報取得：　なし
○その他

処　方　箋

（この処方せんは、どの保険薬局でも有効です。）

公費負担者番号		保険者番号	3 1 1 3 0 0 2 4
公費負担医療の受給者番号		被保険者証・被保険者手帳の記号・番号	1001 ・ 1234

患者	氏　名	坂本　絵梨 （サカモト　エリ）	保険医療機関の所在地及び名称電話番号	東京都北区王子 9-9-999王子皮膚科 03-3908-****
	生年月日	明大昭平令 13 年 3 月 17 日 男・女	保険医氏名	山本　健三　　印
			都道府県番号 13 点数表番号 1 医療機関コード 9 3 1 4 9 3 1	
	区　分	被保険者　　被扶養者		

交付年月日	令和 6 年 11 月 14 日	処方箋の使用期間	令和　年　月　日	特に記載のある場合を除き、交付の日を含めて4日以内に保険薬局に提出すること。

処方	変更不可（医療上必要）	患者希望	個々の処方薬について、医療上の必要性があるため、後発医薬品（ジェネリック医薬品）への変更に差し支えがあると判断した場合には、「変更不可」欄に「✓」又は「×」を記載し、「保険医署名」欄に署名又は記名・押印すること。また、患者の希望を踏まえ、先発医薬品を処方した場合には、「患者希望」欄に「✓」又は「×」を記載すること。

　　　Ｒｐ．1）ハイボン錠20mg　2錠
　　　　　　　ピドキサール錠30mg　2錠　1日2回　朝夕食後　14日分
　　　　　　2）アレロック OD 錠2.5　2.5mg　2錠
　　　　　　　　　　　　　　　　　　　　1日2回　朝夕食後　　10日分
　　　　　　3）ダラシンＴゲル1%　10g　　塗布　顔面　1日2回
　　　　　　4）ディフェリンゲル0.1%　15g　塗布　顔面　1日1回　就寝前
　　　　　　5）ヘパリン類似物質外用スプレー0.3%「サトウ」　100g
　　　　　　　　　　　　　　塗布　顔面　保湿　1日2回

　　　　　　　　　　　　　　　　　―以下余白―

　　　リフィル可　□　（　　　回）

備考	保険医署名	「変更不可」欄に「✓」又は「×」を記載した場合は、署名又は記名・押印すること。

保険薬局が調剤時に残薬を確認した場合の対応（特に指示がある場合は「✔」又は「×」を記載すること。）
　　□保険医療機関へ疑義照会したうえで調剤　　□保険医療機関へ情報提供

調剤実施回数（調剤回数に応じて、□に「レ」又は「×」を記載するとともに、調剤日及び次回調剤予定日を記載すること。）
　□1回目調剤日（　年　月　日）　□2回目調剤日（　年　月　日）　□3回目調剤日（　年　月　日）
　次回調剤予定日（　年　月　日）　次回調剤予定日（　年　月　日）

調剤済年月日	令和 6 年 11 月 14 日	公費負担者番号	
保険薬局の所在地及び名称保険薬剤師氏名	印	公費負担医療の受給者番号	

○保険薬局の設定
　・開局時間　月曜～金曜　9：00～18：00
　　　　　　　土曜　　　　9：00～13：00
　　　　　　　日曜・祝日　定休日
　・調剤基本料1、後発医薬品調剤体制加算2
　・服薬管理指導　実施

○来局状況
　・前回来局日：　11 月 2 日
　・お薬手帳持参：　あり
　・マイナ保険証による情報取得：　なし
○その他

✤ 薬価 (後発医薬品、日本薬局方の表記は省略)

	品名	規格・単位	薬価(円)	備考
内用薬	ハイボン錠20mg	20mg 1 錠	5.70	ビタミン B_2 誘導体製剤
	ピドキサール錠30mg	30mg 1 錠	5.90	活性型ビタミン B_6 製剤
	アレロック OD 錠2.5	2.5mg 1 錠	19.30	アレルギー用剤
外用薬	ダラシン T ゲル 1 %	1 % 1 g	24.10	外用抗生物質製剤
	ディフェリンゲル0.1%	0.1% 1 g	58.20	尋常性座瘡用剤
	ヘパリン類似物質外用スプレー 0.3%「サトウ」	1 g	8.20	血液凝固阻止・消炎剤

✤ 調剤報酬の計算

(1) 受付 1 回あたりの調剤基本料の点数は①〔＿＿＿〕点で、レセプトの略記号は②〔＿＿＿〕である。

(2) この月の処方箋の受付回数は〔　　　〕回である。

(3) マイナ保険証を利用せずにオンライン資格等確認システムより情報を取得しているので、調剤管理料に①〔＿＿＿〕加算を算定し、その点数は②〔＿＿＿〕点である。また、レセプトの略記号は③〔＿＿＿〕である。なお、今月中にこの加算が算定できるのは④〔＿＿＿〕回である。

(4) 服薬管理指導料は以下のように整理できる。

	来局状況	服薬管理指導料	レセプトの略記号
11/2	3 か月以内の来局歴なし、手帳なし	①〔　　　〕点	②〔　　　　　〕
11/14	3 か月以内の来局歴あり、手帳あり	③〔　　　〕点	④〔　　　　　〕

(5) 薬剤料、薬剤調製料・調剤管理料および加算について

調剤報酬点数表欄は以下のように整理できる。

11/2

Rp.	単位薬剤料	調剤数量	薬剤料	薬剤調製料	調剤管理料	加算
1)						
2)						
3)						
4)						

11/14

Rp.	単位薬剤料	調剤数量	薬剤料	薬剤調製料	調剤管理料	加算
1)						
2)						
3)						
4)						
5)						

処 方 箋

（この処方せんは、どの保険薬局でも有効です。）

公費負担者番号		保険者番号	3 9 1 1 2 1 9 8
公費負担医療の受給者番号		被保険者証・被保険者手帳の記号・番号	25250001

患者	氏 名	シミズ ツギオ 清水 継男	保険医療機関の所在地及び名称 電話番号	上尾市浅間台 9-1-6 松木医院 048-726-****
	生年月日	明大昭平令 17 年 1 月 17 日 男・女	保険医氏名	松木 太 印
	区 分	被保険者　　被扶養者	都道府県番号 1 1 点数表番号 1 医療機関コード 0 0 0 0 0 0 0	

交付年月日	令和6年 6 月 22 日	処方箋の使用期間	令和　年　月　日	特に記載のある場合を除き、交付の日を含めて4日以内に保険薬局に提出すること。

	変更不可 (医療上必要)	患者希望	個々の処方薬について、医療上の必要性があるため、後発医薬品（ジェネリック医薬品）への変更に差し支えがあると判断した場合には、「変更不可」欄に「✓」又は「×」を記載し、「保険医署名」欄に署名又は記名・押印すること。また、患者の希望を踏まえ、先発医薬品を処方した場合には、「患者希望」欄に「✓」又は「×」を記載すること。
処方			Rp. 1）ランソプラゾール OD 錠 15mg「トーワ」　1錠 　　　　　　　　　　　1日1回　朝食後　30日分 　　2）ピタバスタチン Ca・OD 錠 1mg「トーワ」　1錠 　　　　　　　　　　　1日1回　朝食後　30日分 　　3）セルトラリン OD 錠 25mg「トーワ」　1錠 　　　　　　　　　　　1日1回　朝食後　30日分 　　4）クロピドグレル錠 75mg「トーワ」　1錠　粉砕 　　　　　　　　　　　1日1回　朝食後　30日分 　　　　　　　　　　　—以下余白— 　　リフィル可 □ （　　回）

備考	保険医署名 「変更不可」欄に「✓」又は「×」を記載した場合は、署名又は記名・押印すること。	簡易懸濁法について指導願います。 ※6/22（土）11：00 来局、11：30 調剤

高9　所得区分：42区キ
※6/22　11:15処方医に疑義照会。クロピドグレル錠は破壊指示へ変更。すべての処方に対し一包化の指示追加。家族に初めて経鼻経管への簡易懸濁法の実施方法、注意点について指導。（薬剤師●●）
※特に安全管理が必要な医薬品（クロピドグレル錠、セルトラリン OD 錠）につき、服薬状況・副作用の有無を確認、薬歴管理・指導を行う

保険薬局が調剤時に残薬を確認した場合の対応（特に指示がある場合は「✓」又は「×」を記載すること。）
　　□保険医療機関へ疑義照会したうえで調剤　　□保険医療機関へ情報提供

調剤実施回数（調剤回数に応じて、□に「レ」又は「×」を記載するとともに、調剤日及び次回調剤予定日を記載すること。）
　□1回目調剤日（　年　月　日）　　□2回目調剤日（　年　月　日）　　□3回目調剤日（　年　月　日）
　次回調剤予定日（　年　月　日）　　次回調剤予定日（　年　月　日）

調剤済年月日	令和6年 6 月 22 日	公費負担者番号	
保険薬局の所在地及び名称保険薬剤師氏名	印	公費負担医療の受給者番号	

○保険薬局の設定
・開局時間　月曜〜金曜　9：00〜18：00
　　　　　　土曜　　　　9：00〜13：00
　　　　　　日曜・祝日　9：00〜13：00
・調剤基本料2、後発医薬品調剤体制加算1
・服薬管理指導　実施

○来局状況
・前回来局日：　5 月 28 日
・お薬手帳持参：　あり
○その他
・過去6月以内に医療情報取得加算を算定済み
・処方内容は前回来局時と同じ

✚ 薬価 (後発医薬品、日本薬局方の表記は省略)

	品名	規格・単位	薬価(円)	備考
内用薬	ランソプラゾール OD 錠 15mg「トーワ」	15mg 1 錠	12.40	消化性潰瘍用剤
	ピタバスタチン Ca・OD 錠 1 mg「トーワ」	1mg 1 錠	10.10	高コレステロール血症用剤
	セルトラリン OD 錠 25mg「トーワ」	25mg 1 錠	10.30	うつ病用剤
	クロピドグレル錠 75mg「トーワ」	75mg 1 錠	35.50	抗血小板剤

✚ 調剤報酬の計算

（1）調剤基本料の点数は①〔＿＿＿＿＿〕点で、レセプトの略記号は②〔＿＿＿＿〕である。

（2）服薬管理指導を実施、3か月以内の来局あり、手帳あり。

よって、服薬管理指導料は、①〔＿＿＿＿＿〕点を算定し、レセプトの略記号は②〔 a. 薬A b. 薬B c. 薬C 〕となる。

（3）特に安全管理が必要な医薬品に対し、服薬状況・副作用の有無を確認し、薬歴管理・指導を行っている。この場合、服薬管理指導料に加えて算定できるものは、〔 a. 特定薬剤管理指導加算1である b. 特定薬剤管理指導加算3である c. ない 〕。

（4）すべての薬剤に対し、一包化の指示が追加されたため、①〔＿＿＿＿＿＿＿＿〕の算定対象となり、②〔＿＿＿＿＿〕点を算定できる。

また、クロピドグレル錠は破壊指示が出ているため、③〔＿＿＿＿＿＿＿＿〕加算の対象となり、④〔＿＿＿＿＿〕点が算定できる。

ただし、①と③は併せて算定できないため、点数の高いほうを算定する。

（5）簡易懸濁法について指導の指示があった。このとき①〔＿＿＿＿＿＿＿＿〕を算定し、点数は②〔＿＿＿＿＿〕点である。また、レセプトの略記号は③〔＿＿＿＿〕である。

（6）薬剤料、薬剤調製料・調剤管理料および加算について

上記から調剤報酬点数表欄は以下のように整理できる。

Rp.	単位薬剤料	調剤数量	薬剤料	薬剤調製料	調剤管理料	加算

（単位：点）

処　方　箋

(この処方せんは、どの保険薬局でも有効です。)

公費負担者番号	8	8	1	3	2	0	9	7	保険者番号	0	6	1	4	0	9	5	8
公費負担医療の受給者番号	9	9	9	9	9	9	9		被保険者証・被保険者手帳の記号・番号			4070　　・　　2354					

患者	氏　名	イワイ　ヨシコ　岩井　佳子		保険医療機関の所在地及び名称電話番号	東京都品川区北品川 9-9-9 四奈川こどもクリニック 03-6499-999*
	生年月日	明大昭平令 4 年 4 月12日	男・女	保険医氏名	四奈川　蘭　　㊞
	区　分	被保険者	被扶養者	都道府県番号 13 点数表番号 1 医療機関コード 5959881	

交付年月日	令和6年　7月13日	処方箋の使用期間	令和　年　月　日	特に記載のある場合を除き、交付の日を含めて4日以内に保険薬局に提出すること。

変更不可（医療上必要）	患者希望	個々の処方薬について、医療上の必要性があるため、後発医薬品（ジェネリック医薬品）への変更に差し支えがあると判断した場合には、「変更不可」欄に「✓」又は「×」を記載し、「保険医署名」欄に署名又は記名・押印すること。また、患者の希望を踏まえ、先発医薬品を処方した場合には、「患者希望」欄に「✓」又は「×」を記載すること。

<table>
<tr><td rowspan="2">処方</td><td>Ｒｐ．1）ムコダインシロップ5%　6mL
　　　　ザイザルシロップ0.05%　5mL
　　　　　　　　　　　　1日2回　朝・夕食後　7日分

　　　2）キプレス細粒4mg　1包　1日1回　就寝前　7日分

　　　3）ホクナリンテープ0.5mg　7枚　1日1枚　就寝前貼付
　　　　　　　　　―以下余白―</td></tr>
<tr><td>リフィル可　□　（　　　回）</td></tr>
</table>

備考	保険医署名	「変更不可」欄に「✓」又は「×」を記載した場合は、署名又は記名・押印すること。

6歳
Rp. 1) について計量混合を行う。
※母親より、体重、適切な剤形を確認。服用方法、誤飲防止につき服薬指導を行う。内容は手帳に記載済み。（薬剤師　○○）

保険薬局が調剤時に残薬を確認した場合の対応（特に指示がある場合は「✓」又は「×」を記載すること。）
　□保険医療機関へ疑義照会したうえで調剤　　□保険医療機関へ情報提供

調剤実施回数（調剤回数に応じて、□に「レ」又は「×」を記載するとともに、調剤日及び次回調剤予定日を記載すること。）
　□1回目調剤日（　年　月　日）　□2回目調剤日（　年　月　日）　□3回目調剤日（　年　月　日）
　次回調剤予定日（　年　月　日）　次回調剤予定日（　年　月　日）

調剤済年月日	令和6年　7月13日	公費負担者番号	
保険薬局の所在地及び名称保険薬剤師氏名	（省略）　　　㊞	公費負担医療の受給者番号	

○保険薬局の設定
・開局時間　月曜～金曜　9：00～18：00
　　　　　　土曜　　　　9：00～13：00
　　　　　　日曜・祝日　定休日
・調剤基本料1、後発医薬品調剤体制加算1
・服薬管理指導　実施

○来局状況
・前回来局日：　4 月　27 日
・お薬手帳持参：　あり
○その他
・過去6月以内に医療情報取得加算を算定済み

✦ 薬価（後発医薬品、日本薬局方の表記は省略）

	品名	規格・単位	薬価(円)	備考
内用薬	ムコダインシロップ5％	5％1mL	6.10	去痰剤
	ザイザルシロップ0.05％	0.05％1mL	8.80	アレルギー用剤
	キプレス細粒4mg	4mg1包	89.80	アレルギー用剤 （気管支喘息・鼻炎）
外用薬	ホクナリンテープ0.5mg	0.5mg1枚	21.60	気管支拡張剤

✦ 調剤報酬の計算

（1）調剤基本料の点数は①〔＿＿＿＿＿〕点で、レセプトの略記号は②〔＿＿＿＿＿〕である。

（2）服薬管理指導を実施、3か月以内の来局あり、手帳あり。

よって、服薬管理指導料は、①〔＿＿＿＿＿〕点を算定し、レセプトの略記号は②〔 a. 薬A b. 薬B c. 薬C 〕となる。

（3）6歳未満の患者に対して、体重、適切な剤形を確認。服薬指導を行い、その内容を手帳に記載している。このことから、服薬管理指導料に加えて①〔＿＿＿＿＿＿＿＿〕が算定でき、その点数は②〔＿＿＿＿＿〕点である。また、レセプトの略記号は③〔＿＿＿＿＿〕である。

（4）薬剤料、薬剤調製料・調剤管理料および加算について

① Rp. 1）において、シロップを混合するよう指示があった。このとき、薬剤調製料に①〔＿＿＿＿＿＿＿＿＿〕加算を算定し、その点数は②〔＿＿＿＿＿〕点である。また、レセプトの略記号は③〔＿＿＿＿＿〕である。

② 上記より、調剤報酬点数表欄は以下のように整理できる。

Rp.	単位薬剤料	調剤数量	薬剤料	薬剤調製料	調剤管理料	加算
1）						
2）						
3）						

（単位：点）

✦ レセプトの記載

保険種別②の欄は、1 単独 2 2併 3 3併 に○をつける。

処　方　箋

（この処方せんは、どの保険薬局でも有効です。）

公費負担者番号	1 0 1 3 1 5 1 4	保険者番号	3 2 1 3 0 2 1 3
公費負担医療の受給者番号	1 0 0 0 5 4 6	被保険者証・被保険者手帳の記号・番号	都・387-72189

患者	氏　名	コウヤマ 向山　ますみ		保険医療機関の所在地及び名称 電話番号	新宿区西新宿 2-8-1 西新宿病院 03-3213-4587
	生年月日	明 大 昭 平 令 37 年 3 月 8 日	男・女	保険医氏名　呼吸器科　磯部　康則　印	
	区　分	被保険者	被扶養者	都道府県番号 1 3　点数表番号 1　医療機関コード 2 2 2 9 9 9 9	

交付年月日	令和6年　6月7日	処方箋の使用期間	令和　年　月　日	特に記載のある場合を除き、交付の日を含めて4日以内に保険薬局に提出すること。

処方	変更不可 (医療上必要)	患者希望	個々の処方薬について、医療上の必要性があるため、後発医薬品（ジェネリック医薬品）への変更に差し支えがあると判断した場合には、「変更不可」欄に「✓」又は「×」を記載し、「保険医署名」欄に署名又は記名・押印すること。また、患者の希望を踏まえ、先発医薬品を処方した場合には、「患者希望」欄に「✓」又は「×」を記載すること。
			Rp.　1）セファレキシン錠250「日医工」　250mg 3錠 　　　　　　　　　　　　1日3回　毎食後　3日分 　　　2）イスコチン原末　0.3g 　　　　　　　　　　　　1日1回　朝食後　14日分 　　　3）リファンピシンカプセル150mg「サンド」　3カプセル 　　　　　　　　　　　　1日1回　朝食後　14日分 　　　　　　　　　　　─以下余白─ リフィル可 □　（　　　回）

備考	保険医署名	「変更不可」欄に「✓」又は「×」を記載した場合は、署名又は記名・押印すること。
	社保家族（併用）5％	
	保険薬局が調剤時に残薬を確認した場合の対応（特に指示がある場合は「✓」又は「×」を記載すること。） 　　□保険医療機関へ疑義照会したうえで調剤　　□保険医療機関へ情報提供	

調剤実施回数（調剤回数に応じて、□に「レ」又は「×」を記載するとともに、調剤日及び次回調剤予定日を記載すること。）	
□1回目調剤日（　年　月　日）　□2回目調剤日（　年　月　日）　□3回目調剤日（　年　月　日） 　次回調剤予定日（　年　月　日）　　次回調剤予定日（　年　月　日）	

調剤済年月日	令和6年　6月7日	公費負担者番号	
保険薬局の所在地及び名称保険薬剤師氏名	（省略）　　　印	公費負担医療の受給者番号	

○保険薬局の設定
・開局時間　月曜〜金曜　9：00〜18：00
　　　　　　土曜　　　　9：00〜13：00
　　　　　　日曜・祝日　定休日
・調剤基本料1、後発医薬品調剤体制加算2
・服薬管理指導　実施

○来局状況
・前回来局日：　3月28日
・お薬手帳持参：　あり
○その他
・下線部は公費対象薬剤である。
・過去6月以内に医療情報取得加算を算定済み

✤ 薬価（後発医薬品、日本薬局方の表記は省略）

	品名	規格・単位	薬価（円）	備考
内用薬	セファレキシン錠250「日医工」	250mg 1錠	31.50	セファロスポリン系抗生物質製剤
	イスコチン原末	1g	12.50	抗結核剤
	リファンピシンカプセル150mg「サンド」	150mg 1カプセル	16.90	抗結核剤・抗らい菌剤

✤ 調剤報酬の計算

（1）公費負担者番号（8桁）の最初の2桁が「10」から始まっているので、
〔　a.　適正医療（結核患者）　　　b.　医療扶助　〕の患者である。

（2）調剤基本料の点数は①〔＿＿＿＿〕点で、レセプトの略記号は②〔＿＿＿＿〕である。
また、調剤基本料は公費負担の対象と③〔　a.　なる　　b.　ならない　〕。

（3）服薬管理指導を実施、3か月以内の来局あり、手帳あり。
よって、服薬管理指導料は、①〔＿＿＿＿〕点を算定し、レセプトの略記号は
②〔　a.　薬A　　b.　薬B　　c.　薬C　〕となる。また、服薬管理指導料は公費負担の対象と③〔　a.　なる　　b.　ならない　〕。

（4）薬剤料、薬剤調製料・調剤管理料および加算について

1 調剤報酬点数表欄は以下のように整理できる。

Rp.	単位薬剤料	調剤数量	薬剤料	薬剤調製料	調剤管理料	加算

（単位：点）

2 Rp. 2）および3）は公費対象の薬剤である。この場合、公費負担の対象となるのは、〔　a.　薬剤料のみ　　b.　薬剤調製料および調剤管理料（加算含む）のみ　　c.　薬剤料、薬剤調製料および調剤管理料（加算含む）　〕である。

✤ レセプトの記載

保険種別②の欄は、

1 単独
2 2 併
3 3 併

に○をつける。

処　方　箋

（この処方せんは、どの保険薬局でも有効です。）

公費負担者番号		保険者番号	3 9 1 1 1 0 0 0
公費負担医療の受給者番号		被保険者証・被保険者手帳の記号・番号	12345678

患者	氏　名	ヤマダ ケンザブロウ 山田　兼三郎		保険医療機関の所在地及び名称電話番号	さいたま市大宮区上小町9 かみこ医院 048-642-9999
	生年月日	明大昭平令　9 年 11 月 13 日　男・女		保険医氏名	上子　譲治　印
	区　分	被保険者　　被扶養者		都道府県番号 11 点数表番号 1 医療機関コード 7 7 7 9 9 9	

交付年月日	令和6年　10 月 11 日	処方箋の使用期間	令和　年　月　日	特に記載のある場合を除き、交付の日を含めて4日以内に保険薬局に提出すること。

	変更不可 （医療上必要）	患者希望	個々の処方薬について、医療上の必要性があるため、後発医薬品（ジェネリック医薬品）への変更に差し支えがあると判断した場合には、「変更不可」欄に「✓」又は「×」を記載し、「保険医署名」欄に署名又は記名・押印すること。また、患者の希望を踏まえ、先発医薬品を処方した場合には、「患者希望」欄に「✓」又は「×」を記載すること。
処方			Ｒｐ．1）ジゴキシン錠0.125mg「AFP」　1錠 　　　　アムロジピン錠5mg「あすか」　1錠 　　　　トリクロルメチアジド錠1mg「トーワ」　1錠 　　　　ドネペジル塩酸塩錠3mg「トーワ」　1錠 　　　　　　　　　　1日1回　朝食後　14日分 　　　2）カルベジロール錠2.5mg「トーワ」　2錠 　　　　酸化マグネシウム錠250mg「ヨシダ」　2錠 　　　　　　　　　　1日2回　朝夕食後　14日分 　　　3）カプトプリル錠12.5mg「JG」　3錠 　　　　　　　　　　1日3回　毎食後　14日分 リフィル可 □　（　　　回）

備考	保険医署名 「変更不可」欄に「✓」又は「×」を記載した場合は、署名又は記名・押印すること。	上記一包化のこと 訪問指導願います。

高9　※所得区分：42区キ
特に安全管理が必要な医薬品（ジゴキシン錠、カルベジロール錠）に対し、服薬状況・副作用の有無を確認し、薬歴管理・指導を行う。

保険薬局が調剤時に残薬を確認した場合の対応(特に指示がある場合は「✔」又は「×」を記載すること。)
　　□保険医療機関へ疑義照会したうえで調剤　　　□保険医療機関へ情報提供

調剤実施回数(調剤回数に応じて、□に「レ」又は「×」を記載するとともに、調剤日及び次回調剤予定日を記載すること。)
　□1回目調剤日(　年　月　日)　　□2回目調剤日(　年　月　日)　　□3回目調剤日(　年　月　日)
　　次回調剤予定日(　年　月　日)　　次回調剤予定日(　年　月　日)

調剤済年月日	令和6年　10 月 12 日	公費負担者番号	
保険薬局の所在地及び名称保険薬剤師氏名	印	公費負担医療の受給者番号	

○保険薬局の設定
・開局時間　月曜～金曜　9：00～18：00
　　　　　　土曜　　　　9：00～13：00
　　　　　　日曜・祝日　定休日
・調剤基本料1、後発医薬品調剤体制加算2
・在宅薬学総合体制加算1
・服薬管理指導　実施

○来局状況
・前回来局日：　9月27日
・お薬手帳提示：　あり
○その他
・介護保険適用（要介護1）
・居宅療養管理指導費算定
・処方は指導計画の疾病に基づく（前回と同じ）
・過去6月以内に医療情報取得加算を算定済み

処　方　箋

（この処方せんは、どの保険薬局でも有効です。）

公費負担者番号		保険者番号	3 9 1 1 1 0 0 0
公費負担医療の受給者番号		被保険者証・被保険者手帳の記号・番号	12345678

患者	氏　名	ヤマダ　ケンザブロウ 山田　兼三郎		保険医療機関の所在地及び名称 電話番号	さいたま市大宮区上小町9 かみこ医院 048-642-9999
	生年月日	明大昭平令　9 年 11 月 13 日　男・女		保険医氏名	上子　譲治　㊞
	区　分	被保険者　　　被扶養者			都道府県番号 1 1　点数表番号 1　医療機関コード 7 7 7 9 9 9

交付年月日	令和 6 年　10 月　24 日	処方箋の使用期間	令和　年　月　日	特に記載のある場合を除き、交付の日を含めて4日以内に保険薬局に提出すること。

処方	変更不可（医療上必要）	患者希望	個々の処方薬について、医療上の必要性があるため、後発医薬品（ジェネリック医薬品）への変更に差し支えがあると判断した場合には、「変更不可」欄に「✓」又は「×」を記載し、「保険医署名」欄に署名又は記名・押印すること。また、患者の希望を踏まえ、先発医薬品を処方した場合には、「患者希望」欄に「✓」又は「×」を記載すること。
			Rp. 1）ジゴキシン錠 0.125mg「AFP」　1錠 　　　アムロジピン錠5mg「あすか」　1錠 　　　トリクロルメチアジド錠1mg「トーワ」　1錠 　　　ドネペジル塩酸塩錠3mg「トーワ」　1錠 　　　　　　　1日1回　朝食後　14日分 　　2）カルベジロール錠2.5mg「トーワ」　2錠 　　　酸化マグネシウム錠250mg「ヨシダ」　2錠 　　　　　　　1日2回　朝夕食後　14日分 　　3）カプトプリル錠12.5mg「JG」　3錠 　　　　　　　1日3回　毎食後　14日分 リフィル可 □　（　　　回）

備考	保険医署名 「変更不可」欄に「✓」又は「×」を記載した場合は、署名又は記名・押印すること。	上記一包化のこと 訪問指導願います。

高9　※所得区分：42 区キ
特に安全管理が必要な医薬品（ジゴキシン錠、カルベジロール錠）に対し、服薬状況・副作用の有無を確認し、薬歴管理・指導を行う。

保険薬局が調剤時に残薬を確認した場合の対応（特に指示がある場合は「✔」又は「×」を記載すること。）
　　□保険医療機関へ疑義照会したうえで調剤　　□保険医療機関へ情報提供

調剤実施回数（調剤回数に応じて、□に「レ」又は「×」を記載するとともに、調剤日及び次回調剤予定日を記載すること。）
□1回目調剤日（　年　月　日）　□2回目調剤日（　年　月　日）　□3回目調剤日（　年　月　日）
次回調剤予定日（　年　月　日）　　次回調剤予定日（　年　月　日）

調剤済年月日	令和 6 年　10 月　25 日	公費負担者番号	
保険薬局の所在地及び名称 保険薬剤師氏名	㊞	公費負担医療の受給者番号	

○保険薬局の設定
　・開局時間　月曜～金曜　9：00～18：00
　　　　　　　土曜　　　　9：00～13：00
　　　　　　　日曜・祝日　定休日
　・調剤基本料1、後発医薬品調剤体制加算2
　・在宅薬学総合体制加算1
　・服薬管理指導　実施

○来局状況
　・前回来局日：　10月11日
　・お薬手帳提示：　あり
○その他
　・介護保険適用（要介護1）
　・居宅療養管理指導費算定
　・処方は指導計画の疾病に基づく
　・過去6月以内に医療情報取得加算を算定済み

✤ 薬価（後発医薬品、日本薬局方の表記は省略）

	品名	規格・単位	薬価(円)	備考
内用薬	ジゴキシン錠 0.125mg「AFP」	0.125mg 1 錠	9.80	強心剤
	アムロジピン錠 5mg「あすか」	5mg 1 錠	10.10	高血圧・狭心症用剤
	トリクロルメチアジド錠 1mg「トーワ」	1mg 1 錠	6.20	利尿降圧剤
	ドネペジル塩酸塩錠 3mg「トーワ」	3mg 1 錠	32.30	アルツハイマー型認知症用剤（進行抑制）
	カルベジロール錠 2.5mg「トーワ」	2.5mg 1 錠	10.10	強心剤
	酸化マグネシウム錠 250mg「ヨシダ」	250mg 1 錠	5.70	制酸剤
	カプトプリル錠 12.5mg「JG」	12.5mg 1 錠	5.70	血圧降下剤

✤ 調剤報酬の計算

（1）10/11 と 10/24 に、同一医療機関の医師からの処方箋をそれぞれ受け付けた。この月の処方箋の受付回数は〔　a. 1 回　　b. 2 回　〕である。

（2）この患者は、介護保険の要介護者であり、居宅療養管理指導費を算定している。この場合に調剤報酬として算定できるものは、以下の項目のうち〔　　　　　〕である。

a. 薬剤料　　　　　　b. 薬剤調製料　　　　　c. 調剤管理料
d. 調剤基本料　　　　e. 服薬管理指導料　　　f. 在宅患者訪問薬剤管理指導料
g. 外来服薬支援料 2　h. 服薬情報提供料

（3）調剤基本料の点数は①〔　　　　　〕点で、レセプトの略記号は②〔　　　　　〕である。

（4）薬剤料、薬剤調製料・調剤管理料および加算について

10/11、10/24 は内容が同じである。調剤報酬点数表欄は以下のように整理できる。

Rp.	単位薬剤料	調剤数量	薬剤料	薬剤調製料	調剤管理料	加算
1）						
2）						
3）						

（単位：点）

✚ 参考：患者の介護レセプト

様式第二（附則第二条関係）

居宅サービス・地域密着型サービス介護給付費明細書

（訪問介護・訪問入浴介護・訪問看護・訪問リハ・居宅療養管理指導・通所介護・通所リハ・福祉用具貸与・定期巡回・随時対応型訪問介護看護・
夜間対応型訪問介護・地域密着型通所介護・認知症対応型通所介護・小規模多機能型居宅介護（短期利用以外）・小規模多機能型居宅介護（短期利用）・
複合型サービス（看護小規模多機能型居宅介護・短期利用以外）・複合型サービス（看護小規模多機能型居宅介護・短期利用）））

公費負担者番号					令和	6 年	10 月分
公費受給者番号					保険者番号	1 1 9 9 9 0	

被保険者	被保険者番号	1 2 3 4 5 6 7 8		請求事業者	事業所番号	
	(フリガナ) やまだ　けんざぶろう				事業所名称	
	氏名	山田　兼三郎			所在地	〒
	生年月日	1.明治　2.大正　③.昭和 9年 11月 13日	性別 ①.男　2.女			
	要介護状態区分	要介護①・2・3・4・5			連絡先	
	認定有効期間	1.平成　年　月　日 から 2.令和 令和　年　月　日 まで				

居宅サービス計画	1．居宅介護支援事業者作成　　　2．被保険者自己作成			
	事業所番号		事業所名称	

開始年月日	1．平成　年　月　日 2．令和	中止年月日 令和　年　月　日	
中止理由	1．非該当　3．医療機関入院　4．死亡　5．その他　6．介護老人福祉施設入所　7．介護老人保健施設入所　8．介護療養型医療施設入所 9．介護医療院入所		

	サービス内容	サービスコード	単位数	回数	サービス単位数	公費分回数	公費対象単位数	摘要
給付費明細欄	薬剤師居宅療養Ⅱ1	3 1 1 2 2 3	5 1 8	2	1 0 3 6			12日 25日

給付費明細欄（住所地特例対象者）	サービス内容	サービスコード	単位数	回数	サービス単位数	公費分回数	公費対象単位数	施設所在保険者番号	摘要

請求額集計欄	①サービス種類コード ②名称	3 1 居宅療養管理指導				
	③サービス実日数	2 日	日	日	日	
	④計画単位数					
	⑤限度額管理対象単位数					
	⑥限度額管理対象外単位数	1 0 3 6				給付率 (/100)
	⑦給付単位数（④⑤のうち少ない数）＋⑥	1 0 3 6				保険 9 0
	⑧公費分単位数					公費
	⑨単位数単価	1 0．0 0 円/単位	円/単位	円/単位	円/単位	合計
	⑩保険請求額	9 3 2 4	▲	▲	▲	9 3 2 4
	⑪利用者負担額	1 0 3 6				1 0 3 6
	⑫公費請求額					
	⑬公費分本人負担					

社会福祉法人等による軽減欄	軽減率 ▲ ％	受領すべき利用者負担の総額（円）	軽減額（円）	軽減後利用者負担額（円）	備考

1 枚中	1 枚目

163

以下の処方箋をもとに作成されたレセプトのA～Iの各項目について、次の問いに答えなさい。

処　方　箋

（この処方せんは、どの保険薬局でも有効です。）

| 公費負担者番号 | | | | | | | 保険者番号 | 3 | 4 | 1 | 3 | 0 | 0 | 2 | 1 |
| 公費負担医療の受給者番号 | | | | | | | 被保険者証・被保険者手帳の記号・番号 | 公立千　・　797461 | | | | | | | |

患者	氏　名	ナンバラ　シゲル 南原　茂	保険医療機関の所在地及び名称電話番号	板橋区成増 2-8-9 田中記念病院 03-1234-5678
	生年月日	明大昭平令 50 年 3 月 8 日　男・女	保険医氏名	田中　耕太郎　　印
	区　分	被保険者　　　被扶養者	都道府県番号 13 点数表番号 1 医療機関コード 1300006	

| 交付年月日 | 令和6年　6月　1日 | 処方箋の使用期間 | 令和　年　月　日 | 特に記載のある場合を除き、交付の日を含めて4日以内に保険薬局に提出すること。 |

| 処方 | 変更不可
（医療上必要） | 患者希望 | 個々の処方薬について、医療上の必要性があるため、後発医薬品（ジェネリック医薬品）への変更に差し支えがあると判断した場合には、「変更不可」欄に「✓」又は「×」を記載し、「保険医署名」欄に署名又は記名・押印すること。また、患者の希望を踏まえ、先発医薬品を処方した場合には、「患者希望」欄に「✓」又は「×」を記載すること。 |
| | | | Rp．1）セファクロルカプセル 250mg「トーワ」　3カプセル
　　　　イブプロフェン錠 100mg「TCK」　3錠
　　　　フスタゾール糖衣錠 10mg　3錠
　　　　　　　　　　　　　　1日3回　毎食後　7日分
　　　2）コデインリン酸塩散 10%　0.2 g
　　　　　　　　　　　咳が止まらないとき　5回分
　　　3）ベタメタゾン吉草酸エステル軟膏 0.12%「イワキ」　5 g
　　　　アズノール軟膏 0.033%　20 g
　　　　　　　　　　　　1日2～3回　湿疹部に塗布
　　　　　　　　―以下余白―

リフィル可　□　（　　　回）|

備考	保険医署名	「変更不可」欄に「✓」又は「×」を記載した場合は、署名又は記名・押印すること。	麻薬施用者免許番号：第 12345 号 患者住所：板橋区成増 9-10-90
	Rp. 3）軟膏は計量混合調剤のこと 6/1（土）14：00　緊急受付　　　麻薬の服薬と管理について必要な指導を実施 　　　　　　　　　　　　　　　　　　　　　　　　　　　　　　（薬剤師○○）		
	保険薬局が調剤時に残薬を確認した場合の対応（特に指示がある場合は「✓」又は「×」を記載すること。） □保険医療機関へ疑義照会したうえで調剤　　　□保険医療機関へ情報提供		

調剤実施回数（調剤回数に応じて、□に「レ」又は「×」を記載するとともに、調剤日及び次回調剤予定日を記載すること。）
□1回目調剤日（　年　月　日）　□2回目調剤日（　年　月　日）　□3回目調剤日（　年　月　日）
次回調剤予定日（　年　月　日）　次回調剤予定日（　年　月　日）

| 調剤済年月日 | 令和6年　6月　1日 | 公費負担者番号 | | | | | | | |
| 保険薬局の所在地及び名称保険薬剤師氏名 | 印 | 公費負担医療の受給者番号 | | | | | | | |

○保険薬局の設定
・開局時間　月曜～金曜　　9：00～18：00
　　　　　　土曜　　　　　9：00～13：00
　　　　　　日曜・祝日　　定休日
・麻薬小売業者免許番号：12345 号
・調剤基本料1、後発医薬品調剤体制加算2
・服薬管理指導　実施

○来局状況
・前回来局日：　なし
・お薬手帳持参：　なし
○その他

✚ 薬価 (後発医薬品、日本薬局方の表記は省略)

	品名	規格・単位	薬価(円)	備考
内用薬	セファクロルカプセル 250mg「トーワ」	250mg 1カプセル	54.70	経口用セフェム系抗生物質製剤
	イブプロフェン錠100mg「TCK」	100mg 1錠	6.10	消炎鎮痛剤
	フスタゾール糖衣錠10mg	10mg 1錠	5.90	鎮咳剤
	コデインリン酸塩散10%	10% 1g	麻149.80	鎮咳剤
外用薬	ベタメタゾン吉草酸エステル軟膏0.12%「イワキ」	0.12% 1g	8.50	外用副腎皮質ホルモン剤
	アズノール軟膏0.033%	0.033% 10g	53.00	外用消炎剤

調剤報酬明細書　令和 6 年 6 月分

都道府県番号 薬局番号			

−					−	
公費負担者番号①				公費負担医療の受給者番号①		
公費負担者番号②				公費負担医療の受給者番号②		

氏名	南原　茂	特記事項	保険薬局の所在地及び名称
	①男　2女　1明 2大 ③昭 4平 5令　50・3・8 生		
職務上の事由	1 職務上　2 下船後3月以内　3 通勤災害		麻：12345号

A

保険 受付回数 公費① 公費②	1 回
	回
	回

B

医師番号	処方月日	調剤月日	処　　方		調剤数量	調剤報酬点数				公費分点数
			医薬品名・規格・用量・剤形・用法	単位薬剤料		薬剤調製料 調剤管理料	薬剤料	加算料		
1	4・1	4・1	「内服」 セファクロルカプセル 250mg「トーワ」 3カプセル イブプロフェン錠 100mg「TCK」　3錠 フスタゾール糖衣錠 10mg　3錠 　　　　　　1日3回　毎食後	20 点	7	点 **C**	点	点		点
	・	・								
	・	・								
	・	・								
	・	・								
	・	・								
	・	・	**D**			**E**				
1	4・1	4・1	「外用」 ベタメタゾン吉草酸エステル軟膏 0.12%「イワキ」　5g アズノール軟膏 0.033%　20g 　　　　　1日2～3回　湿疹部に塗布	15 点	1	**F**				
	・	・								
	・	・								
	・	・								
	・	・								
	・	・								

摘要	**G**		⊕高額療養費	円
			※公費負担点数	点
			※公費負担点数	点

保険	請　求 点 ※ 決　定 点	一部負担金額 円	調剤基本料 点	時間外等加算 点	薬　学　管　理　料 点
	（省略）	減額　割円免除・支払猶予	基A 後B 73	**H**	**I**
公費①	点 ※ 点	円	点	点	点
公費②	点 ※ 点	円	点	点	点

✚ 問題

第1問 レセプトの **A** の部分の記載について正しいものを選びなさい。

①

②

③

第2問 レセプトの **B** の部分の記載について正しいものを選びなさい。

①
保険医療機関の所在地及び名称	板橋区成増 2-8-9　田中記念病院			保険医氏名	1. 田中　耕太郎	6.
					2.	7.
					3.	8.
都道府県番号 1 3	点数表番号 1	医療機関コード	1 3 0 0 0 0 6		4.	9.
					5.	10.

②
保険医療機関の所在地及び名称	板橋区成増 2-8-9　田中記念病院			保険医氏名	1. 田中　耕太郎	6.
					2.	7.
					3.	8.
都道府県番号 1 3	点数表番号 1	医療機関コード	1 3 0 0 0 0 9		4.	9.
					5.	10.

③
保険医療機関の所在地及び名称	板橋区成増 2-8-9　田中記念病院			保険医氏名	1. 田中　耕太	6.
					2.	7.
					3.	8.
都道府県番号 1 3	点数表番号 1	医療機関コード	1 3 0 0 0 0 6		4.	9.
					5.	10.

第3問 レセプトの **C** の部分の記載について正しいものを選びなさい。

①
24 4	140	

②
24 4	140	薬時 調時 28

③
24 4	140	薬休 調休 39

第4問 レセプトの D の部分の記載について正しいものを選びなさい。

①

1	4・1	4・1	「内服」 コデインリン酸塩散 10%　0.2 g 　　　　　　1日1回　咳が止まらないとき	3	5
	・	・			
	・	・			
	・	・			

②

1	4・1	4・1	「内服」 コデインリン酸塩散 10%　1.0 g 　　　　　　1日1回　咳が止まらないとき	15	1
	・	・			
	・	・			
	・	・			

③

1	4・1	4・1	「屯服」 コデインリン酸塩散 10%　1.0 g 　　　　1回 0.2 g　咳が止まらないとき	15	1
	・	・			
	・	・			
	・	・			

第5問 レセプトの E の部分の記載について正しいものを選びなさい。

①

21 0	15	麻 70

②

21 0	15	麻 薬時 調時 91

③

24 4	15	麻 薬時 調時 98

第6問 レセプトの F の部分の記載について正しいものを選びなさい。

①

10 0	15	

②

10 0	15	計 80

③

10 0	15	計 薬時 調時 90

第7問 レセプトの G の部分の記載について正しいものを選びなさい。

①

（記載なし）

②

4月1日（土）4時　緊急受付

③

4月1日（土）14時　緊急受付

第8問 レセプトの H の部分の記載について正しいものを選びなさい。

①

（記載なし）

②

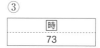

夜
40

③

時
73

第9問 レセプトの I の部分の記載について正しいものを選びなさい。

①

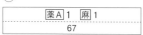

薬A 1　麻 1
67

②

薬C 1
59

③

薬C 1　麻 1
81

MEMO

Chapter 7　内服薬の記載の在り方について

　内服薬の処方箋には医薬品名と1日分の投与量、服用回数、服薬時点が一般的に記載されています。ただ、この記載方法は慣用的なものであり、記載ミスや情報伝達エラーが起こりやすいことから、処方箋の記載方法の在り方について検討がされました。その成果として、2010年1月に「内服薬処方せんの記載方法の在り方に関する検討会報告書」が厚生労働省より公表されました。

　この報告書では、「薬名」については、販売名または一般名（原薬名）を記載し、「分量」については1回内服量、用法・用量として1日服用回数、服薬時期および服用日数を記載する、と示しました。

　しかし、この報告書には法的拘束力はなく、2017年に公表された「内服薬処方せんの記載方法標準化の普及状況に関する研究」によれば、1回量のみの表記にしている医療機関はほとんどなく、従来通り1日分の投与量のみの記載が大半を占めているのが現状です。

　本書の処方箋における内服薬の記述は、従来通りの、1日分の投与量を記載することにします（多くの検定試験でもこの表記が用いられています）。

（1日量表記の例）

フロモックス（100）　　3錠
メジコン（15）　　　　3錠
ムコソルバン（15）　　3錠　　分3　毎食後　7日分

（1回量と1日量の併記の例）

フロモックス錠100mg　　1回1錠（1日3錠）
メジコン錠15mg　　　　　1回1錠（1日3錠）
ムコソルバン錠15mg　　　1回1錠（1日3錠）　1日3回　朝昼夕食後　7日分

（1回量表記の例）

フロモックス錠100mg　　1回1錠
メジコン錠15mg　　　　　1回1錠
ムコソルバン錠15mg　　　1回1錠　1日3回　朝昼夕食後　7日分

✤ 算定の基本

調剤技術料（調剤基本料、薬剤調製料、加算）

$+$ 薬学管理料 $+$ 薬剤料 $+$ 特定保険医療材料料

✤ 調剤基本料

名称	点数	略記号
調剤基本料1	45点	基A
調剤基本料2	29点	基B
調剤基本料3イ）	24点	基C
調剤基本料3ロ）	19点	基D
調剤基本料3ハ）	35点	基E
特別調剤基本料A	5点	特基A
特別調剤基本料B	3点	特基B
分割調剤（長期投薬）（2回目以降の分割調剤）	5点	分
分割調剤（後発医薬品）（2回目の分割調剤）	5点	試
地域支援体制加算1	32点	地支A
地域支援体制加算2	40点	地支B
地域支援体制加算3	10点	地支C
地域支援体制加算4	32点	地支D
連携強化加算	5点	連強
後発医薬品調剤体制加算1	21点	後A
後発医薬品調剤体制加算2	28点	後B
後発医薬品調剤体制加算3	30点	後C
時間外加算（調剤基本料）	100％加算	時
休日加算（調剤基本料）	140％加算	休
深夜加算（調剤基本料）	200％加算	深

✚ 薬剤調製料・調剤管理料

薬剤調製料				調剤管理料
内服薬 （1剤につき算定、3剤 まで）	7日分以下の場合		24点	4点
	8日以上14日分以下			28点
	15日以上28日分以下			50点
	29日分以上			60点
内服用滴剤	1調剤につき		10点	4点
屯服薬	1回の処方箋受付につき剤数にかかわらず		21点	
湯薬 （1調剤につき算定、 3調剤まで）	7日分以下の部分		190点	
	8日分以上28日分以下の部分（1日分につき）		10点	
	29日分以上		400点	
浸煎薬	1調剤につき算定、3調剤まで		190点	
注射薬	1回の処方箋受付につき調剤数にかかわらず		26点	
外用薬	1調剤につき算定、3調剤まで		10点	

■ 薬剤調製料の加算

名称	点数				略記号
			6歳未満	6歳以上	
無菌製剤処理加算	1日 ごと	中心静脈栄養 法用輸液	137点	69点	菌
		抗悪性腫瘍剤	147点	79点	
		麻薬	137点	69点	
麻薬加算	1調剤につき			70点	麻
向精神薬・覚醒剤原料・ 毒薬加算	1調剤につき			8点	向、覚原、毒
夜間・休日等加算	1調剤につき			40点	夜
自家製剤加算 ※（　）内の点数は錠剤 分割時および予製剤使用 時の点数	1調剤につき	内用薬	内服薬：錠剤、丸剤、カプ セル剤、散剤、顆粒剤、エ キス剤（1週間につき）	20（4）点	自 錠剤分割時は 分自 予製剤使用の時は 予
			屯服薬：錠剤、丸剤、カプ セル剤、散剤、顆粒剤、エ キス剤	90（18）点	
			液剤	45（9）点	

自家製剤加算 ※（　）内の点数は錠剤分割時および予製剤使用時の点数	1調剤につき	外用薬	錠剤、トローチ剤、軟・硬膏剤、パップ剤、リニメント剤、坐剤	90（18）点	自 錠剤分割時は 分自 予製剤使用の時は 予
			点眼剤、点鼻・点耳剤、浣腸剤	75（15）点	
			液剤	45（9）点	
計量混合調剤加算	液剤			35（7）点	計 予製剤使用の時は 予
	散剤、顆粒剤			45（9）点	
	軟・硬膏剤			80（16）点	
在宅患者調剤加算	1回につき			15点	在

■ 調剤管理料の加算

名称	点数			略記号
重複投薬・相互作用等防止加算	処方箋受付1回につき	残薬調整以外の場合	40点	防A
		残薬調整の場合	20点	防B
調剤管理加算	処方箋受付1回につき	初回	3点	調管A
		2回目以降	3点	調管B
医療情報取得加算1※	6月に1回に限り		3点	医情A
医療情報取得加算2※	6月に1回に限り		1点	医情B

※ 2024年12月1日より「医療情報取得加算」（12月に1回）1点に統合される。

■ 時間帯の加算

名称	点数		略記号
時間外加算	1調剤につき	100％加算	薬剤調製料 薬時 調剤管理料 調時
休日加算	1調剤につき	140％加算	薬剤調製料 薬休 調剤管理料 調休
深夜加算	1調剤につき	200％加算	薬剤調製料 薬深 調剤管理料 調深

✦ 薬学管理料

■ 服薬管理指導料

	過去3月以内 来局歴なし	過去3月以内来局 ＋手帳あり	過去3月以内来局 ＋手帳なし
通院・在宅患者	薬C（59点）	薬A（45点）	薬B（59点）
特養入所者	薬3C（45点）	薬3A（45点）	薬3B（45点）
オンライン服薬指導	薬オC（59点）	薬オA（45点）	薬オB（59点）
服薬管理指導料の特 例（P.81 参照）	特2C（59点）	特2A（59点）	特2B（59点）

	名称		点数	略記号
加算項目	麻薬管理指導加算		22点	麻
	特定薬剤管理 指導加算1	初回	10点	特管Aイ
		2回目以降	5点	特管Aロ
	特定薬剤管理指導加算2		100点	特管B
	特定薬剤管理指導加算3		5点	特管Cイ
				特管Cロ
	乳幼児服薬指導加算		12点	乳
	小児特定加算		350点	小特
	吸入薬指導加算		30点	吸
	調剤後薬剤管理指導加算		60点	調後

■ その他の薬学管理料

	名称		点数		略記号
調剤後薬剤管理 指導加算	1．糖尿病患者	月1回		60点	調後A
	2．慢性心不全患者			60点	調後B
かかりつけ薬剤師指導料		処方箋受付1回につき		76点	薬指 オンライン 薬指オ
加算項目	麻薬管理指導加算		処方箋受付1回につき	22点	麻
	特定薬剤管理 指導加算1	初回		10点	特管Aイ
		2回目以降		5点	特管Aロ
	特定薬剤管理指導加算2			100点	特管B
	特定薬剤管理指導加算3			5点	特管Cイ
					特管Cロ

加算項目	乳幼児服薬指導加算	処方箋受付1回につき	12点	乳
	小児特定加算	処方箋受付1回につき	350点	小特
	吸入薬指導加算	3月に1回算定	30点	乳
かかりつけ薬剤師包括管理料		処方箋受付1回につき	291点	薬包 オンライン 薬包オ
外来服薬支援料1		月1回算定	185点	支A
外来服薬支援料2		42日分以下の部分（1週間につき）	34点	支B
		43日分以上の部分	240点	
服用薬剤調整支援料1		月1回算定	125点	剤調A
服用薬剤調整支援料2		3月に1回算定	イ110点	剤調B
			ロ 90点	剤調C
在宅患者訪問薬剤管理指導料	① 単一建物・患者1人	患者1人につき	650点	訪A
	② 単一建物・患者2～9人		320点	訪B
	③ ①・②以外		290点	訪C
加算	麻薬管理指導加算	1回につき	100点	麻
	在宅患者医療用麻薬持続注射療法加算	1回につき	250点	医麻
	乳幼児加算	1回につき	100点	乳
	小児特定加算	1回につき	450点	小特
	在宅中心静脈栄養法加算	1回につき	150点	中静
在宅患者オンライン薬剤管理指導料		患者1人につき	59点	在オ
加算	麻薬管理指導加算	1回につき	22点	麻オ
	乳幼児加算	1回につき	12点	乳オ
	小児特定加算	1回につき	350点	小特オ
在宅患者緊急訪問薬剤管理指導料	計画的な訪問薬剤管理指導にかかる疾患の急変に伴う場合	1回につき	500点	緊訪A
	上記以外		200点	緊訪B
加算	麻薬管理指導加算	1回につき	100点	麻
	在宅患者医療用麻薬持続注射療法加算	1回につき	250点	医麻
	乳幼児加算	1回につき	100点	乳

（次ページに続く）

名称			点数		略記号
加算	在宅中心静脈栄養法加算		1回につき	150点	中静
	夜間訪問加算		1回につき	400点	夜訪
	休日訪問加算		1回につき	600点	休訪
	深夜加算		1回につき	1000点	深訪
在宅患者緊急オンライン薬剤管理指導料			1回につき	59点	緊訪オ
加算	麻薬管理指導加算		1回につき	22点	麻オ
	乳幼児加算		1回につき	12点	乳オ
	小児特定加算		1回につき	350点	小特オ
在宅患者緊急時等共同指導料			月2回限度	700点	緊共
加算	麻薬管理指導加算		1回につき	100点	麻
	在宅患者医療用麻薬持続注射療法加算		1回につき	250点	医麻
	乳幼児加算		1回につき	100点	乳
	小児特定加算		1回につき	450点	小特
	在宅中心静脈栄養法加算		1回につき	150点	中静
退院時共同指導料			入院中1回（末期の悪性腫瘍の患者等の場合は入院中2回）を限度	600点	退共
服薬情報等提供料1			月1回算定	30点	服A
服薬情報等提供料2	（イ）保険医療機関へ情報提供		月1回	20点	服Bイ
	（ロ）リフィル調剤後、処方医に必要な情報提供			20点	服Bロ
	（ハ）ケアマネージャーに必要な情報提供			20点	服Bハ
服薬情報等提供料3			3月に1回	50点	服C
在宅患者重複投薬・相互作用等防止管理料	1．処方箋に基づく疑義照会	残薬調整以外	処方箋受付1回につき	40点	在防Aイ
		残薬調整		20点	在防Aロ
	2．処方箋交付前に処方提案して反映	残薬調整以外		40点	在防Bイ
		残薬調整		20点	在防Bロ
経管投薬支援料			初回のみ	100点	経

索引

※[別]：別冊

さ行

参考文献

●薬局運営全般
- 尾崎秀子、玉井典子、水野恵司、柳川忠二 著『図解入門ビジネス 最新薬局業務の基本と仕組みがよ〜くわかる本』秀和システム（2007 年）
- 保険薬局薬剤師 OJT 研究会 企画・監修『新入局薬剤師研修テキスト 第 2 版』じほう（2011 年）
- なの花薬局事務マニュアル編纂委員会 編『平成 30 年版 保険薬局事務完全マスター』薬事日報社（2018 年）
- 淺沼晋 著『薬局業務のエッセンス』秀和システム（2020 年）

●薬事関係
- 医療秘書教育全国協議会 編（井上 肇 責任編集）『新 医療秘書医学シリーズ 5　検査・薬理学』建帛社（2012 年）
- 薬事衛生研究会 編『薬事関係法規・制度解説 2020-21 年版』薬事日報社（2020 年）
- 『薬価・効能早見表 2024』医学通信社（2024 年）

●調剤報酬
〔書籍〕
北海道医薬総合研究所 編著『調剤報酬実務必携 2020 年 4 月版』薬事日報社（2020 年）
『調剤報酬点数表の解釈 平成 30 年 4 月版』社会保険研究所（2018 年）
日本薬剤師会 編『保険調剤Ｑ＆Ａ 平成 30 年版』じほう（2018 年）
山口路子 著『「Rp.+ レシピプラス」特別編集 速解！調剤報酬 2016-17』南山堂（2016 年）
〔法令・通知〕
「診療報酬の算定方法の一部を改正する告示」令和 6 年厚生労働省告示第 57 号
「診療報酬の算定方法の一部改正に伴う実施上の留意事項について」令和 6 年 3 月 5 日保医発 0305 第 4 号
「特掲診療料の施設基準等の一部を改正する件」令和 6 年厚生労働省告示第 59 号
「特掲診療料の施設基準等及びその届出に関する手続きの取扱いについて」令和 6 年 3 月 5 日保医発 0305 第 6 号
「「診療報酬請求書等の記載要領等について」等の一部改正について」令和 6 年 3 月 27 日保医発 0327 第 5 号
「疑義解釈資料の送付について（その 1 ）」令和 6 年 3 月 28 日（厚生労働省事務連絡）
トライアドジャパン 編『薬局実務実習 実習生ノート 第 4 版対応』日経 BP 社（2019 年）

●医療保障制度関連
清水祥友 著『医療事務 100 問 100 答 2024 年版』医学通信社（2024 年）

●著者紹介

調剤薬局事務学会

調剤薬局における実務経験者および教育機関で医療事務・調剤事務
等を指導する有識者で構成された団体。

「現場で実践できる事務職員の育成と調剤薬局の円滑な運営、調剤
薬局を訪れる方々が安心できることに貢献する」ことを目的とし
て、主に調剤薬局事務の業務分析および職務遂行能力分析、調剤報
酬請求事務に関する検定試験の分析を中心に、事務職員の実践力を
養う教育方法について日々研究している。

また、専門学校をはじめとする教育機関において、調剤薬局に事務
職員として就職を希望する学生等に対して指導も行っている。

2024-2025年版
調剤報酬請求事務 検定&実務ハンドブック

2024年8月30日　初版第1刷発行

著者名──調剤薬局事務学会
　　　　　©2024 Chozaiyakkyokujimugakkai
発行者──張 士洛
発行所──日本能率協会マネジメントセンター
　　　　　〒103-6009　東京都中央区日本橋2-7-1　東京日本橋タワー
　　　　　TEL 03(6362)4339(編集)／03(6362)4558(販売)
　　　　　FAX 03(3272)8127(編集・販売)
　　　　　https://www.jmam.co.jp/

装　丁──吉村朋子
本文DTP──株式会社森の印刷屋
印刷所──シナノ書籍印刷株式会社
製本所──株式会社三森製本所

基本からわかり試験合格を目指す

初めて学ぶ医療事務

森岡 浩美　著

B5判　336頁

医療事務とは、病院やクリニックなどの医療機関で、医療費の計算を
し、保険者に診療報酬の請求などを行う仕事です。資格がなければでき
ない仕事ではありませんが、専門的な知識が必要とされる業務でもあ
り、一定の時間をかけて基本を学び、民間の各種の医療事務資格のいず
れかを取得して就職する人がほとんどです。

本書は、現場で使われる「カルテ」も「診療報酬点数表」も見たことが
ないという方、診療報酬請求業務を学びはじめたものの難しいという方
に向け、医療事務の基本を解説するものです。さらに、数ある医療事務
資格試験のうち何を受ければよいのか、合格するとどのようなメリット
があるのか、代表的な資格試験の傾向と対策を解説しており、実務の基
本と試験に挑戦するための知識が身につきます。

日本能率協会マネジメントセンター

2024-2025年版

調剤報酬請求事務
検定&実務ハンドブック

1　保険薬局とは

A.1 ▸ 医薬分業

医師と薬剤師の両者でチェックすることにより適正な医薬品の提供が行われる。また、患者に処方箋が渡されることで、処方内容が患者にもわかるようになる、という利点がある。

A.2 ▸ ✕

薬局の開設者には、職種の制限は設けられていない。ただし、薬剤師でない者（例：株式会社）が開設者となる場合は、別に管理薬剤師を選任しなければならない。

A.3 ▸ 調剤

調剤とは、医師、歯科医師等から発行された処方箋が正しいかを確認し、薬剤を計数・計量して患者に薬剤を交付するまでの一連の流れを指す。

A.4 ▸ ③

店舗販売業は、店舗において一般の生活者に対して、一般用医薬品を直接販売する。配置販売業は、店舗を持たず、一般家庭等を訪問して一般用医薬品を販売する。

A.5 ▸ ✕

薬局は 6 年ごとに更新をしなければならない。

A.6 ▸ ✕

有効期間は、免許の日からその日の属する年の翌々年の 12 月 31 日までとなり、1 月 1 日に免許を受ければ最長 3 年となる。

A.7 ▸ 麻薬小売業者

免許を受けるには保健所等を通じて都道府県知事に申請を行う。

A.8 ▸ a. 地方厚生（支）局長　　　　b. 6（年）

なお、実際に調剤を行う薬剤師も、保険薬剤師の登録を地方厚生（支）局長に対して行わなければならない。

A.9 ▸ ✕

6年ごとに更新を行う必要がある。

A.10 ▸ ✕

国が開設する薬局については厚生労働大臣（地方厚生（支）局長）、その他の薬局については都道府県知事（福祉事務所長）に申請を行う。

A.11 ▸ 都道府県労働局（長）

指定の期間は3年間である。指定を受けた薬局は、「労災保険指定薬局療養担当契約事項」に従い調剤を行う。

A.12 ▸ ✕

保険薬局は、特に手続きを行わなくとも、介護保険の指定居宅サービス事業者とみなされる。

A.13 ▸ ✕

薬局の管理者は薬剤師でなければならない。これを一般的に管理薬剤師という。

A.14 ▸ ○

保険薬局とは異なり、保険薬剤師はいったん登録を受けると、登録を取り消されない限り、更新の必要はない。

A.15 ▸ ②

服薬指導とは、患者に対して処方薬の薬効や副作用などの説明や情報提供を行うことである。薬剤師法で義務として定められている。

A.16 ▸ 健康サポート薬局

薬局が健康サポート薬局として一定の基準を満たすことで、地域住民への訴求力が強まり、信頼性の向上につながるほか、他の薬局との差別化にもなり、経営的にも有利に働くとされる。

A.1 ▸ ✕

このような手段で保険薬局は調剤を開始できるが、受け渡しの際、患者が処方箋の原本を持参したことを必ず確認する。

A.2 ▸ 疑義照会

疑問点や不明点を感じた場合は、疑義照会を行わずに調剤を続行することは、薬剤師法によって禁止されている。なお、照会内容は必ず処方箋の備考欄などに記録しておかなければいけない。

A.3 ▸ a. 調剤完了日　　b. 3（年間）

なお、調剤済みの処方箋は、定められた基準を満たす場合に限り、薬局以外の場所に保存したり、電子媒体へ保存したりすることが認められる。保存期間中は、個人情報に配慮し、必要があれば直ちに利用できる体制を整備することが求められる。

A.4 ▸ ○

事前に待ち時間を知らせることで、患者の待ち時間に関する心理的抵抗をある程度減らす効果が期待できる。

A.5 ▸ ✕

保険薬剤師による処方医への疑義照会は、薬剤師法に基づく行為であるため、本人の同意を得る必要はない。

A.6 ▸ ✕

投薬時の処方箋は調剤済みとなっているため、新たに調剤して渡す場合は、処方箋医薬品を処方箋なしで調剤し、渡す行為になる。受診を勧奨し、処方箋を交付してもらうようにする。

A.7 ▸ ✕

処方箋医薬品を処方箋なしで調剤し、渡す行為は法令違反になる。そのため、調剤を拒否することには正当な理由がある。

A.8 ▶ ○

書類の受け渡しは両手で行うのが社会人のマナーである。

A.9 ▶ ○

真偽を確認する上では、疑義照会をまず行うのがよい。スタッフに危険が及ぶ可能性もあるため、本人への照会は慎重に行うことが大切である。偽造処方箋であると判明した場合は、直ちに警察や管轄の保健所に通報するほか、地区薬剤師会へ報告する。

A.10 ▶ ○

設問の行為は、一部負担金の減額に相当する行為であり、適切な健康保険事業の運営の観点から好ましくない、とされる。

A.11 ▶ ✕

番号札に手違いがあることも考えられることから、目前でフルネームの確認を行うのがよい。

A.12 ▶ ○

厚生労働省「診療情報の提供等に関する指針」に規定されている。ただし、法令に基づく場合や患者本人の生命財産の保護の観点から本人の同意を得ることが困難であるとき等は、本人の同意がなくても情報提供が可能である。

1　医薬品の定義と分類

A.1 ▸ ①

第二類および第三類医薬品は薬剤師のほかに登録販売者が販売することができる。

A.2 ▸ スイッチ OTC

セルフメディケーション実施における選択の幅が広がるなどのメリットがある。通常の一般用医薬品に比べ、使用法を誤ると副作用が起きるケースがあるため、大半は薬剤師の対面販売が義務付けられている（要指導医薬品）。

A.3 ▸ ○

「ジェネリック医薬品」「ゾロ」ともいう。開発コストが抑えられる分、先発医薬品と比べて多くの場合、価格が安くなる。後発医薬品は、先発医薬品より味や飲みやすさ、使用感が改良されているものもある。

2　医薬品の剤形とその種類

A.1 ▸ 剤形（剤型）

患者の状態、薬物の性質や投与経路などに応じて選択される。

A.2 ▸ ②

パスタ剤は多量の粉末薬品を軟膏状にした外用剤である。

A.3 ▸ ③

「坐剤」は肛門に挿入して用い、「エアロゾル」は固体または液体の医薬品を容器に詰め、容器内のガスの圧力により噴出して用いる。

A.4 ▸ ③

パップ剤は貼付剤の一種である。浣腸剤は肛門から挿入して用いる。

A.5 ▶（1）③
　　　（2）②
　　　（3）①

設問の錠剤のうち、トローチ錠（剤）は薬価基準上、外用薬に分類される。

3　医薬品の取扱いと保管

A.1 ▶○

医薬品は人の生命にかかわるものであることから、在庫量だけではなく、医薬品の質の確認も重要である。

A.2 ▶○

なお、覚醒剤原料を譲り受けた場合、あるいはこれを廃棄する場合は、所在地の都道府県知事に届け出ることが必要である。

4　薬物療法と薬の体内動態

A.1 ▶（1）①　　（2）②　　（3）③

（1）インフルエンザはインフルエンザウイルスに感染することが原因で起こる。抗ウイルス剤を投与することで原因を治療する。
（2）発熱に対する解熱剤の投与は、症状を抑えたり、ゆるめたりする治療である。
（3）インスリンの投与は、からだに不足しているものを補う治療である。

A.2 ▶①吸収　　②分布　　③代謝　　④排泄

それぞれの過程に関与する主な臓器は以下の通りである。

　　吸収：胃や腸
　　分布：心臓
　　代謝：肝臓
　　排泄：腎臓（ろ過）、腸管

A.3 ▶ ○

直接血管から、あるいは血管に近いところから直接薬物が注入され、分布されるので、経口投与のように口→食道→胃→小腸→肝臓→心臓→全身といった長い経路を経ないため、経口投与よりも即効性がある。ただし、急激に薬物の血中濃度が上がるため副作用が出やすい。

A.4 ▶ ✕

設問は抑制作用の説明である。主作用とは、薬剤本来の目的の働きをする作用のことをいう。

A.5 ▶ 相互（作用）

単独の薬だけでは想定されない、新たな副作用が生じることもある。また、薬どうしだけでなく、薬と食べ物の食べ合わせによって生じる場合もある。
※相加・相乗作用、拮抗作用（本文 P.31 参照）。

A.6 ▶ 耐性（作用）

薬剤を受け入れる受容体の数が減少（組織耐性）したり、肝臓などでその薬剤を分解する酵素の産生が誘導された結果、体内の薬剤濃度が投与後速やかに減少（代謝耐性）したりすることによって起こる。

A.7 ▶ プラセボ（効果）

新薬の臨床試験などでよく用いられる。

A.8 ▶ 禁忌

「きんき」と読む。診療行為や処方を行うことで、症状が悪化したり重篤な副作用が現れたりする場合を指す。

1　公的医療保険

A.1 ▸ 保険者

加入者が疾病・負傷、出産、死亡の状況になったときに、さまざまなサービスを行う。

A.2 ▸ 被保険者

なお、共済組合に加入する場合は「組合員」や「加入者」という用語を用いることもある。

A.3 ▸ 任意継続被保険者

申請は原則として20日以内に、在職時の健康保険の保険者に申請する。加入できる期間は、退職日の翌日から2年である。

A.4 ▸ 被扶養者

被保険者の直系尊属・配偶者・子・孫・兄弟姉妹、および被保険者と同居し家計を共にしている三親等以内の親族などが対象になる。

A.5 ▸ （1）令和6年8月1日　　（2）令和6年8月1日
　　　　（3）令和6年9月1日

高齢受給者の対象は、「70歳に達する日の属する月の翌月」より対象となる。「達する日」とは、誕生日の前日が終了するとき（午後12時）を指す（年齢計算ニ関スル法律）。これに当てはめると、以下のようになる。

（1）7月30日が「達する日」。属する月は7月。よって、その翌月である8月から
　　対象となる。

（2）7月31日が「達する日」。属する月は7月。よって、その翌月である8月から
　　対象となる。

（3）8月1日が「達する日」。属する月は8月。よって、その翌月である9月から
　　対象となる。

1 公的医療保険

A.6 ▸ 給付（割合）

給付割合は、制度に応じて10割〜7割で設定される。調剤費用から、患者負担割合を差し引いたもので計算される。患者負担割合と給付割合の混同がよく見受けられるので、注意されたい。

A.7 ▸ 国民皆保険（制度）

1961年に制度が確立された。この制度により、医療費の負担が軽減され、国民に医療を受ける機会が平等に保障されている。

A.8 ▸ 家族療養費

本来は被扶養者が費用の全額を支払い、被保険者が申請をして家族療養費を受け取る。しかし、手続きが煩雑になるため、実際は、被保険者に対する療養の給付と同様に、保険薬局の窓口で調剤費用の一部を負担する。

A.9 ▸ 療養の給付

診察、薬剤または治療材料の支給、処置、手術等の治療、在宅医療、入院などが対象となる。

A.10 ▸ 保険薬局及び保険薬剤師療養担当規則（通称：「薬担規則」）

受給資格の確認、後発医薬品の使用促進、一部負担金の適正な受領、領収証および明細書の交付義務、調剤録の記載および保管などについて定められている。

A.11 ▸ 特定疾病療養受療証

この証明書が提出された場合、窓口では証明書に記載されている限度額（1万円または2万円）まで徴収し、この額を超える場合、超える部分については窓口徴収はしない。

A.12 ▸ 療養費

やむを得ず被保険者証が提示できなかった場合などが対象となる。このような方式のことを「償還払い」という。

A.13 ▶ 高額療養費

所定の限度額は、年齢や被保険者の所得に応じて定められている。なお、直近12か月間で、3回以上の高額療養費の支給を受けている場合には、その月の負担の上限額がさらに引き下げられる。

A.14 ▶ ○

保険薬局での調剤は、通院診療の一環として薬剤が投与されたものと判断される。なお、保険医療機関の処方月と保険調剤を行った月は同じ月であることが必要である。

A.15 ▶ 2（年）

限度額適用認定証に基づいて診療費・調剤費の支払いを行わない限り、高額療養費は保険者に申請を行うことで支給される。

A.16 ▶ ○

このほか、「社保」や「職域保険」とも呼ばれる。

A.17 ▶ ①

職業、就業状態によって加入する医療保険が異なる。各医療保険の加入条件、保険者、法別番号は対にして理解するとよい。

②は自営業者であるため、国民健康保険（一般国保……法別番号なし）の対象となる。

③は単一企業で従業員700名を満たしておらず、また共同設立した旨の記載がないため、組合管掌健康保険の対象とはならない。設問の場合は、全国健康保険協会管掌健康保険（01）の対象となる。

A.18 ▶ ①

自衛官は国家公務員であるが、自衛官本人については防衛省職員給与法に基づき保険給付が行われる。法別番号は07となる。なお、自衛官の家族については、国家公務員共済組合（防衛省共済組合）に被扶養者として加入する。

1　公的医療保険

A.19 ▸ ②、③、⑤

国民健康保険は、大きく一般国保と組合国保とに分けることができる。
一般国保は市区町村と都道府県が共同して運営を行い、組合国保は同種の自営業
者で設立した国民健康保険組合が組合員のために医療保険の運営を行う。

A.20 ▸ 後期高齢者医療広域連合（広域連合）

後期高齢者医療広域連合は、都道府県ごとに、各都道府県内の市区町村が共同で
後期高齢者医療制度を円滑に進めるために設立されたものである。

A.21 ▸ a. 75（歳）　　　b. 65（歳）

すべての方が安心して医療を受けられる社会を維持できるように、高齢者と若者
の間での世代間公平や、高齢者間での世代内公平を図るため、2008年4月1日
より導入された。

A.22 ▸ ②

後期高齢者医療制度の対象は、75歳の誕生日当日から適用となる。高齢受給者
とは対象が異なることに注意する。

A.23 ▸ ✕

原則として75歳以上になると、必然的に加入していた医療保険から脱退して後
期高齢者医療制度に加入する。被用者保険の被扶養者が75歳未満であれば、後
期高齢者医療制度の対象とならない。設問の場合は、加入者本人が被用者保険を
脱退したので、被用者保険の被扶養者は国民健康保険の被保険者へ移行する。

2　公費負担医療制度

A.1 ▸ 自己負担上限額管理票

上限額は、それぞれの公費負担制度において、病院・診療所、薬局、訪問看護事
業所での自己負担額を合算したものである。それぞれの機関が正確に記入をする
必要がある。

A.2 ▶ ✕

生活保護単独の場合、社会保険診療報酬支払基金（支払基金）に提出する。

A.3 ▶ ✕

結核の適正医療で公費対象となるのは、抗結核薬および抗結核薬併用剤に関する薬剤料と調剤技術料、調剤管理料のみである。

A.4 ▶ 調剤券

患者が生活保護の医療扶助を福祉事務所に申請し、承認を受けると交付されるものである。有効期限や本人支払額が示されているので、確認が必要である。

A.5 ▶ 福祉事務所

福祉事務所とは、高齢者福祉や生活援助、施設入所などの福祉施策に関する窓口である。

A.6 ▶ ◯

原則は設問の記述の通りだが、収入がある場合は一部負担が生じる場合がある。そのため、調剤券にある本人支払額を確認する必要がある。

A.7 ▶ ◯

この場合は、調剤費用全額が公費負担の対象となる。

A.8 ▶ ✕

生活保護の適用を受けた場合に被保険者資格を喪失するのは、国民健康保険の被保険者のみである。日雇特例被保険者は、被用者保険の一部であるから、被保険者資格は喪失しない。

A.9 ▶ ◯

この場合は、調剤費用の全額が公費負担の対象となる。

2 公費負担医療制度

A.10 ▶ ✕

自立支援医療を取り扱う場合は、あらかじめ都道府県知事に申請し、指定を受ける必要がある（障害者自立支援法第54条第2項）。なお、指定は6年ごとに更新する必要がある（同法第60条第1項）。

A.11 ▶ ②

法律名と制度名の組み合わせはすべて正しい。結核適正医療の法別番号は10である。

A.12 ▶ ✕

A市発行の医療受給者証は、その地域のみ有効なもので、地域外では使用できない。ただし、支払った自己負担額は、A市に領収証と医療受給者証を提出することで払い戻しを受けられる。

3 被保険者証、公費負担医療の受給者証について

A.1 ▶ a. 8（桁）　　b. 6（桁）　　c. 法別番号

保険者番号は次の順番で構成されている。

法別　都道府県　保険者別　検証
番号　番号　　　番号　　　番号

A.2 ▶ ①

6桁で構成される保険者番号については加入条件、8桁で構成される保険者番号については最初の2桁の法別番号に着目する。①については、法別番号が34であるから、学校の教職員が該当する。カルチャースクールは学校に当てはまらないため、不適切となる。なお、②については保険者番号が6桁であるから国民健康保険であり、設問に医師「国保」とあるため、適切である。③についても最初の2桁が39のため、後期高齢者医療制度の法別番号であり、設問も77歳の年金受給者とあるため、適切である。

4 労災保険、自賠責保険、介護保険

A.1 ▸（1）①
　　　（2）③
　　　（3）②

労災指定薬局は、労災の処方箋とともに設問の状況に応じて書類を受け取る必要がある。これらの書類は、労働者災害補償保険薬剤請求書、薬剤費請求内訳書（レセプト）とともに労働基準監督署に提出する必要がある。

A.2 ▸①

A.3 ▸a. 10（日）　　b. 都道府県労働局長

A.4 ▸×

患者が加入する医療保険へ「第三者行為による傷病届」を提出すれば、医療保険が一時的に立て替えて支払う。

A.5 ▸市区町村

市区町村において要介護・要支援認定を行う。認定を受けた者だけが、介護保険のサービスを受けることができる。

A.6 ▸×

介護保険の患者に対し、訪問薬剤管理指導を行う場合は、介護保険の適用となる。設問の場合は、居宅療養管理指導費を算定する。

A.7 ▸×

所得に応じて、2割または3割負担の場合がある。

A.8 ▸国民健康保険団体連合会（国保連合会）

A.1 ▶ 4（日）

ここでいう4日間とは、休日や祝日も含まれる。診察を受けてから時間が経過すればするほど必要な治療が変わってくる可能性が高くなるため、とされている。

A.2 ▶ a. 6月6日

　　　b. 6月20日

リフィル処方による調剤は、次回調剤予定日を含まない前後7日間に行うことが可能である。

A.3 ▶ 二本線

文書が真正であることを確保するために、変更前の記載を判別できるようにするためである。

A.4 ▶ ×

この場合は、疑義照会の対象となろう。一般名処方は、医師が先発医薬品か後発医薬品かといった個別の銘柄にこだわらずに処方を行っているもの。そのため、一般名処方に対して、「変更不可」欄に×があることはあり得ない。

A.5 ▶（1）6歳　　（2）高一　　（3）高7

「義務教育就学前」「高齢受給者」「後期高齢者医療」の負担割合については、Chapter 5を確認すること。

A.6 ▶ 麻薬施用者番号

医師等が疾病の治療の目的で業務上麻薬を施用するために必要な免許を麻薬施用者免許といい、医師免許等とは別に取得する必要がある。麻薬施用者番号はその免許にある番号のことである。

A.7 ▶ ×

63枚を超えて湿布薬が処方されている場合、備考欄に処方医が当該湿布薬の投与が必要であると判断した趣旨が記載されている必要がある。この記載がない場合は、疑義照会の対象となる。

A.8 ▸ a. 42
　　　b. 14

a. は内服錠の処方であるから、内服薬の記載である。内服薬は 1 日の服用量、服用方法、服用日数が記載される。準備する数量は 1 日の服用量に日数分を乗じて求めるため、 3 錠 × 14 日分 = 42 錠となる。

b. は吸入カプセルであるため、外用薬の処方であることがわかる。原則として投与総量が記載されるため、14 カプセルとなる。

1　調剤報酬の基礎知識

A.1 ▶ 10（円）
調剤報酬は点数単価方式を採用している。本来、点数単価は物価の増減によって調整して決定される性質のものだが、医療保険では 1958 年より 1 点＝ 10 円に固定されている。

A.2 ▶ a. 中央社会保険医療協議会（中医協）
　　　　b. 厚生労働大臣
調剤報酬は、医療保険各法に基づき、厚生労働大臣に価格決定権があり、その価格改定の際は、厚生労働大臣は中医協に諮問することになっている。

A.3 ▶ 2（年）
社会・経済状況に応じて調剤報酬は見直される。原則は 2 年に 1 度だが、消費税増税のような場合においては、例外として 2 年を経過しなくても見直されることがある。

A.4 ▶ 施設基準
施設基準は、保険薬局が地方厚生局に届け出て受理されることが必要である。保険薬局が施設基準を満たすことで、調剤報酬を有利に算定することができる。

A.5 ▶ ◯
薬袋の費用については、調剤報酬に当然に含まれているものと考えられている。そのため、調剤報酬とは別に徴収または請求することはできない。

A.6 ▶ ✕
調剤報酬は、保険薬局が処方箋を受け付けた時点を基準として算定する。

A.7 ▶ ◯
同一の保険医療機関であっても歯科と歯科以外については、調剤報酬明細書を分ける必要がある。

A.8 ▶ ○

家族内で同一の保険者番号、記号・番号の被保険者証を使用していたとしても、調剤報酬明細書は患者ごとに作成する。

A.9 ▶ 10（日）

締切日は紙媒体、電子媒体、オンライン請求ともに同一であるが、オンライン請求では受付時間が当該日の 24 時までと長く設定されている。

A.10 ▶ a. 調剤報酬請求書　　b. 調剤報酬明細書（レセプト）

電子媒体を用いた調剤報酬請求の場合、調剤報酬請求書の作成は省略することができる。

A.11 ▶ ○

請求・審査業務の効率化を目的に、2011 年 4 月以降の調剤分については、原則として電子レセプト以外の請求はできない。なお、返戻されたレセプトなどは紙媒体で提出することもある。

A.12 ▶ a. 国民健康保険団体連合会（国保連合会）
　　　　　b. 社会保険診療報酬支払基金（支払基金）

なお、調剤報酬については、審査支払機関に審査を委託せず、調剤レセプトを保険者（健康保険組合）が直接審査・支払を行うことがある。

A.13 ▶ ×

特別療養費は、レセプトの審査結果に基づいて支給される。そのため、保険薬局は審査に必要な調剤報酬明細書を国民健康保険団体連合会に提出する必要がある。なお、この場合、療養の給付の請求とは別に、紙媒体で提出し、その上部に「特別療養費」と朱書して提出する。

A.14 ▶（1）②　　（2）③　　（3）②　　（4）①　　（5）③

「義務教育就学前」とは 0 歳から 6 歳到達日以後の最初の 3 月 31 日までが該当する。また、「高 7」とは、70 歳以上の現役並み所得者で 7 割給付（3 割負担）の患者、「高 9」とは、後期高齢者医療受給対象者で 9 割給付（1 割負担）の患者である。

A.15 ▶ 10（割）

国民健康保険被保険者資格証明書は、特別の事情がなく国民健康保険料（税）の納付期限後1年を経ても納めない場合に、市区町村から交付される。これが窓口に提出されると、患者は医療費の全額を自己負担し、後日領収証を添えて申請すると保険給付分の一部が払い戻される。ただし、滞納分と相殺される場合が多い。

A.16 ▶ 0（割）

乗船中は労働と生活の場が密接しているなど、陸上の生活に比べて特殊性を有することから、設問のような規定が設けられている。

A.17 ▶ 550（円）

窓口負担額は、調剤報酬点数 × 10円 × 負担割合で求められる。

5歳児の負担割合は2割なので、

277点 × 10円 × 0.2 = 554円。1円の位を四捨五入して550円となる。

A.18 ▶ 510（円）

窓口負担額は、調剤報酬点数 × 10円 × 負担割合で求められる。

調剤報酬点数については、以下の通り求める。

　①受付1回ごとに保険薬局が算定するもの（特に調剤基本料、服薬管理指導料）
　　を合計する。

　②処方箋の医療機関が異なるため、医療機関ごとに調剤報酬点数を算定する。

　　B医院：79点 + 210点 = 289点

　　C医院：79点 + 145点 = 224点

77歳の一般患者は1割負担なので、医療機関ごとに窓口負担額を計算する。

　　B医院：289点 × 10円 × 0.1 = 289円。1円の位を四捨五入して290円。

　　C医院：224点 × 10円 × 0.1 = 224円。1円の位を四捨五入して220円。

よって窓口負担額は、290円 + 220円 = 510円　となる。

A.19 ▸ 1,100（円）

窓口負担額は、調剤報酬点数×10円×負担割合で求められる。

調剤報酬点数については、以下の通り求める。

①受付1回ごとに保険薬局が算定するもの（特に調剤基本料、服薬管理指導料）
　を合計する。

②同一医療機関において、歯科を除く複数の処方箋を同時に受け付けた場合は、
　まとめて受付1回とする。

③設問では、受付1回と判断できるので、すべて合計する。

　85点＋130点＋150点＝365点

45歳の患者は3割負担であるため、窓口負担額は365点×10円×0.3＝1,095円。
1円の位を四捨五入して1,100円となる。

2 薬価基準と薬価、材料価格基準

A.1 ▸ 薬価基準

なお、新医薬品は、緊急収載を除き年4回、後発医薬品は、年2回収載される。

A.2 ▸ 1（年）

医療機関や薬局に対する実際の販売価格（市場実勢価格）を調査（薬価調査）し、
その結果に基づき改定する。

A.3 ▸ a. 中央社会保険医療協議会（中医協）　　　b. 厚生労働大臣

2 薬価基準と薬価、材料価格基準

A.4 ▶（1）1点　　（2）1点　　（3）2点　　（4）3点　　（5）5点
　　　（6）17点

薬価を点数に換算するには、ア）15円以下は1点にする。イ）15円を超える場合は10円で除し、小数点以下の端数が0.500以下であれば切り捨て、0.500を超える場合は小数点以下を切り上げる。

（1）（2）は、15円以下であるから、1点。

（3）23.80円÷10円＝2.38（点）。小数点以下が0.500以下であるため、2点となる。

（4）35.00円÷10円＝3.50（点）。

　　小数点以下が0.500以下であるため、3点となる。

（5）45.10円÷10円＝4.51（点）。

　　小数点以下が0.500を超えるため、4＋1＝5点　となる。

（6）166.80円÷10円＝16.68（点）。

　　小数点以下が0.500を超えるため、16＋1＝17点　となる。

3 薬剤料、特定保険医療材料料

A.1 ▶（1）③　　（2）②　　（3）①

内服薬と屯服薬は、ともに経口投与（口から飲み込む）の薬剤であるが、その見分け方は、処方箋の記述による判断となる。

・末尾に〜ＴＤ、〜日分とあれば内服薬。

・末尾に〜Ｐ、〜回分とあれば屯服薬。

外用薬には、軟・硬膏、坐剤、点眼・点鼻・点耳薬、湿布剤、うがい薬、トローチなどがある。

A.2 ▶a. 浸煎薬　　b. 湯薬

A.3 ▶ a. 2（点）　　b. 28　　c. 56（点）

処方に「28 日分」とあるため、内服薬である。内服薬は 1 剤 1 日分が単位薬剤料になり、日数分が調剤数量となる。

よって、単位薬剤料は、 5.90 円 × 3 錠 = 17.70 円 → 2 点となる。

薬剤料は単位薬剤料 × 調剤数量で求められることから、

2 点 × 28 日分 = 56 点　となる。

A.4 ▶ 4（点 × 14 日分）

処方にある「mg」は「成分量」を示し、薬価にある「g」は「製剤量（実際の重さ）」を表す。

また、「％」は製剤量に対する成分量の割合を示す。単位の考え方が異なるので、合わせる必要がある。

（方法 1）薬価の製剤量を成分量に換算する。

　　細粒 1 g の 50 ％が成分量であるから、 1 g × 50 ％ = 0.5 g = 500mg なので、

　　22.20 円 × 800mg ／ 500mg = 22.20 円 × 1.6 = 35.52 円 → 4 点

（方法 2）処方の成分量を製剤量に換算する。

　　製剤量の 50 ％が成分量 800mg であるから、製剤量は 800mg ÷ 0.5 = 1,600mg = 1.6g。

　　よって、22.20 円 × 1.6 g = 35.52 円 → 4 点

A.5 ▶ 内服用滴剤

薬価基準では内用薬に分類されるが、調剤報酬では内服薬や屯服薬とは別の算定方法になる。

A.6 ▶ ②

処方に「疼痛時」とあるので、屯服薬の算定となる。

屯服薬の計算は、全体量を 1 調剤分として薬価を計算し、それを点数に換算する。

処方の全体量は 8 mL × 5 回分 = 40 mL

よって、4.70 円 × 40 mL = 188 円 → 19 点。ゆえに、19 点 × 1 調剤分　となる。

3 薬剤料、特定保険医療材料料

A.7 ▶ a. 34（点）　　b. 1　　c. 34（点）

外用薬は、全体量を1調剤分（＝調剤数量）として単位薬剤料を計算し、それを点数に換算する。

よって、12.30円×28枚＝344.40円 → 34点

薬剤料は単位薬剤料×調剤数量であることから、34点×1＝34点　となる。

A.8 ▶ a. 119（点）　　b. 1　　c. 119（点）

注射針については、特定保険医療材料料になるため、使用本数分の金額を計算し、10円で除することによって点数に換算する。これが単位薬剤料となり、調剤数量は1である。

よって、17円×70本＝1,190円　　1,190円÷10円＝119点

薬剤料は単位薬剤料×調剤数量であることから、119点×1＝119点　となる。

A.9 ▶ a. 292（点）　　b. 1　　c. 292（点）

注射薬の処方である。注射薬の薬剤料は全体量を1調剤分（＝調剤数量）として単位薬剤料を計算し、それを点数に換算する。

よって、1,461円×2キット＝2,922円 → 292点

薬剤料は単位薬剤料×調剤数量であることから、292点×1＝292点　となる。

4 調剤基本料

A.1 ▶ ✕

同一グループ薬局に属しており、月あたりの回数が42,500回であることから、グループ薬局の回数は満たすものの、当該保険薬局の集中率が85％を超えないことから、「調剤基本料3　イ）」は算定できない。

設問の場合、保険薬局の受付回数が4,140回、集中率65％であることから、「調剤基本料1（42点）」を算定する。

A.2 ▶分割調剤

分割調剤には、長期投薬の場合、後発医薬品の試用の場合、医師の指示による分割調剤の場合の3種類がある。なお、長期投薬、後発医薬品の試用の場合においては、調剤基本料は5点となる（医師の指示の場合は本文 P.67 参照）。

A.3 ▶ 5（点）

なお、後発医薬品試用の場合は、その内容の趣旨から、2回目のみしか算定できない。

A.4 ▶✕

地域支援体制加算は、地域包括ケアの中で地域医療に貢献している薬局を評価するものである。該当するほとんどの薬局で調剤基本料1を算定しているのが現状だが、調剤報酬点数表上は調剤基本料の種別を問わない。

A.5 ▶✕

調剤基本料の連携強化加算と地域支援体制加算は、それぞれが独立した算定項目である。そのため、地域支援体制加算の届出がなくとも、連携強化加算を算定することができる。

A.6 ▶③

直近3か月の後発医薬品の規格単位数量、薬局の使用薬剤の規格単位数をそれぞれ合計して割合を求める。

(382,892 + 410,201 + 435,212) ／ (545,085 + 513,033 + 528,022)

= 1,228,305 ／ 1,586,140 ≒ 0.7743……⇒ 77.4%

後発医薬品の数量割合が80% 未満のため、加算はなしとなる。

A.7 ▶ 73（点）

調剤基本料1（45点）＋後発医薬品調剤体制加算2（28点）= 73 点

A.8 ▶ a. 50（点）　　b. 70（点）　　c. 100（点）

時間外等加算については、調剤基本料、地域支援体制加算、後発医薬品調剤体制加算の合計点数に対して、所定の割合を乗じた点数を加算する。すなわち、

　29点（調剤基本料2）＋ 21点（後発医薬品調剤体制加算1）＝ 50点

a. 時間外加算の加算割合は $100/100$（1倍）。50点 × 1 ＝ 50点。

b. 休日加算の加算割合は $140/100$（1.4倍）。50 × 1.4 ＝ 70点。

c. 深夜加算の加算割合は $200/100$（2倍）。50点 × 2 ＝ 100点。

A.9 ▶ 154（点）

1回の調剤基本料は、45点（調剤基本料1）＋ 32点（地域支援体制加算1）＝ 77点　77点 × 2回 ＝ 154点

A.10 ▶ ②

複数の保険医療機関が交付した処方箋を同時にまとめて受け付けた場合においては、受付回数はそれぞれ数え2回以上とする。また、この場合において、当該受付のうち、1回目は調剤基本料の基本点数を算定し、2回目以降は調剤基本料の基本点数を $80/100$ にし、小数点以下第1位を四捨五入した点数を算定する。

本問において、一方で調剤基本料1を算定したならば、他方ではその点数の $80/100$、つまり 45点 × $80/100$ ＝ 36点　を算定する。

A.11 ▶ ○

A.12 ▶ ✕

設問のような規定は存在しないので、前回調剤した保険薬局とは別の保険薬局で行ってもよい。

A.13 ▶ ✕

長期保存が困難な場合による分割調剤は服薬管理指導料は算定できないが、後発医薬品の試用目的調剤の場合には算定できる。

A.14 ▶ （1）調剤基本料1　　　（2）調剤基本料2

同一グループ薬局に属していないため、調剤基本料1、2のいずれかに絞られる。
調剤基本料2は、その薬局の処方箋受付回数が（ア）「月 4,000 回超、集中率 70％
超」、（イ）「月 2,000 回超、集中率 85％超」、（ウ）「月 1,800 回超、集中率 95％超」
のいずれかを満たしたときに算定する。
（1）は上記（ア）〜（ウ）のいずれも満たさないため、調剤基本料1を算定する。
（2）は上記の（イ）の条件を満たすことになるので調剤基本料2を算定する。

A.15 ▶ 妥結率

毎年 10 月 1 日から 11 月末日までに、報告年度の当年 4 月 1 日から 9 月 30 日ま
での実績を、地方厚生局へ報告する必要がある。
妥結率が 5 割以下の場合または報告を行わない場合は、調剤基本料が減算される。
調剤薬局が医薬品を卸売販売業者から購入する際、患者の生命にかかわることな
ので、価格交渉の前に商品を納入することがある。この状態を「未妥結」という。
国は、薬価の見直しに反映させるために医薬品の市場実勢価格調査を行う。未妥
結の状況が大きいと情報が正確に測れないことから、妥結率の向上の目的で減算
のルールが設けられている。

A.16 ▶ （1）④　　（2）②　　（3）①　　（4）③

（1）開局時間内であるから、加算はない。
（2）開局時間外（定休日）であり、かつ、日曜の来局であるから、休日加算を算
　　定する。
（3）開局時間外、日曜・祝日以外であり、深夜の時間帯に該当しないことから、
　　時間外加算を算定する。
（4）開局時間外、日曜・祝日以外、深夜の時間帯に該当することから、深夜加算
　　を算定する。

A.17 ▶ ✕

休日加算は、救急医療対策や輪番制による休日当番の保険薬局である場合や、患
者が急病などやむを得ない理由で調剤に応じた場合などに算定する。設問ではこ
の条件に該当しないため、算定できない。この場合は、夜間・休日等加算を算定
する。

A.18 ▸ 22（日）

分割調剤の場合、処方箋の交付日から、処方箋にある日数＋処方箋の使用期間（交付日を含め4日）が調剤可能な日数となる。設問の場合は、4月3日から34日（期限4日＋30日分）であるから、5月6日までが調剤可能な日数となる。4月15日から5月6日までの日数は、22日である。

A.19 ▸ ✕

分割調剤を行った場合は、処方箋の原本を患者に返却し、次回の来局時に持参してもらうようにする。処方箋を返却するので、必ず調剤録を作成しておく必要がある。

5 薬剤調製料・調剤管理料

A.1 ▸ 3（剤）

内服薬の剤数には浸煎薬・湯薬を含むが、内服用滴剤は含まない。

A.2 ▸ 7（日）

隔日投与であっても、実際の投与日数で算定する。

A.3 ▸ ✕

服用方法は屯服薬のように書かれているが、薬剤は内服用滴剤に該当するため、薬剤調製料は10点、調剤管理料は4点を算定する。

A.4 ▸ 1）薬剤調製料21（点）、調剤管理料4（点）
2）薬剤調製料0（点）、調剤管理料0（点）
【1）と2）は逆でもよい】

A錠、B錠とも「〜回分」とあることから、屯服薬である。薬剤調製料および調剤管理料は、それぞれ「処方箋受付1回につき」算定する。A錠で算定する場合、薬剤調製料は21点、調剤管理料は内服薬以外の4点を算定し、B錠においては、薬剤調製料、調剤管理料ともに算定することはできない。

A.5 ▶ a. 服用時点　　b. 調剤

「1剤」と「1調剤」は類似の言葉であるが、意味合いが異なるので注意を要する。例えば、

　A錠　分3　毎食後　14日分、B錠　分3　毎食後　14日分

と処方されれば、1調剤、1剤となり、

　A錠　分3　毎食後　14日分、B錠　分3　毎食後　30日分

と処方されれば、2調剤、1剤となる。

なお、「1調剤」は加算の算定時に頻出の計算単位である。

A.6 ▶ 2（剤）

服用時点が同一でも、固形剤（細粒）と液剤（シロップ）は別剤として取り扱う。

A.7 ▶ 2（剤）

同一服用時点であっても、普通の錠剤とチュアブル錠とでは服用方法が異なるため、別剤として扱われる。

A.8 ▶ 2（剤）

服用時点が同一であっても、配合不適の場合は別調剤として認められる。この場合、その理由をレセプトの摘要欄に記載する必要がある。

A.9 ▶ ①

Rp. 1）、2）とも内服用固形剤、同一服用時点であることから1剤として取り扱う。それぞれ服用日数が異なることから、一番長い調剤日数である Rp. 1）の薬剤調製料および調剤管理料を算定する。

A.10 ▶ ③

同一有効成分で同一剤形が複数ある場合は、その数にかかわらず1剤とする。

同一成分の医薬品を用量変化させながら服用する場合、薬剤調製料および調剤管理料はまとめて1剤とし、日数分も合計する。

設問の場合は、内服薬14日分が調剤されたことになるので、薬剤調製料：24点、調剤管理料28点。

※なお、チャンピックスは禁煙補助剤である。保険調剤を行う場合は、処方箋の備考欄に「ニコチン依存症管理料算定に伴う処方」という記述があることを確認されたい。

A.11 ▶ ②

異なる用法でも、同一銘柄、有効成分であれば1剤として取り扱う。同一成分の医薬品を用量変化させながら服用する場合、薬剤調製料および調剤管理料はまとめて1剤とし、日数分も合計する。設問では内服薬4日分の調剤となるので、薬剤調製料24点、調剤管理料4点を算定する。

※リウマトレックス

　抗リウマチ薬。1週間に最大8mgを12時間間隔で服用し、5日間休薬する。

A.12 ▶ ○

検査目的で検査前日や検査当日に患者が服用することが求められる場合がある。この場合、検査目的であるため、医療機関が検査の薬剤料で算定すべきものである。しかしながら、医療機関に医薬品の用意がない場合、やむを得ず院外処方箋で処方される場合がある。医科診療報酬点数表において、検査の薬剤については薬剤料の算定のみで、調剤料等の算定はできない旨の規定がある。そのため、設問の事例の場合は、薬剤料のみを算定し、調剤報酬の薬剤調製料は算定することができない、とされる。

A.13 ▸ ③

内服薬の分割調剤に関する薬剤調製料および調剤管理料は、全体の日数分の薬剤調製料および調剤管理料からすでに調剤された日数分の薬剤調製料および調剤管理料を差し引いた点数を算定する。設問では、14 日分の薬剤調製料 24 点、調剤管理料 28 点から 1 回目の薬剤調製料 24 点、調剤管理料 4 点を差し引いた、調剤管理料 24 点のみを算定することになる。

A.14 ▸ ○

外用薬の薬剤調製料の計算の単位は、1 調剤に対して算定するため、分割調剤が行われるごとに薬剤調製料を算定できる。

A.15 ▸ ✕

内服薬分の調剤管理料を算定すると、それ以外の医薬品の調剤管理料は算定できない。
したがって、設問の場合は内服薬 1 剤 7 日分で調剤管理料は 4 点を算定する。

6 薬剤調製料および調剤管理料の加算

A.1 ▸ 無菌製剤処理（加算）

この加算を算定する場合は、以下の施設基準を満たし、地方厚生（支）局長に届け出ることを要する。
・2 名以上の保険薬剤師（うち 1 名は常勤）がいること
・無菌製剤を行うための無菌室、クリーンベンチまたは安全キャビネットを備えていること

A.2 ▸ 夜間・休日等（加算）

開局している時間帯でも、午後 7 時（土曜は午後 1 時）から翌朝午前 8 時までの時間帯、休日（日曜・祝日・年末年始）に調剤を行った場合は、夜間・休日等加算を算定できる。

A.3 ▸ ○

A.4 ▶ a. 自家製剤（加算）
　　　　b. 計量混合調剤（加算）

自家製剤加算は、製剤行為の結果、もとの剤形と異なる剤形になる場合に算定し、計量混合調剤加算は、製剤行為の結果、もとの剤形と変わらない場合に算定する。

A.5 ▶ ✕

用時溶解して使用する（服用直前に溶液にして服用する）こととされている医薬品を交付時に溶解した場合、自家製剤加算を算定することはできない。

A.6 ▶ ③

設問の場合、服用が1日2回に対し1日分は1錠のため、ザイザル錠は1回あたり2.5mgの服用となり、5mgを割線に従って半錠にする対応が求められる。しかし、自家製剤加算が算定できる条件として、「市販されている医薬品の剤形で対応できないとき」に調剤上の特殊な技術工夫を行った場合に算定できる。設問の場合は、分割した医薬品と同一規格を有する後発医薬品が存在する。よって自家製剤加算は算定できない。

A.7 ▶ ③

ドライシロップ以外の薬剤と液剤を混合する場合、混合の技術度が高いため、自家製剤加算の対象となる。設問の場合は液剤の45点を算定する。

A.8 ▶ ③

顆粒剤と細粒を計量混合しているので、計量混合調剤加算を算定する。点数は、「散剤、顆粒剤」の45点が算定できる。休日の調剤であるため、休日加算が算定できる。休日加算は、調剤基本料（加算含む）、薬剤調製料、無菌製剤処理加算および在宅患者調剤加算ならびに調剤管理料（加算除く）が対象となる。設問の場合、薬剤調製料が24点、調剤管理料が4点であるため、24点 × 1.4 = 33.6点→34点（1点未満四捨五入）、4点 × 1.4 = 5.6点→6点（1点未満四捨五入）をそれぞれ休日加算として算定できる。

A.9 ▶ ①

ドライシロップ剤を液剤と混合した場合は、計量混合調剤加算を算定するものとする。また、ドライシロップ剤を投与する場合において、調剤の際に溶解し、液剤（シロップ剤）にして患者に投与するときは内服用液剤として算定する。そのため、計量混合調剤加算（液剤）の 35 点が加算点数となる。

A.10 ▶ 予製剤

予製剤とは、手間や時間を要する調剤や処方回数の多い調剤に対して、迅速かつ効率的に行うための調剤準備である。薬局では人的・時間的に余裕のあるときに正確に行うことが求められる。

A.11 ▶ ①

1）、2）は内服用固形剤、かつ、服用時点が同じであるため、薬剤調製料の算定は 1 剤となる。しかし、服用日数が異なることから、1）、2）は別調剤となる。麻薬・向精神薬等の加算は、1 調剤ごとに算定するため、1）、2）のそれぞれに麻薬加算、向精神薬加算を算定することができる。

A.12 ▶ ②

1）2）は内服用固形剤、かつ、服用時点および服用日数が同じであることから、2 種類の薬をまとめて 1 剤（1 調剤）とすることになる。麻薬と向精神薬が混在する場合は、点数の高い麻薬加算の 70 点を算定する。

A.13 ▶ ○

重複投薬・相互作用等防止加算は、重複投薬、相互作用、残薬、そして「薬学的観点から必要と認める事項」に関するものに対し、疑義照会の結果、処方内容が変更された場合に算定できる。本問は、「薬学的観点から必要と認める事項」に該当する。

6 薬剤調製料および調剤管理料の加算

A.14 ▶ ✕

重複投薬・相互作用等防止加算は、薬剤服用歴や患者等の情報に基づき、医薬品の適正使用を目的として、保険薬剤師が疑義照会を行い、処方変更があった場合に算定できるものである。設問のように医薬品の備蓄がないことを理由に処方変更が行われても算定することはできない。

A.15 ▶ ✕

調剤管理加算は、「複数の医療機関で」6種類以上の内服薬が処方されているときの加算である。同一保険医療機関の複数診療科では要件を満たさない。

7 薬学管理料（調剤管理料以外）

A.1 ▶（1）薬C　59点　　（2）薬A　45点　　（3）薬B　59点

服薬管理指導料は、過去の来局状況、お薬手帳持参の有無によって、点数および略記号が異なる。

A.2 ▶ ✕

服薬管理指導は、患者の求めに応じて実施するものではない。使用する薬剤に関する管理・指導を実施し、要件に示されている内容を満たせば服薬管理指導料を算定できる。

A.3 ▶ 薬剤服用歴（薬歴）

患者ごとに作成され、その患者に特有の情報、薬の効果や副作用、使用中の処方薬などを記載し、安全で有効な薬物治療を行う目的で管理される。

A.4 ▶ 3（年間）

保存の方法については、電子的な方法でもよいが、作成された記録の書き換え・消去などが防止され、記録作成の責任の所在が明確であること（真正性）のほか、保存年限内は、記録が直ちにはっきり読めるようにすること（保存性、見読性）が必要である。また、運用管理規定を定め、患者のプライバシー保護に留意することが必要である。

A.5 ▸ お薬手帳

医師・歯科医師や薬剤師が、患者の医薬品の服用状況を確認するために用いたり、医薬品の飲み合わせの管理にも用いたりする。この手帳は患者が所持する。

A.6 ▸ 麻薬管理指導加算

調剤後、保険薬剤師は電話などにより定期的に服薬状況、残薬、保管状況、効果・副作用などを確認する必要がある。

A.7 ▸ ✕

設問の場合は、非ステロイド剤が重複投薬となっており、イブプロフェンを削除していることから、調剤管理料に重複投薬・相互作用等防止加算（残薬調整以外：40点）を算定する。

A.8 ▸ ②、③、④、⑥

特定薬剤管理指導加算1は、いわゆる「ハイリスク薬」に分類される医薬品について、適切な指導を行った場合に算定できる。ハイリスク薬とは、安全管理を誤ると重大な副作用や事故をもたらしうる医薬品のことである。以下の医薬品がハイリスク薬に該当する。

> 抗悪性腫瘍剤、免疫抑制剤、不整脈用剤、抗てんかん剤、血液凝固阻止剤（内服薬のみ）、ジギタリス製剤、テオフィリン製剤、精神神経用剤、糖尿病用剤、膵臓ホルモン剤、抗HIV薬、注射剤のカリウム製剤

A.9 ▸ ✕

特定薬剤管理指導加算1はハイリスク薬に係る処方全体に対して評価するものであることから、10点のみが算定できる。

A.10 ▸ ✕

患者としては継続して使用している医薬品であるため、新規処方とは認められず、特定薬剤管理指導加算1の10点を算定することはできない。

A.11 ▶ ○

特定薬剤管理指導加算2の算定に係る抗悪性腫瘍剤等以外の薬剤を対象として、特定薬剤管理指導加算1に係る業務を行った場合は併せて算定できる。

A.12 ▶ 6（歳）

乳幼児服薬指導加算は、6歳未満の乳幼児に対して指導を行った場合に算定できる。

※学習上は、処方箋の備考欄にある「6歳」の表記に注意を要する。この欄にある「6歳」は「義務教育就学前」を指す。

A.13 ▶ ○

シール等を交付した患者が次回以降に手帳を持参した場合は、当該シール等が貼付されていることを確認することが必要である。

A.14 ▶ ○

かかりつけ薬剤師指導料と調剤後薬剤管理指導料は、それぞれが独立した算定項目である。併算定不可の規定はないことから、それぞれ算定することができる。

A.15 ▶ ○

調剤後薬剤管理指導料1と2は、それぞれ対象疾患が異なる。併算定不可の規定はないことから、それぞれ算定することができる。

A.16 ▶ ○

レセプトの記載には、以下の点に注意する。

・保険医療機関、保険医氏名欄は記載しない。

・処方箋の受付は0回として取り扱う。

・レセプトの摘要欄に、服薬管理を行った日、服薬支援の対象となった薬剤の処方医の氏名、保険医療機関の名称を記載する。

A.17 ▶ ブラウンバッグ

1980年代のアメリカやイギリスで始まった。地域の薬局が主体的に患者の服薬管理をし、医薬品の適正使用に有効とされる。外来服薬支援料の算定の際には、このような袋を患者に配付等をし、取り組みを周知することが必要である。

A.18 ▶ ○

処方箋に基づく調剤ではないため、調剤技術料を算定することはできない。外来服薬支援料1は、薬歴管理業務を含む服薬支援に要したすべての行為が包括される。

A.19 ▶ ○

在宅患者訪問薬剤管理指導料の算定要件の中に居宅等の服薬支援があり、外来服薬支援料の服薬支援の内容を含む。なお、設問のほか、他の保険医療機関または保険薬局の薬剤師が訪問薬剤管理指導を行っている患者についても算定できない。

A.20 ▶ ○

服薬支援とは、一包化調剤や服薬カレンダーなどで多種類の医薬品を整理することである。

A.21 ▶ ✕

外来服薬支援料1と2は併せて算定できない。例えば、処方医からの一包化薬の指示がある処方箋とともに、他の薬局で調剤された薬剤や保険医療機関で院内投薬された薬剤を併せて薬局に持参した場合を考えてみよう。処方箋に基づく調剤を行う際にすべての薬剤の一包化を行い、服薬支援を行った場合、他の薬局で調剤された薬剤や保険医療機関で院内投薬された薬剤を一包化したことに対しては外来服薬支援料1、一包化の指示がある処方箋を一包化したことに対しては外来服薬支援料2の対象となる。よってこの場合は点数の高いほうで算定する。

A.22 ▶ ○

外来服薬支援料2は、多剤投与により薬剤の飲み忘れや飲み誤りの恐れがある、または心身の特性により、薬剤の取り出しが困難な患者に対して一包化を行った場合に算定できる。

設問の場合は、サービスにかかる実費を徴収できる。

A.23 ▶ 薬剤調製料 ： 1）24（点）　　2）24（点）
　　　　　調剤管理料 ： 1）28（点）　　2）4（点）
　　　　　外来服薬支援料2 ：68（点）

服薬時点がそれぞれ異なる内服薬固形剤2剤の事例である。それぞれ薬剤調製料および調剤管理料を算定することができる。薬剤調製料は1）も2）も24点、調剤管理料は1）は14日分28点、2）は7日分4点をそれぞれ算定できる。

一包化しているため、外来服薬支援料2を算定することができる。Rp. 1）と2）で服用時点は重ならないが、1）が3種類の薬剤であるため、14日分68点（本文P.86参照）が算定できる。

A.24 ▶ 薬剤調製料 ： 1）24（点）　　2）24（点）　　3）24（点）
　　　　　調剤管理料 ： 1）28（点）　　2）4（点）　　3）4（点）
　　　　　外来服薬支援料2 ：34点

服薬時点がそれぞれ異なる内服用固形剤3剤の事例である。それぞれ薬剤調製料および調剤管理料を算定することができる。薬剤調製料は、1）～3）それぞれ24点、調剤管理料は、1）は10日分であるため28点、2）・3）は各7日分であるため、それぞれ4点を算定できる。

外来服薬支援料については、7日分が朝食後（または夕食後）で服用時点が重なる。8日目以降のRp. 1）は、他の薬剤と服用時点の重複はなく、2種類の薬剤であるため、外来服薬支援料2の対象とはならない。よって、外来服薬支援料は7日分の34点を算定できる。

A.25 ▸ a. 地方厚生（支）局長　　b. 医師（処方医）

在宅患者訪問薬剤管理指導は、通院困難な患者に対し、薬歴管理、服薬指導、服薬支援、薬剤服用状況および薬剤保管状況の確認等を行う。

A.26 ▸ a. 在宅基幹（薬局）　　b. サポート（薬局）

在宅基幹薬局とサポート薬局が連携することで、在宅患者訪問薬剤管理指導を継続的に行うことができる。訪問指導を行うと、処方医に報告義務があるが、この報告は在宅基幹薬局が行う。

A.27 ▸ 在宅基幹（薬局）

在宅患者訪問薬剤管理指導料の算定は在宅基幹薬局が行うが、実際にサポート薬局が行った訪問指導の報酬については、薬局間で合意した方法で精算する。

A.28 ▸ ○

請求をしてしまうと、返戻の対象となってしまうため、注意を要する。

A.29 ▸ ○

A.30 ▸ 在宅患者緊急時等共同指導（料）

容体急変時や診療方針の変更時に、医療関係職種等が検討（カンファレンス）を行うことで、適切な治療方針の立案と情報共有ができる。在宅患者緊急時等共同指導料はこのような取り組みを評価したものである。

A.31 ▸ ✕

在宅患者緊急訪問薬剤管理指導料は、以下の条件を満たす必要がある。

・在宅患者の容体が急変した

・訪問診療を行う保険医の要請に基づき、保険薬剤師が緊急訪問、指導を行う

・処方医に訪問結果について報告する

設問の場合は、疾患の状態を考慮していないため、在宅患者緊急訪問薬剤管理指導料は算定できない。

A.32 ▶ 退院時共同指導（料）

退院時共同指導料は、退院時に連携する医療関係職種から情報を得て、退院後の訪問指導に必要な薬学的管理計画に反映させることを評価するものである。

A.33 ▶ ○

退院時共同指導料は、退院後に「在宅」で療養を行う患者が算定の対象である。よって設問の通りである。

A.34 ▶ 患者の同意

服薬情報等提供料を算定することで、医師の処方設計および患者の服薬の継続または中断の判断の参考とする等、保険医療機関と保険薬局の連携の下で医薬品の適正使用を推進することを目的とするものである。

A.35 ▶ ○

患者の同意に基づき、算定要件を満たしていれば、服薬情報等提供料1または2を算定できる。

A.36 ▶ ○

服薬情報等提供料は、処方医または患者の求めに応じて、保険薬局が情報提供を行った場合に算定できるものであり、処方箋の受付とは独立している。費用の請求は、情報提供を実施した月に請求をすることになる。

A.37 ▶ ×

服用薬剤調整支援料2の算定は「患者ごとに3か月に1回まで」であるため、算定することができない。

A.38 ▶ 同意

患者の同意は、同意書に患者の署名をしてもらい、保管するとともに薬剤服用歴にも同意の旨を記載する。かかりつけ薬剤師指導料は同意を得た後、次回の処方箋受付時に算定する。

A.39 ▸ ✕

かかりつけ薬剤師指導料は、患者1名に対し1名の保険薬剤師が担当することが前提である。設問の場合、かかりつけ薬剤師指導料を算定することができず、要件を満たせば服薬管理指導料の特例を算定する（本文P.78、80〜81参照）。

A.40 ▸ a. 3（年）　　b. 32（時間）　　c. 12（か月）

かかりつけ薬剤師指導料は、保険医と連携して患者の服薬状況を一元的・継続的に把握した上で患者に対して服薬指導等を行うことを評価するものである。そのため、設問のように一定の経験、勤務条件を満たすことが求められる。

A.41 ▸ ✕

かかりつけ薬剤師指導料は、服薬管理指導料またはかかりつけ薬剤師包括管理料とは同時に算定することができない。

A.42 ▸ ✕

2024年改定前、吸入薬指導加算は服薬管理指導料の加算項目であったが、吸入薬に係る情報提供、服薬指導は、かかりつけ薬剤師が通常行う業務と異なることから、2024年6月1日より、かかりつけ薬剤師指導料の算定点数に対し、吸入薬指導加算が算定できるようになった。

Chapter 6 レセプト (調剤報酬明細書) の作成

1 レセプトの作成と点検

A.1 ▸×

設問の場合は、変更前の調剤報酬明細書と変更後の調剤報酬明細書をそれぞれ作成し、変更後の調剤報酬明細書の摘要欄には「保険者変更」と記載する。

A.2 ▸査定

査定の場合は、増減点連絡書に記載される。査定内容に疑義がある場合は、保険薬局は審査支払機関に再審査請求をすることができる。

A.3 ▸②

設問の場合は、速やかな支払いを受けるためには②が望ましい。①の場合は、審査支払機関の査定結果を待ってからの対応となり、②に比べると入金までにより時間を要する。

A.4 ▸返戻

返戻の場合は、レセプト自体が差し戻されるため、保険薬局は内容を精査・修正して再提出することになる。

2 レセプトの記載方法

A.1 ▸麻薬小売業者

麻薬を調剤する場合、保険薬局は麻薬小売業者の免許が必要である。処方箋に記載される麻薬施用者番号を記載しないように留意する。麻薬施用者番号は麻薬を処方する保険医の免許番号である。

A.2 ▸×

設問においては、実際に調剤した銘柄で薬剤料の請求を行う。なお、後発医薬品を調剤しなかった場合は、レセプトの摘要欄にその理由（患者の意向／保険薬局の備蓄／後発医薬品なし等）を記載する。

A.3 ▸ a. 1 日分の用量　　　b. 投薬日数

一度に多量に処方される湿布薬が一定程度あり、残薬削減等の保険給付適正化の
観点から、設問のようにレセプトの記載をするように定められている。

A.4 ▸ ✕

処方医に連絡・確認を行った内容の要点、変更内容を記載することが求められる。

A.5 ▸ ◯

「〇月×日〇時△分、緊急受付」というように記入する。学習において記入し忘
れがあることが多いので、注意を要する。

✚解答・解説

解答 ▶ ⑤、⑥、⑩、⑪、⑫

<hr>

解説

　処方内容を正しく入力すれば、正しく計算される。入力を誤れば、誤った計算がなされる。⑩、⑪において誤った入力がされているため、これに基づいて計算された⑤、⑥に誤りが出る。

- ⑪：薬剤の規格について、処方箋は5mgとしているが、調剤録では10mgと入力されている。また、服用は朝食前ではなく朝食後である。
- ⑫：薬剤の用法について、処方箋は「疼痛時」(屯服)としているが、調剤録では「起床時服用」(内服)となっている。
- ⑩：⑫が内服薬から屯服薬に変更となることに伴い、調剤管理料はRp. 1)(内服薬)の28点分のみ算定できる。

　上記の点から、正しい調剤録は右の通りとなる。修正箇所は⬭の部分である。

参考 ▶ 薬剤料・薬剤調製料・調剤管理料については以下の通り。

Rp. 1） 薬剤料：11.10 円 × 1 錠 = 11.10 円 → 1 点 　　1 点 × 14 日分 = 14 点
　　　　薬剤調製料：内服薬 24 点、調剤管理料：内服薬 14 日分 28 点……①
　　　　　小計は調剤録より 24 点 + 14 点 = 38 点……②

　　2） 薬剤料：9.80 円 × 1 錠 × 5 回分 = 49 円 → 5 点 　　5 点 × 1 調剤分 = 5 点
　　　　薬剤調製料：屯服薬 21 点、調剤管理料：算定なし
　　　　　小計は 21 点 + 5 点 = 26 点……③

　　3） 薬剤料：13.10 円 × 7 枚 = 91.70 円 → 9 点 　　9 点 × 1 調剤分 = 9 点
　　　　薬剤調製料：外用薬 10 点、調剤管理料：算定なし
　　　　　小計は 10 点 + 9 点 = 19 点……④

調剤基本料1、後発医薬品調剤体制加算2：45 点 + 28 点 = 73 点……⑤
服薬管理指導料：薬C 59 点（3月以内の来局がないので）……⑥
調剤報酬点数計（①+②+③+④+⑤+⑥）：243 点
患者負担額：243 点 × 10 円 × 0.3 = 729 円 → 730 円（10 円未満四捨五入）
医療保険給付額：243 点 × 10 円 − 730 円 = 2,430 円 − 730 円 = 1,700 円

✦正しい調剤録

患者氏名： 太田 美保子 様

昭和30年12月08日	女	68歳6ヶ月	処方日	令和06年05月26日	調剤日	令和06年05月26日

社保		家族	負担割	30%	給付割	70%	公1		
保険者番号		34130013					公2		
記号・番号		公立東京・55-187					公3		
保険補足情報									
処方箋	斎田 誠			会計	斎田 誠			薬歴	
医療機関	小浜医院								
県番号	13	医コード	9777777	歯コード			医師	小浜 史雄（内科）	
所在地	東京都千代田区神田3-5								

剤型	薬剤調製料	薬剤料	日／回	小計	加算	合計
内服	24	1	14	38		38
屯服	21	5	1	26		26
外用	10	9	1	19		19

調剤基本料1	45	調剤報酬点数計	243 点
後発医薬品調剤体制加算2	28	医療保険給付額	1,700 円
薬歴管理（3月外）	59	保険適用分患者負担額	730 円
内服薬調剤管理料（8〜14日）	28	患者負担額合計金額	730 円

内容	数量	単位	日／回	剤型	別剤	混	加算	公費
シンバスタチン錠5mg「オーハラ」	1	錠		固型				
1日1回朝食後服用			14	内服 固型				
ロキソプロフェンナトリウム錠 60mg「日医工」	1	錠		固型				
疼痛時			5	屯服 固型				
フルルビプロフェンテープ40mg 「QQ」	7	枚						
患部に貼付 1日1枚使用 7日分			1	外用				

45

✚調剤報酬の計算

（１）　①　45　　② 　基A 　　※①調剤基本料1

（２）　①　医療情報取得加算2　　② 　1　　③ 　医情B

（３）　①　59　　②　c　　※3月以内の来局歴とお薬手帳の有無で判断する。

（４） 　1　 c　 　2　 a

　　　　※ 1 は薬価の「外用薬」欄より判断可能である。 2 は、内用薬で、「〜日分」

　　　　とあるので内服薬。

　　 3

Rp.	単位薬剤料	調剤数量	薬剤料	薬剤調製料	調剤管理料	加算
1）	164	1	164	10	0	
2）	10	7	70	24	4	
3）	3	7	21	24	4	
4）	5	7	35	24	4	

○薬剤料……単位薬剤料×調剤数量で計算する。

　Rp. 1）　外用薬であるため、単位薬剤料は総量。調剤数量は1である。

　　　　　　単位薬剤料：1638.20円 × 1キット = 1638.20円

　　　　　　　　　　　　1638.20円 ÷ 10円 = 163.82点 → 164点

　　　 2）　単位薬剤料は4カプセル分。調剤数量は日数分の7となる。

　　　　　　単位薬剤料：24.70円 × 4カプセル = 98.80円

　　　　　　　　　　　　98.80円 ÷ 10円 = 9.88点 → 10点

　　　 3）　単位薬剤料は1錠分。調剤数量は日数分の7となる。

　　　　　　単位薬剤料：27.30円 × 1錠 = 27.30円

　　　　　　　　　　　　27.30円 ÷ 10円 = 2.73点 → 3点

　　　 4）　単位薬剤料はアストミン3錠、ムコダイン3錠をまとめて算定する。

　　　　　　調剤数量は日数分の7となる。

　　　　　　単位薬剤料：6.80円 × 3錠 + 10.10円 × 3錠 = 50.70円

　　　　　　　　　　　　50.70円 ÷ 10円 = 5.07点 → 5点

○薬剤調製料・調剤管理料

　Rp. 1）は外用薬である。薬剤調製料10点を算定できる。調剤管理料は内服薬

で別に算定しているため、算定できない。

　Rp. 2）〜4）は内服薬である。それぞれ服用方法が異なるため、それぞれ薬剤

調製料・調剤管理料を算定できる。服用日数がそれぞれ7日分であるから、薬剤調

製料24点、調剤管理料4点（7日分以内）をそれぞれ算定する。

⊕ 調剤報酬明細書　　　　令和 6 年 6 月分

都道府県 薬局コード／県番号

4調剤	①社・国 ②公費	3後期	1単独 2 2併 3 3併	1本入 2 4六入 6	本外 六外 家外	8高入一 0高外7

給付割合 10 9 8 7 ( )　様式第五

保険者番号　3 4 1 3 0 0 2 1

被保険者証・被保険者手帳等の記号・番号　11K・12345

公費負担者番号 ①		公費負担医療の受給者番号 ①	
公費負担者番号 ②		公費負担医療の受給者番号 ②	

氏名　原　恵美

1男 ②女　1明 2大 ③昭 4平 5令　52・4・11 生
職務上の事由　1職務上　2下船後3月以内　3通勤災害

特記事項

保険薬局の所在地及び名称

保険医療機関の所在地及び名称	さいたま市大宮区上小町 99　さいたま皮膚科医院	保険医氏名	1.長嶋　茂　6. 2.　　　　7. 3.　　　　8. 4.　　　　9. 5.　　　　10.	保険 公費① 公費②	受付回数	1 回 回 回
都道府県番号 1 1	点数表 1	医療機関コード 7 7 7 7 7 7 7				

医師番号	処方月日	調剤月日	処方 医薬品名・規格・用量・剤形・用法	単位薬剤料	調剤数量	薬剤調製料調剤管理料	薬剤料	加算料	公費分点数
1	6・12	6・12	「外用」 シムビコートタービュヘイラー30 吸入 1 キット 1日2回　1回1吸入　発作時吸入	164 点	1	100	164 点	点	点
1	6・12	6・12	「内服」 オノンカプセル 112.5mg　4 カプセル 1日2回　朝・夕食後	10	7	244	70		
1	6・12	6・12	「内服」 アレジオン錠20　1 錠 1日1回　朝食後	3	7	244	21		
1	6・12	6・12	「内服」 アストミン錠10mg　3 錠 ムコダイン錠500mg　3 錠 1日3回　毎食後	5	7	244	35		

	摘要		※高額療養費 円 ※公費負担点数 点 ※公費負担点数 点

保険	請求 489 点	※決定 点	一部負担金額 円 減額　割(円)免除・支払猶予	調剤基本料 基A 45 点	時間外等加算 点	薬学管理料 薬C 1 医情B 1 60
公費①	点	※ 点	円	点	点	点
公費②	点	※ 点	円	点	点	点

※ 下線部は省略可。

✚ 調剤報酬の計算

（1）　① 98　② 基A 、 地支A 、 後A 　　※① 45点+32点+21点=98点

（2）　b　※薬局の設定より開業時間内かつ 13：00 以降の来局である。

（3）　① 45

　　　② a　※3月以内の来局歴とお薬手帳の有無で判断する。

（4）　1 a　　2 c

　　※1 は、内用薬で、「〜日分」とあるので内服薬。2 は薬価の「外用薬」
　　欄より判断可能である。

3

Rp.	単位薬剤料	調剤数量	薬剤料	薬剤調製料	調剤管理料	加算
1）	2	60	120	24	60	
2）	96	1	96	10	0	
3）	9	1	9	10	0	
4）	86	1	86	10	0	

○薬剤料……単位薬剤料×調剤数量で計算する。

　Rp. 1）　単位薬剤料は2錠分。調剤数量は日数分の 60 となる。

　　　　　　単位薬剤料：11.50 円 × 2 錠 = 23.00 円

　　　　　　　　　　　23.00 円 ÷ 10 円 = 2.30 点 → 2 点

　　　2）　外用薬であるため、単位薬剤料は総量。調剤数量は1である。

　　　　　　単位薬剤料：96.40 円 × 10mL = 964.00 円

　　　　　　　　　　　964.00 円 ÷ 10 円 = 96.40 点 → 96 点

　　　3）　外用薬であるため、単位薬剤料は総量。調剤数量は1である。

　　　　　　単位薬剤料：17.90 円 × 5 mL = 89.50 円

　　　　　　　　　　　89.50 円 ÷ 10 円 = 8.95 点 → 9 点

　　　4）　外用薬であるため、単位薬剤料は総量。調剤数量は1である。

　　　　　　単位薬剤料：856.40 円 × 1 瓶 = 856.40 円

　　　　　　　　　　　856.40 円 ÷ 10 円 = 85.64 点 → 86 点

○薬剤調製料・調剤管理料

　Rp. 1）は内服薬である。60 日分であるため、薬剤調製料 24 点、調剤管理料 60 点（29 日分以上）を算定する。

　Rp. 2）〜4）は外用薬である。それぞれ薬剤調製料 10 点を算定できる。調剤管理料は内服薬で別に算定しているため、算定できない。

⊕ **調剤報酬明細書**　　令和 6 年　6月分

都道府県 薬局コード

4 調剤 ①社・国 3後期	①単独 2本外 8高外一
2公費	2 2併 4六外 0高外7
	2 3 3併 ⑥家外

保険者番号 `0 1 1 3 1 1 6 8`　給付割合 10 9 8 7 ( )

| 公費負担者番号① | | 公費負担医療の受給者番号① | |
| 公費負担者番号② | | 公費負担医療の受給者番号② | |

被保険者証・被保険者手帳等の記号・番号　**987654・12**

氏名　**鳥居　幸恵**　　1男 ②女　1明 2大 ③昭 4平 5令 63・4・24 生

特記事項

保険薬局の所在地及び名称

職務上の事由　1職務上　2下船後3月以内　3通勤災害

| 保険医療機関の所在地及び名称 | 東京都新宿区大久保3-5-8 大久保第一病院 | 保険医氏名 | 1. 島津　浩一　　6.
2.　　　　　　　7.
3.　　　　　　　8.
4.　　　　　　　9.
5.　　　　　　　10. | 保険 受付回数 | 1 回
公費① 回
公費② 回 |
| 都道府県番号 `1 3`　点数表番号 `1`　医療機関コード `1 4 1 4 8 8 1` | | | | | |

医師番号	処方月日	調剤月日	処方　医薬品名・規格・用量・剤形・用法	単位薬剤料	調剤数量	薬剤調製料調剤管理料	調剤報酬点数 薬剤料	加算料	公費分点数
1	6・22	6・22	「内服」 フェキソフェナジン塩酸塩錠 60mg 「サワイ」 2錠 1日2回 朝夕食後	2 点	60	24 60	120 点	点	点
1	6・22	6・22	「外用」 パタノール点眼液0.1%　10mL 　　　　1日4回　両点眼	96	1	10 0	96		
1	6・22	6・22	「外用」 フルオロメトロン 0.1% 1mL 点眼液 5mL 　　　　1日2回　両点眼	9	1	10 0	9		
1	6・22	6・22	「外用」 ナゾネックス点鼻液 50μg 56 噴霧用 5mg 10g　1瓶 　　　　1日1回　点鼻	86	1	10 0	86		

摘要	6/22 (土) 13：30　受付	※高額療養費 円 ※公費負担点数 点 ※公費負担点数 点

保険	請求 608 点	※決定 点	一部負担金額 円 減額　割(円)免除・支払猶予	調剤基本料 点 基A 地支A 後A 98	時間外等加算 点 夜 40	薬学管理料 点 薬A 1 45
公費①	点	※ 点	円	点	点	点
公費②	点	※ 点	円	点	点	点

※ 下線部は省略可。

✚ 調剤報酬の計算

（1）　① 53　　② 基D 、 後C 、 薬DX 　　※① 19点＋30点＋4点＝53点

（2）　① 45

　　　② a　※3月以内の来局歴とお薬手帳の有無で判断する。

（3）　c　※前回と同じ処方内容のハイリスク薬であり、医薬品リスク管理計画対
　　　　　象の医薬品ではないため、特定薬剤管理指導加算1および3は算定す
　　　　　ることができない。

（4）　1 　① b　　② 8　　③ 向

　　　※① 向精神薬加算は「1調剤」ごとに加算できる。Rp. 3）の薬剤は2つ
　　　　　とも向精神薬の調剤であるが、まとめて算定する。

　　　2

Rp.	単位薬剤料	調剤数量	薬剤料	薬剤調製料	調剤管理料	加算
1）	5	30	150	24	60	向8
2）	3	14	42	24	28	
3）	4	30	120	24	60	向8

○薬剤料……単位薬剤料×調剤数量で計算する。

　Rp. 1）　内服薬であり、2種類の薬剤で1剤のため、薬剤料を合計してから点数
　　　　　に換算する。単位薬剤料はトフラニール錠4錠とリーゼ錠2錠。調剤数
　　　　　量は日数分の30となる。

　　　　　単位薬剤料：10.10円×4錠＋6.40円×2錠＝53.20円

　　　　　　　　　　53.20円÷10円＝5.32点 → 5点

　　　2）　内服薬であり、単位薬剤料は3カプセル。調剤数量は日数分の14となる。

　　　　　単位薬剤料：9.60円×3カプセル＝28.80円

　　　　　　　　　　28.80円÷10円＝2.88点 → 3点

　　　3）　内服薬であり、2種類の薬剤で1剤のため、薬剤料を合計してから点数
　　　　　に換算する。単位薬剤料はマイスリー錠1錠とデパス錠1錠。調剤数量
　　　　　は日数分の30となる。

　　　　　単位薬剤料：31.00円×1錠＋10.10円×1錠＝41.10円

　　　　　　　　　　41.10円÷10円＝4.11点 → 4点

○薬剤調製料・調剤管理料

　内服薬はそれぞれ服用方法が異なるため、それぞれ薬剤調製料・調剤管理料を算定
できる。Rp. 1）および3）がそれぞれ30日分であるから、薬剤調製料24点、

調剤管理料60点（29日分以上）をそれぞれ算定する。Rp. 2）は14日分であるか
ら、薬剤調製料24点、調剤管理料28点（8〜14日分）を算定する。

✚解答レセプト

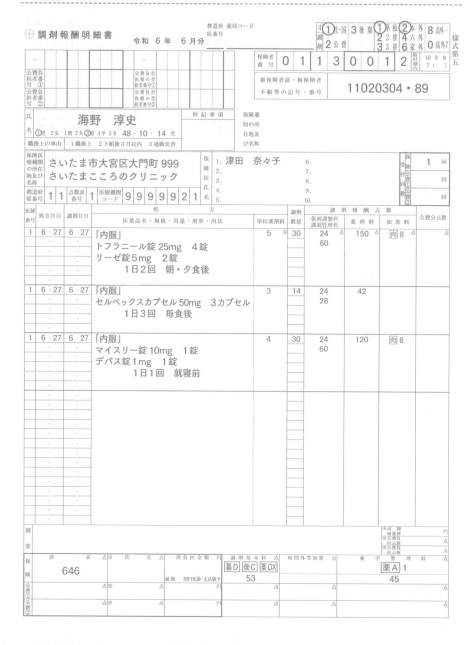

✦調剤報酬の計算

（1） ① 50 ② 基B 、 後A ※① 29 点＋ 21 点＝ 50 点

（2） ① 45 ② a ※ 3 月以内の来局歴とお薬手帳の有無で判断する。

（3） c ※前回と同じ処方内容のハイリスク薬であり、医薬品リスク管理計画対象の医薬品ではないため、特定薬剤管理指導加算 1 および 3 は算定することができない。

（4） 1 a ※内用薬で、「〜日分」とあるので内服薬。

2

Rp.	単位薬剤料	調剤数量	薬剤料	薬剤調製料	調剤管理料	加算
1 ）	12	98	1176	24	60	
2 ） 3 ）	8	98	784	24	60	
4 ）	5	98	490	24	60	
5 ）	4	98	392	0	0	

○薬剤料……単位薬剤料×調剤数量で計算する。

Rp. 1 ） 単位薬剤料は 2 錠分、調剤数量は日数分の 98 となる。

単位薬剤料： 60.60 円× 2 錠＝ 121.20 円

121.20 円÷ 10 円＝ 12.12 点→ 12 点

2 ） 3 ） 単位薬剤料は、 2 つの薬で 1 剤である。合計金額を計算して点数に換算する。調剤数量は日数分の 98 となる。

単位薬剤料： 10.10 円× 1 錠＋ 69.70 円× 1 カプセル＝ 79.80 円

79.80 円÷ 10 円＝ 7.98 点→ 8 点

4 ） 単位薬剤料は 3 錠分。調剤数量は日数分の 98 となる。

単位薬剤料： 15.80 円× 3 錠＝ 47.40 円

47.40 円÷ 10 円＝ 4.74 点→ 5 点

5 ） 単位薬剤料は 1 カプセル分。調剤数量は日数分の 98 となる。

単位薬剤料： 36.40 円× 1 カプセル＝ 36.40 円

36.40 円÷ 10 円＝ 3.64 点→ 4 点

○薬剤調製料・調剤管理料

内服薬はそれぞれ服用方法が異なるため、それぞれ薬剤調製料・調剤管理料を算定できる。ただし、 3 剤が限度である。それぞれ 98 日分であるから、薬剤調製料 24 点、調剤管理料 60 点（29 日分以上）をそれぞれ算定する。

✚ 解答レセプト

調剤報酬明細書　　令和 6 年 6 月分

都道府県番号 薬局コード

	4 調剤	①社・国 3後期 ①単独 ②2併 8高入一 様式第五
		2公費 22 46 0高外7
		3 26

保険者番号 ０６１３０３４８　給付割合 10 9 8 7 ( )

被保険者証・被保険者手帳等の記号・番号　43・345

公費負担者番号①
公費負担者番号②
公費負担医療の受給者番号①
公費負担医療の受給者番号②

氏名　近藤　龍之介　　特記事項
①男 2女　1明 2大③昭 4平 5令 41・4・11 生
職務上の事由　1職務上　2下船後3月以内　3通勤災害

保険薬局の所在地及び名称

保険医療機関の所在地及び名称　東京都中野区中野 4-3-21　石川内科医院
都道府県番号 13　点数表 1　医療機関コード 7 5 6 8 9 8 8

保険医氏名　1. 石川　耕太郎　6. 2. 3. 4. 5. 7. 8. 9. 10.

保険受診回数　公費①回数　公費②回数　1 回

医薬品番号	処方月日	調剤月日	処方 医薬品名・規格・用量・剤形・用法	単位薬剤料	調剤数量	薬剤調製料 調剤管理料	薬剤料	加算料	公費分点数
1	6・8	6・8	「内服」 エクア錠50mg　2錠　　1日2回　朝夕食後	12 点	98	24 点 60	1176 点	点	点
1	6・8	6・8	「内服」 ロスバスタチン錠2.5mg「杏林」 1錠 ネキシウムカプセル20mg　1カプセル　　1日1回　夕食後	8	98	24 60	784		
1	6・8	6・8	「内服」 エパルレスタット錠50mg「NP」 3錠　　1日3回　毎食後	5	98	24 60	490		
1	6・8	6・8	「内服」 リリカカプセル25mg　1カプセル　　1日1回　朝食後	4	98	0 0	392		

摘要

高額療養費 円
公費負担点数 点
公費負担点数 点

保険	請求 点	決定 点	一部負担金額 円	調剤基本料 点	時間外等加算料 点	薬学管理料 点
	3,189		減額 割(円)免除・支払猶予	基B 後A 50		薬A 1 45
公費①	点	点	円	点	点	点
公費②	点	点	円	点	点	点

✚調剤報酬の計算

（１）　①　85　　②　基A 、 地支B 　　※① 45 点＋ 40 点＝ 85 点

（２）　①　医療情報取得加算２　　②　１　　③　医情B

（３）　①　59

　　　　②　c　※３月以内の来局歴とお薬手帳の有無で判断する。

（４）　1 　①　計量混合調剤

　　　　　②　80　　③　計 　※ Rp. １）の薬剤は軟・硬膏剤に該当する。

　　　　2

Rp.	単位薬剤料	調剤数量	薬剤料	薬剤調製料	調剤管理料	加算
１）	84	1	84	10	0	計80
２）	4	5	20	24	4	
３）	1	5	5	24	4	

○薬剤料……単位薬剤料×調剤数量で計算する。

　Rp. １）　外用薬であり、２種類の薬剤を混合するため、薬剤料を合計してから点
　　　　　　数に換算する。単位薬剤料は総量。調剤数量は１である。

　　　　　　単位薬剤料：27.70 円 × 25 g ＋ 58.10 円 ÷ 10 g × 25 g※ ＝ 837.75 円

　　　　　　　　　　837.75 円 ÷ 10 円 ＝ 83.775 点 → 84 点

　　　　　　※オイラックスクリームは、薬価が 10 g 単位であるため、１ g あたりの
　　　　　　　薬価を求めてから計算をすると間違いが少ない。

　　　２）　内服薬であり、単位薬剤料は１錠。調剤数量は日数分の５となる。

　　　　　　単位薬剤料：37.50 円 × １錠 ＝ 37.50 円

　　　　　　　　　　37.50 円 ÷ 10 円 ＝ 3.75 点 → ４点

　　　３）　内服薬であり、単位薬剤料は１錠。調剤数量は日数分の５となる。

　　　　　　単位薬剤料：8.00 円 × １錠 ＝ 8.00 円 → １点（薬剤料 15 円以下は１点）

○薬剤調製料・調剤管理料

　Rp. １）は外用薬である。薬剤調製料 10 点を算定できる。調剤管理料は内服薬
で別に算定しているため、算定できない。

　Rp. ２）、３）は内服薬である。それぞれ服用方法が異なるため、それぞれ薬剤
調製料・調剤管理料を算定できる。服用日数がそれぞれ５日分であるから、薬剤調
製料 24 点、調剤管理料４点（７日分以内）をそれぞれ算定する。

⊕ 調剤報酬明細書　　　　　令和 6 年 6 月分

| 都道府県番号 | 薬局コード | | 4 調剤 | ① 社・国 2 公費 | 3 後期 | 1 単 2 2 併 3 | 独 6 併 | ① 本 外 2 6 家 外 | 8 高外一 0 高外7 | 様式第五 |

保険者番号：1 1 4 0 3 1　給付割合 ⑦ 10 9 8

被保険者証・被保険者手帳等の記号・番号：21700098・39 ★

公費負担者番号①／公費負担者番号②／公費負担医療の受給者番号①／公費負担医療の受給者番号②

氏名　清水　健　　①男 2女　1明 2大 ③昭 4平 5令　62・11・15 生

特記事項

保険薬局の所在地及び名称

職務上の事由　1 職務上　2 下船後3月以内　3 通勤災害

| 保険医療機関の所在地及び名称 | さいたま市大宮区堀之内＊＊＊ 大宮第一皮膚科医院 | 保険医氏名 | 石島　洋一 | 6. 7. 8. 9. 10. | 保険 受付回数 公費① 公費② | 1 回 回 回 |

都道府県番号 1 1　点数表番号 1　医療機関コード 7 9 7 0 1 0 1

医師番号	処方月日	調剤月日	処方 医薬品名・規格・用量・剤形・用法	単位薬剤料	調剤数量	調剤報酬点数 薬剤調製料 調剤管理料	薬剤料	加算料	公費分点数
1	6・8	6・8	「外用」 リンデロン-VGクリーム0.12%　25g オイラックスクリーム10%　25g 　頚部、躯幹、四肢　1日2～3回	84 点	1	10 点 0	84 点	計 80 点	点
1	6・8	6・8	「内服」 クラリチン錠10mg　1錠 　　　　1日1回　朝食後	4	5	24 4	20		
1	6・8	6・8	「内服」 セレスタミン配合錠　1錠 　　　　1日1回　夕食後	1	5	24 4	5		

摘要

※高額療養費　　　　　円 ㊺公費負担点数　　点 ㊻公費負担点数　　点

保険	請　求	点 ※	決　定	点	一部負担金額 円	調剤基本料 点	時間外等加算 点	薬学管理料 点
	400				減額 割（円）免除・支払猶予	基A 地支B 85		薬C 1 医情B 1 60
公費①	点 ※		点		円	点	点	点
公費②	点 ※		点		円	点	点	点

★ 保険者番号が6桁（国民健康保険）であるため、給付割合欄の数字をマル囲みする。
※ 下線部は省略可

✚ 調剤報酬の計算

（1） ① 50 ② 基B 、 後A ※① 29点＋21点＝50点

（2） ① 45 ② a ※3月以内の来局歴とお薬手帳の有無で判断する。

（3） b ※特に安全管理が必要な医薬品であるシュアポスト錠の用量が変更と
なっている。そのため、特定薬剤管理指導加算1 ロ）を算定するこ
とができる。なお、レセプトの略記号は、 特管Aロ である。

（4）

Rp.	単位薬剤料	調剤数量	薬剤料	薬剤調製料	調剤管理料	加算
1）	6	30	180	24	60	
2）	3	30	90	24	60	

○薬剤料……単位薬剤料×調剤数量で計算する。

Rp. 1） 単位薬剤料は、4つの薬で1剤である。合計金額を計算して点数に換算
する。

調剤数量は日数分の30となる。

単位薬剤料：10.10円×1錠＋29.80円×1錠＋10.10円×1錠

＋11.40円×1錠＝61.40円

61.40円÷10円＝6.14点 → 6点

2） 単位薬剤料は1錠分。調剤数量は日数分の30となる。

単位薬剤料：31.60円×1錠＝31.60円

31.60円÷10円＝3.16点 → 3点

○薬剤調製料・調剤管理料

Rp. 1）、2）は内服薬である。それぞれ30日分であるため、薬剤調製料24点、
調剤管理料60点（29日分以上）を算定する。

調剤報酬明細書

令和 6 年 6 月分　都道府県番号 13　薬局コード

	4 調剤	①1 社・国 3 後期	①1 単独	②2 本外	8 高外一	様式第五
		2 公費	2 2 併 4 六併	4 6 家外	0 高外7	
			3 3 併		給付割合 10 9 8 7 ( )	

保険者番号 0 1 1 1 0 0 1 4

被保険者証・被保険者手帳等の記号・番号　3111・2211

| 公費負担者番号① | | | | | | | 公費負担医療の受給者番号① | | | | | | |
| 公費負担者番号② | | | | | | | 公費負担医療の受給者番号② | | | | | | |

氏名　山川　真希

1 男 ②女　1 明 2 大 ③昭 4 平 5 令　37・5・8 生

特記事項

職務上の事由　1 職務上　2 下船後3月以内　3 通勤災害

保険薬局の所在地及び名称

保険医療機関の所在地及び名称　埼玉県さいたま市浦和区領家5－99　うらわ内科医院

保険医氏名　長嶋　隆一

1.	6.
2.	7.
3.	8.
4.	9.
5.	10.

| 保険 | 受付回数 | 公費① | 公費② |
| 1 回 | 回 | 回 | |

都道府県番号 11　点数表 1　医療機関コード 0 3 0 7 7 7 x

医師番号	処方月日	調剤月日	処方 医薬品名・規格・用量・剤形・用法	単位薬剤料	調剤 数量	薬剤調製料 調剤管理料	薬剤料	加算料	公費分点数
1	6・10	6・10	「内服」	6 点	30	24 点	180 点	点	点
	・	・	アムロジピン錠5mg「タカタ」　1錠			60			
	・	・	フェブリク錠20mg　1錠						
	・	・	カルベジロール錠2.5mg　1錠						
	・	・	ロスバスタチン錠2.5mg「タカタ」　1錠						
			1日1回　朝食後						
1	6・10	6・10	「内服」	3	30	24	90		
	・	・	シュアポスト錠0.5mg　1錠			60			
			1日1回　朝食直前						

摘要						審高額療養費	円
						審公費負担点数	点
						審公費負担点数	点

保険	請求 点※	決定 点	一部負担金額 円	調剤基本料 点	時間外等加算料 点	薬学管理料 点
	538			基B 後A		薬A 1 特管A ロ 1
			減額 割(円)免除・支払猶予	50		50
公費①	点※	点	円	点	点	45点＋5点 点
公費②	点※	点	円	点	点	点

✚調剤報酬の計算

（1） ① 82　② 基A 、 地支A 、 連強 　※45点＋32点＋5点＝82点
（2） ① 76　② 薬指
（3） c　※前回と同じ処方内容のハイリスク薬で、医薬品リスク管理計画対象の
　　　　　医薬品ではないため、特定薬剤管理指導加算1および3は算定不可。
（4） 1 　a ※内用薬で～日分とあるため　　2 　c
　　　 3 　① 外来服薬支援料2　② 68　③ 支B
　　※ Rp. 1）が3種類の薬剤で1剤となっている。そのため、Rp. 1）単独
　　　で14日分の外来服薬支援料2が算定できる。34点＋34点＝68点
　　　なお、Rp. 2）はRp. 1）と服用時点の重なりがなく、対象外である。

4

Rp.	単位薬剤料	調剤数量	薬剤料	薬剤調製料	調剤管理料	加算
1）	7	14	98	24	28	支B 68
2）	3	14	42	24	28	
3）	60	1	60	10	0	
4）	261	1	261	10	0	

○薬剤料……単位薬剤料×調剤数量で計算する。
　Rp. 1）　単位薬剤料は、3つの薬で1剤である。合計金額を計算して点数に換算する。
　　　　　調剤数量は日数分の14となる。
　　　　　　　単位薬剤料：27.10円×1錠＋11.60円×1錠＋29.80円×1錠＝68.50円
　　　　　　　　　　　　　68.50円÷10円＝6.85点 → 7点
　　　 2）　単位薬剤料は1錠分。調剤数量は日数分の14となる。
　　　　　　　単位薬剤料：32.90円×1錠＝32.90円
　　　　　　　　　　　　　32.90円÷10円＝3.29点 → 3点
　　　 3）　外用薬であるため、単位薬剤料は総量。調剤数量は1である。
　　　　　　　単位薬剤料：42.90円×14枚＝600.60円
　　　　　　　　　　　　　600.60円÷10円＝60.06点 → 60点
　　　 4）　外用薬であるため、単位薬剤料は総量。調剤数量は1である。
　　　　　　　単位薬剤料：186.70円×14枚＝2613.80円
　　　　　　　　　　　　　2,613.80円÷10円＝261.38点 → 261点

○薬剤調製料・調剤管理料
　Rp. 1）、2）は内服薬である。それぞれ14日分であるため、薬剤調製料24点、
調剤管理料28点（8～14日分）を算定する。
　Rp. 3）、4）は外用薬である。それぞれ薬剤調製料10点を算定できる。調剤管
理料は内服薬で別に算定しているため、算定できない。

| ⊕ 調剤報酬明細書 | | 令和 6 年 8 月分 | 都道府県番号 薬局コード | | 4調剤 | 1社・国 2公費 | 3後期 | ①単独 2 2併 3 3併 | 1単独 246 2本外 4六外 6家外 | 2本外 4六外 8高外7 | ⑧高外一 0 | 給付割合 | 10 9 8 7 ( ) | 様式第五 |

保険者番号が「39」から始まるので後期に○をつける

| 保険者番号 | 3 9 1 1 2 1 9 8 |
| 被保険者証・被保険者手帳等の記号・番号 | 12345678 |

氏名	前川　清子	特記事項	保険薬局の所在地及び名称
	1男 ②女　1明 2大 ③昭 4平 5令 12・8・7 生	42 区キ	
	職務上の事由　1職務上　2下船後3月以内　3通勤災害		

| 保険医療機関の所在地及び名称 | 埼玉県上尾市小泉 9-9-9　小泉病院 | 保険医氏名 | 1. 小泉　順一 6. / 2. 7. / 3. 8. / 4. 9. / 5. 10. | 保険 受付回数 公費① 公費② | 1 回 / 回 / 回 |
| 都道府県番号 | 11 点数表 1 医療機関コード 2 9 2 9 8 8 1 | | | | |

医師番号	処方月日	調剤月日	処　方 医薬品名・規格・用量・剤形・用法	単位薬剤料	調剤数量	薬剤調製料調剤管理料	薬剤料	加算料	公費分点数
1	8・7	8・7	「内服」 アテレック錠10　1錠	7 点	14	24 点 28	98	支B 68 点	点
	・	・	ラシックス錠40mg　1錠						
	・	・	フェブリク錠20mg　1錠						
	・	・	1日1回　朝食後						
1	8・7	8・7	「内服」 デプロメール錠50　50mg 1錠	3	14	24 28	42		
	・	・	1日1回　就寝前						
1	8・7	8・7	「外用」 フランドルテープ40mg　14枚	60	1	10 0	60		
	・	・	1日1枚　胸部に貼付						
1	8・7	8・7	「外用」 リバスタッチパッチ4.5mg　14枚	261	1	10 0	261		
	・	・	1日1枚　背部に貼付						

摘要						㊝高額療養費 ㊝公費負担 ㊝公費負担 ㊝公費負担	円 点 点 点
保険	請　求 点 ㊝	決　定 点	一部負担金額 円 減額　割(円免除・支払猶予)	調剤基本料 点 基A 地支 連強 82	時間外等加算 点	薬学管理料 点 薬指1 76	点
	811						
公費①	点 ㊝	点	円	点	点	点
公費②	点 ㊝	点	円	点	点	点

※ 下線部は省略可。

✚ 調剤報酬の計算

（1）　①　66　　②　基A 、 後A 　　※① 45 点＋21 点＝66 点

（2）　①　45

　　　②　a　※ 3 月以内の来局歴とお薬手帳の有無で判断する。

（3）　①　吸入薬指導　　②　30　　③　吸

（4）　①　重複投薬・相互作用等防止　　②　40　　③　防A

　　　※処方箋備考欄の記述から残薬以外の調整であることがわかる。

（5）　1　c　※薬価の「外用薬」欄より外用薬と判断できる。

　　　2

単位薬剤料	調剤数量	薬剤料	薬剤調製料	調剤管理料	加算
368	1	368	10	4	

○薬剤料……単位薬剤料×調剤数量で計算する。

　外用薬であるため、単位薬剤料は総量。調剤数量は 1 である。

　単位薬剤料：131.40 円 × 28 カプセル ＝ 3679.20 円

　　　　　　　3,679.20 円 ÷ 10 円 ＝ 367.92 点 → 368 点

○薬剤調製料・調剤管理料

　外用薬を調剤したため、薬剤調製料 10 点を算定できる。調剤管理料は内服薬以外の 4 点を算定する。

✚ 解答レセプト

調剤報酬明細書　　令和 6 年 10月分

| 都道府県番号 | 薬局コード | | 4調剤 ①社・国 2公費 | 3後期 | ①単独 22併 33併 | ②2本入 4六外 6家外 | 8高外一 0高外7 | 様式第五 |

| 保険者番号 | 1 3 8 1 2 3 | 給付割合 10 9 8 ⑦ |

被保険者証・被保険者手帳等の記号・番号　**12-38・8556**

公費負担者番号①
公費負担医療の受給者番号①
公費負担者番号②
公費負担医療の受給者番号②

氏名　**椎名　博一**
①男 2女　1明 2大③昭 4平 5令　30・11・26 生
職務上の事由　1職務上　2下船後3月以内　3通勤災害

特記事項

保険薬局の所在地及び名称

| 保険医療機関の所在地及び名称 | 東京都港区港南 3-9-99　港南病院 | 保険医氏名 | 南　洋一郎 |

1. 南　洋一郎　6.
2. 　7.
3. 　8.
4. 　9.
5. 　10.

| 都道府県番号 | 1 3 | 点数表番号 | 医療機関コード | 9 1 3 8 1 2 3 |

| 保険 | 受付回数 公費① 公費② | 1 回 / 回 / 回 |

医師番号	処方月日	調剤月日	処方 医薬品名・規格・用量・剤形・用法	単位薬剤料	調剤数量	調剤報酬点数 薬剤調製料 調剤管理料	薬剤料	加算料	公費分点数
1	10・11	10・11	「外用」 オンブレス吸入用カプセル150μg※ 28カプセル　1日1回　1カプセル　朝吸入	368 点	1	10 点 4	368 点	点	点

摘要
オンブレス吸入カプセルは、グリコピロニウム臭化物吸入用カプセルより変更
（港泌尿器科医院でナフトピジル口腔内崩壊錠が投与されているため）
オンブレス吸入用カプセル 150μg 初回（吸入薬指導加算）

	市高額療養費	円
	市公費負担点数	点
	県公費負担点数	点

保険	請　求 563 点	決　定 点	一部負担金額 円 減額 割（円免除・支払猶予）	調剤基本料 点 基A 後A 66	時間外等加算 点	薬学管理料 点 薬A 1 吸1 防A 1 115
公費①	点	※ 点	円	点	点
公費②	点	※ 点	円	点	点

※ レセプトには実際に調剤した医薬品名を記載する。

✚ 調剤報酬の計算

（1）　① 66　② 基A 、後A 　※① 45 点 + 21 点 = 66 点

（2）　b　※薬局の設定より開業時間内かつ 13：00 以降の来局である。

（3）　① 76　② 薬指

（4）　① 重複投薬・相互作用等防止　② 40　③ 防A

　　　※処方箋備考欄の記述から残薬以外の調整であることがわかる。

（5）　1　① a　② 20　③ 自

　　　※指示内容から内服薬の加算には自家製剤加算と外来服薬支援料2の算定が
　　　　考えられるが、外来服薬支援料の2は、3種類の薬剤が1ではなく、かつ、
　　　　服用時点が加算する内服用がないので、算定が認められない。よって自家
　　　　製剤加算を算定する。3日分であるから、20点となる。

　　　2　① 計量混合調剤　② 80　③ 計 　※軟・硬膏剤の混合に該当する。

　　　3

Rp.	単位薬剤料	調剤数量	薬剤料	薬剤調製料	調剤管理料	加算
1）	8	3	24	24	4	自20
3）	32	1	32	10	0	計80

○薬剤料……単位薬剤料×調剤数量で計算する。

　Rp. 1）　内服薬であり、2種類の薬剤で1剤のため、薬剤料を合計してから点数
　　　　　に換算する。単位薬剤料はレスタミンコーワ錠4錠とセフポドキシムプ
　　　　　ロキセチル錠2錠。調剤数量は日数分の3となる。

　　　　　単位薬剤料：5.90 円 × 4 錠 + 28.10 円 × 2 錠 = 79.80 円

　　　　　　　　　　79.80 円 ÷ 10 円 = 7.98 点 → 8 点

　　　　3）　外用薬であり、2種類の薬剤を混合するため、薬剤料を合計してから点
　　　　　数に換算する。単位薬剤料は総量。調剤数量は1である。

　　　　　単位薬剤料：8.50 円 × 30 g + 20.90 円 ÷ 10 g × 30 g※ = 317.70 円

　　　　　　　　　　317.70 円 ÷ 10 円 = 31.77 点 → 32 点

　　　　　※白色ワセリンは、薬価が 10 g 単位であるため、1 g あたりの薬価を求
　　　　　めてから計算をすると間違いが少ない。

○薬剤調製料・調剤管理料

　Rp. 1）は内服薬である。服用日数が 3 日分であるから、薬剤調製料 24 点、調
剤管理料 4 点（7 日分以内）を算定する。

　Rp. 3）は外用薬である。薬剤調製料 10 点を算定できる。調剤管理料は内服薬
で別に算定しているため、算定できない。

✚解答レセプト

⊕ 調剤報酬明細書　　令和 6 年 7 月分

| 都道府県番号 | 薬局コード | | 4 調剤 ①社・国 3 後期 ① 単独 2 本外 8 高外一 | 様式第五 |

4調剤 ①1社・国 3後期 ①1単独 2 2併 4 6併 | 2本外 4六外 6家外 | 8高外一 給付割合 10 9 8 7 ( )

| 保険者番号 | 0 6 2 7 0 0 1 7 |
| 被保険者証・被保険者手帳等の記号・番号 | 5432・8 |

| 公費負担者番号① | | 公費負担医療の受給者番号① | |
| 公費負担者番号② | | 公費負担医療の受給者番号② | |

氏名 ①男 2女 1明 2大③昭 4平 5令 26・9・13 生　　特記事項 **28 区ウ**

職務上の事由 1 職務上 2 下船後3月以内 3 通勤災害

| 保険医療機関の所在地及び名称 | 京都市下京区御器屋町 9999　大谷病院 | 保険医氏名 | 小谷　正平 | 1. 2. 3. 4. 5. | 6. 7. 8. 9. 10. | 保険 公費① 公費② 受付回数 | 1 回 回 回 |
| 都道府県番号 | 2 6 | 点数表番号 | 医療機関コード 6 9 6 9 6 9 6 | | | | |

医師番号	処方月日	調剤月日	処方 医薬品名・規格・用量・剤形・用法	単位薬剤料	数量	調剤 薬剤調製料 調剤管理料	調剤報酬点数 薬剤料	加算料	公費分点数
1	7・6	7・6	「内服」 レスタミンコーワ錠10mg　4錠 セフポドキシムプロキセチル錠100mg 「サワイ」　2錠 　1日2回　朝・夕食後	8 点	3	24 点 4	24 点	自 20 点	点
	・	・							
	・	・							
	・	・							
1	7・6	7・6	「外用」 ベタメタゾン吉草酸エステル軟膏 0.12%「イワキ」　30g 白色ワセリン　30g 　　1日2回　背中に塗布	32	1	10 0	32	計 80	
	・	・							

摘要　7/6（土）15：00受付　イブプロフェン顆粒につき、他院で非ステロイド性消炎鎮痛剤が処方されているため、処方医に確認の上、削除。

	高額療養費	円
保険	請求 416 点	※決定 点	一部負担金額 円	調剤基本料 点 基A 後A 66	時間外等加算 点 夜 40	薬学管理料 点 薬指1 防A 1 116	点
			減額 割(円)免除・支払猶予				
公費①	点	※ 点	円	点	点	点	点
公費②	点	※ 点	円	点	点	点	点

※1 レセプトには実際に調剤した医薬品名を記載する。
※2 下線部については省略可。

✚ 調剤報酬の計算

（1）　① 84　② 基E 、 地支C 、 後C 、 連強 、 薬DX
　　　※① 35点＋10点＋30点＋5点＋4点＝84点

（2）　b　※薬局の設定より開業時間内かつ 19：00以降の来局である。

（3）　① 45　② a　※3月以内の来局歴とお薬手帳の有無で判断する。

（4）　a　※特に安全管理が必要な医薬品として、バイエッタ皮下注が新規追加さ
　　　　　れている。なお、レセプトの略記号は 特管Aイ である。

（5）　① ① 10　② 四捨五入
　　　②

Rp.	単位薬剤料	調剤数量	薬剤料	薬剤調製料	調剤管理料	加算
1）	4	28	112	24	50	
2）	824	1	824	26	0	
3）	101	1	101	0	0	

○薬剤料……単位薬剤料×調剤数量で計算する。

　Rp. 1）　単位薬剤料は、2つの薬で1剤である。合計金額を計算して薬価に換算
　　　　　する。調剤数量は日数分の28となる。
　　　　　単位薬剤料：9.80円×2錠＋10.10円×2錠＝39.80円
　　　　　　　　　　　39.80円÷10円＝3.98点 → 4点

　　　2）　注射薬であり、単位薬剤料は総量。調剤数量は1である。
　　　　　単位薬剤料：8,237円×1キット＝8,237円
　　　　　　　　　　　8,237円÷10円＝823.7点 → 824点

　　　3）　特定保険医療材料料は、単位薬剤料は総量、調剤数量は1である。
　　　　　単位薬剤料：18円×56本＝1,008円　1,008円÷10円＝100.8点 → 101点
　　　　　　　　　　　　　　　　　　　　　　　　　　　（小数点以下四捨五入）

○薬剤調製料・調剤管理料

　Rp. 1）は内服薬28日分であるから、薬剤調製料24点、調剤管理料50点（15
日〜28日分）を算定する。

　Rp. 2）は注射薬であり、薬剤調製料26点を算定するが、調剤管理料は内服薬
で別に算定されているため、ここでは算定できない。

　Rp. 3）は特定保険医療材料であるため、薬剤調製料、調剤管理料ともに算定し
ない。

✚ 解答レセプト

調 剤 報 酬 明 細 書　　令和 6 年　7 月分

| 都道府 薬局コード 県番号 | | 4 調剤 | ① 社・国　3 後期 | ① 単独 2 2 併 2 3 併 | ② 2 併 4 6 家 | 本外 六外 家外 | 8 高入一 0 高外7 | 様式第五 |

保険者番号 `0 1 1 1 0 0 1 4`　給付割合 10 9 8 7 ( )

被保険者証・被保険者手帳等の記号・番号　**12・001**

| 公費負担者番号① | | | 公費負担医療の受給者番号① | |
| 公費負担者番号② | | | 公費負担医療の受給者番号② | |

氏名　**新城　武**　　1①男 2女　1明 2大③昭 4平 5令 60・7・7 生

特記事項

職務上の事由　1 職務上　2 下船後3月以内　3 通勤災害

保険薬局の所在地及び名称

| 保険医療機関の所在地及び名称 | さいたま市北区宮原町 9999 宮原内科 | 保険医氏名 | 1. 宮原　敬一郎　6.
2.　7.
3.　8.
4.　9.
5.　10. | 保険 受付回数 公費① 公費② | 1 回　回 |
| 都道府県番号 1 1　点数表 1　医療機関コード 1 9 9 9 8 8 7 | | | | | |

医師番号	処方月日	調剤月日	処　方 医薬品名・規格・用量・剤形・用法	単位薬剤料	調剤 数量	薬剤調製料 調剤管理料	薬剤料	加算料	公費分点数
1	7・8	7・8	「内服」 メトホルミン塩酸塩錠250mg「SN」 2錠 ベザフィブラート徐放錠200mg 「トーワ」2錠 1日2回　朝夕食後	4 点	28	24 点 50	112 点	点	点
1	7・8	7・8	「注射」 バイエッタ皮下注5μgペン 300 1キット 1回5μg 皮下注射 1日2回 朝夕食前	824	1	26 0	824		
1	7・8	7・8	「材料」 万年筆型注入器用注射針 (2) 超微細型　56本	101	1	0 0	101		

> 商品名ではなく材料価格基準の名称で書く。

> 調剤基本料欄に書ききれないものは摘要欄に書く。

| 摘要 | 連強 薬DX 7/8 19:00 受付 | ※高額療養費 公費負担点数 公費負担点数 | 円 点 点 |

保険	請求 1,316 点※	決定 点	一部負担金額 円 減額　割(円)免除・支払猶予	調剤基本料 点 基E 地支C 後C 84	時間外等加算 点 夜 40	薬学管理料 点 薬A1 特管Aイ1 55
公費①	点※	点	円	点	点	点
公費②	点※	点	円	点	点	点

※ 下線部は省略可。

✚調剤報酬の計算

（1）　①　73　　②　基A、後B　　※① 45点＋28点＝73点

（2）　①　45　　②　a　※3月以内の来局歴とお薬手帳の有無で判断する。

（3）　c　※前回と同じ処方内容のハイリスク薬であり、医薬品リスク管理計画対象の医薬品ではないため、特定薬剤管理指導加算1および3は算定することができない。

（4）　①　服薬情報等提供料2イ　　②　20　　③　服Bイ

（5）

Rp.	単位薬剤料	調剤数量	薬剤料	薬剤調製料	調剤管理料	加算
1）	9	28	252	24	50	
2）	1	28	28	24	50	

○薬剤料……単位薬剤料×調剤数量で計算する。

Rp. 1）　単位薬剤料は、5つの薬で1剤である。合計金額を計算して薬価に換算する。調剤数量は日数分の28となる。

単位薬剤料：19.20円×1錠＋10.10円×1錠＋44.00円×1錠

＋5.70円×1錠＋15.50円×1錠＝94.50円

94.50円÷10円＝9.45点 → 9点

2）　単位薬剤料は1錠分。調剤数量は日数分の28となる。

単位薬剤料：10.10円×1錠＝10.10円 → 1点（15円以下は1点）

○薬剤調製料・調剤管理料

Rp. 1）、2）はともに内服薬であり、それぞれ服用方法が異なるので、どちらも薬剤調製料・調剤管理料を算定できる。どちらも28日分であるから、薬剤調製料24点、調剤管理料50点（15〜28日分）をそれぞれ算定する。

⊕ 調剤報酬明細書　　令和 6 年 6 月分

| | 4 調剤 | ① 社・国 | 3 後期 | ① 単独 | ② 本入 | 8 高一 | 様式第五 |
| | | 2 公費 | | 2 3 併 | 4 6 併 | 0 高外7 | |

| 保険者番号 | 1 1 4 0 0 9 | 給付割合 10 9 8 7 ( ) |

| 被保険者証・被保険者手帳等の記号・番号 | 123・456 |

| 公費負担者番号① | | 公費負担医療の受給者番号① | |
| 公費負担者番号② | | 公費負担医療の受給者番号② | |

氏名　　中山　健次郎

①男 2女　1明 2大③昭 4平 5令　30・1・12 生

職務上の事由　1職務上　2下船後3月以内　3通勤災害

| 特記事項 | | 保険薬局の所在地及び名称 | |

| 保険医療機関の所在地及び名称 | さいたま市西区島根 999 与野第一病院 | 保険医氏名 | 1. 杉田　香　　6.
2.　　　　　　7.
3.　　　　　　8.
4.　　　　　　9.
5.　　　　　　10. | 保険受付回数 | 1 回
回
回 |

| 都道府県番号 1 1 | 点数表番号 1 | 医療機関コード 0 3 0 0 0 1 1 |

医師番号	処方月日	調剤月日	処方 医薬品名・規格・用量・剤形・用法	調剤 単位薬剤料	数量	調剤報酬点数 薬剤調製料 調剤管理料	薬剤料	加算料	公費分点数
1	6・10	6・10	「内服」	9 点	28	24 点 50	252 点	点	点
	・	・	テルミサルタン錠40mg「明治」 1錠						
	・	・	アムロジピン OD 錠2.5mg「明治」 1錠						
	・	・	セララ錠50mg 1錠						
	・	・	アスピリン腸溶錠100mg「JG」 1錠						
	・	・	フェブリク錠10mg 1錠						
	・	・	1日1回 朝食後						
1	6・10	6・10	「内服」	1	28	24 50	28		
	・	・	ロスバスタチン錠2.5mg						
	・	・	「サワイ」 1錠						
	・	・	1日1回 夕食後						

摘要		高額療養費	円
		⑦公費負担	点
		⑦公費負担	点

	請 求 点	※決 定 点	一部負担金額 円	調剤基本料 点	時間外等加算 点	薬 学 管 理 料 点
保険	566		減額 割(円)免除・支払猶予	基A 後B 73		薬A 1 服B イ 1 65
公費①	点	※ 点	円	点	点	点
公費②	点	※ 点	円	点	点	点

✛調剤報酬の計算

（1） a ※医療機関名および調剤受付日が同一であること、医師の診療科が歯科以外であることを処方箋より確認のこと。

（2） ① 57 ② 基B 、 後B ※① 29 点＋28 点＝57 点

（3） ① 45 ② a ※3 月以内の来局歴とお薬手帳の有無で判断する。

（4） c ※前回と同じ処方内容のハイリスク薬であり、医薬品リスク管理計画対象の医薬品ではないため、特定薬剤管理指導加算 1 および 3 は算定することができない。

（5） 3 ※耳鼻咽喉科の Rp. 2 以外はすべて内服薬固形剤。受付 1 回であるから、2 枚の処方箋全体で考える。「朝夕食後」「朝食後」「毎食前」の 3 種類の服用方法がある。

（6）

	Rp.	単位薬剤料	調剤数量	薬剤料	薬剤調製料	調剤管理料	加算
循環器内科	1）2）	5	28	140	24	50	
	3）4）	3	28	84	24	50	
耳鼻咽喉科	1）	6	7	42	24	4	
	2）	27	1	27	10	0	

○薬剤料……単位薬剤料×調剤数量で計算する。

　循環器内科

　処方薬はすべて内服用固形剤。Rp. 1）および2）、Rp. 3）および4）はそれぞれ服用方法・日数ともに同じであるため、それぞれ2つの薬剤を1つのものとして、薬剤料・薬剤調製料および調剤管理料等を考える。

Rp. 1）　および2）　2種類の薬剤で1剤のため、薬剤料を合計してから点数に換算する。単位薬剤料はニフェジピン CR 錠2錠とフロセミド錠2錠。調剤数量は日数分の 28 となる。

　　　　　単位薬剤料：17.00 円× 2 錠＋ 6.10 円× 2 錠＝ 46.20 円

　　　　　　　　　　46.20 円÷ 10 円＝ 4.62 点 → 5 点

　　　3）　および4）　ワーファリン 1.5 錠は 1mg 1 錠、0.5mg 1 錠で計算する。3 種類の薬剤で1剤のため、薬剤料を合計してから点数に換算する。単位薬剤料はワーファリン錠 1mg 1 錠、ワーファリン錠 0.5mg 1 錠とロスバスタチン錠1錠。調剤数量は日数分の 28 となる。

　　　　　単位薬剤料：9.80 円× 1 錠＋ 9.80 円× 1 錠＋ 10.10 円× 1 錠＝ 29.70 円

　　　　　　　　　　29.70 円÷ 10 円＝ 2.97 点 → 3 点

　耳鼻咽喉科

Rp. 1）　2種類の薬剤で1剤のため、薬剤料を合計してから点数に換算する。単位薬剤料はロキソプロフェンナトリウム錠3錠とレバミピド錠3錠。調剤数量は日数分の7となる。

　　　　　単位薬剤料：9.80 円× 3 錠＋ 10.10 円× 3 錠＝ 59.70 円

　　　　　　　　　　59.70 円÷ 10 円＝ 5.97 点 → 6 点

　　　2）　外用薬であり、単位薬剤料は総量。調剤数量は1である。

　　　　　単位薬剤料：26.90 円× 10mL ＝ 269.00 円

　　　　　　　　　　269.00 円÷ 10 円＝ 26.9 点 → 27 点

○薬剤調製料・調剤管理料

　内服薬は受付1回を基準としてまとめて考える。それぞれ服用方法が異なるため、どちらも薬剤調製料・調剤管理料を算定できる。循環器内科はどちらも 28 日分であるから、薬剤調製料 24 点、調剤管理料 50 点（15 〜 28 日分）をそれぞれ算定する。耳鼻咽喉科は7日分であることから、薬剤調製料 24 点、調剤管理料4点を算定する。

　外用薬は1調剤。薬剤調製料 10 点は算定できるが、調剤管理料は内服薬で別に算定しているため、算定できない。

⊕ 調 剤 報 酬 明 細 書　　令和 6 年 11月分　　都道府県 薬局コード

4調剤 ①1社・国 3後期 ①1単独 ①2本外 8高入一	様式第五
2公費 2 2併 4 6家外 0高外7	

保険者番号 `0 2 1 3 0 0 2 1`　給付割合 10 9 8 7 ( )

被保険者証・被保険者手帳等の記号・番号　12345・76890

公費負担者番号①					公費負担医療の受給者番号①		
公費負担者番号②					公費負担医療の受給者番号②		

氏名　**津田　健太**　①男 2女　1明 2大③昭 4平 5令 42・12・11 生
特記事項

職務上の事由　1職務上　2下船後3月以内　3通勤災害

保険薬局の所在地及び名称

保険医療機関の所在地及び名称　千葉市美浜区高洲 999　千葉美浜病院

保険医氏名　1.中山　浩二　2.杉浦　伸一

都道府県番号 1 2　点数表 1　医療機関コード 2 2 9 9 8 7 7

受付回数　1 回

医師番号	処方月日	調剤月日	処方 医薬品名・規格・用量・剤形・用法	単位薬剤料	調剤数量	調剤報酬点数 薬剤調製料 調剤管理料	薬剤料	加算料	公費分点数
1	11・11	11・11	「内服」 ニフェジピン CR 錠 40mg 「サワイ」　2錠 フロセミド錠 20mg「NP」　2錠 　　　1日2回　朝夕食後	5 点	28	24 50	140 点	点	点
1	11・11	11・11	「内服」 ワーファリン錠 1mg　1錠 ワーファリン錠 0.5mg　1錠 ロスバスタチン錠 2.5mg「サワイ」　1錠 　　　1日1回　朝食後	3	28	24 50	84		
2	11・11	11・11	「内服」 ロキソプロフェンナトリウム錠 60mg 「CH」　3錠 レバミピド錠 100mg「サワイ」　3錠 　　　1日3回　毎食前	6	7	24 4	42		
2	11・11	11・11	「外用」 アズノールうがい液 4%　10mL 　　　1日数回うがい	27	1	10 0	27		

処方箋には「1瓶」の記載があるが、薬価基準上の単位ではないため書かない。

摘要

※高額療養費 円
※公費負担点数 点
※公費負担点数 点

保険	請　　求　　点	※決　　定　　点	一部負担金額 円	調剤基本料 点	時間外等加算 点	薬学管理料 点
	581		減額 割(円)免除・支払猶予	基B 後B 57		薬A 1 45
公費①	点	※ 点	円	点	点	点
公費②	点	点	円	点	点	点

※ 下線部は省略可。

✚ 調剤報酬の計算

（1）　①　73　　②　基A 、後B 　　※①45点＋28点＝73点

（2）　2

（3）　①　医療情報取得加算1　　②　3

　　　③　医情A 　　④　1

（4）　①　59　　②　薬C 　　③　45　　④　薬A

　　　※3月以内の来局歴とお薬手帳の有無で判断する。

（5）　11/2

Rp.	単位薬剤料	調剤数量	薬剤料	薬剤調製料	調剤管理料	加算
1）	2	14	28	24	28	
2）	4	10	40	0	0	
3）	24	1	24	10	0	
4）	87	1	87	10	0	

11/14

Rp.	単位薬剤料	調剤数量	薬剤料	薬剤調製料	調剤管理料	加算
1）	2	14	28	24	28	
2）	4	10	40	0	0	
3）	24	1	24	10	0	
4）	87	1	87	10	0	
5）	82	1	82	10	0	

○薬剤料……単位薬剤料×調剤数量で計算する。

11/2　Rp. 1）　2種類の薬剤で1剤のため、薬剤料を合計してから点数に換算する。単位薬剤料はハイボン錠2錠とピドキサール錠2錠。調剤数量は日数分の14となる。

単位薬剤料：5.70円×2錠＋5.90円×2錠＝23.20円

23.20円÷10円＝2.32点 → 2点

2）内服薬であり、単位薬剤料は2錠。調剤数量は日数分の10である。

単位薬剤料：19.30円×2錠＝38.60円

38.60円÷10円＝3.86点 → 4点

3）外用薬であり、単位薬剤料は総量（10g）。調剤数量は1である。

単位薬剤料：24.10円×10g＝241.00円

241.00円÷10円＝24.1点 → 24点

4）外用薬であり、単位薬剤料は総量（15g）。調剤数量は1である。

単位薬剤料：58.20円×15g＝873.00円

873.00円÷10円＝87.3点 → 87点

11/14 Rp. 1）～4）　11/2 Rp. 1）～4）に同じ

5）外用薬であり、単位薬剤料は総量（100g）。調剤数量は1である。

単位薬剤料：8.20円×100 g＝820.00円

820.00円÷10円＝82.0点 → 82点

○薬剤調製料・調剤管理料

　11/2、11/14のRp. 1）、2）はそれぞれ内服薬である。服用方法が同じで、服用日数が異なるため、投与日数の長いRp. 1）のみ薬剤調製料・調剤管理料を算定できる。Rp. 1）は14日分であるから、薬剤調製料24点、調剤管理料28点（8～14日分）を算定する。

　11/2、11/14のRp. 3）、4）および11/14のRp. 5）はそれぞれ外用薬である。それぞれ1調剤であるから、薬剤調製料10点をそれぞれ算定できる。調剤管理料は内服薬で別に算定しているため、算定できない。

✚解答レセプト

☉ 調剤報酬明細書　　令和 6 年 11月分

都道府県番号　薬局コード

4 調剤	①社・国　3 後 期	① 単独	2 本 外	8 高外一	様式第五
2 公費	2 2 併	2 4 六 外	0 高外7	
	3 3 併	⑥ 家 外		

給付割合 10 9 8　7 (　)

公費負担者番号 ①
公費負担者番号 ②
公費負担医療の受給者番号①
公費負担医療の受給者番号②

保険者番号　3 1 1 3 0 0 2 4

被保険者証・被保険者手帳等の記号・番号　1001・1234

特記事項

氏名　坂本　絵梨
1男 ②女　1明 2大 3昭 ④平 5令 13・3・17 生
職務上の事由　1職務上　2下船後3月以内　3通勤災害

保険薬局の所在地及び名称

> 異なる調剤日で、単位薬剤料に関する内容が同じならば、1つの欄にまとめて書く。

保険医療機関の所在地及び名称　東京都北区王子 9-9-999　王子皮膚科

保険医氏名　1. 山本　理恵　2. 山本　健三　6. 　7. 　3. 　8. 　4. 　9. 　5. 　10.

保険受付回数公費①公費②　2 回　回　回

都道府県番号　1 3　点数表番号　医療機関コード　9 3 1 4 9 3 1

医師番号	処方月日	調剤月日	処方（医薬品名・規格・用量・剤形・用法）	単位薬剤料	調剤数量	薬剤調製料 調剤管理料	薬剤料	加算料	公費分点数
1	11・2	11・2	「内服」	2 点	14	24 点 28	28 点	点	点
	・	・	ハイボン錠20mg　2錠						
2	11・14	11・14	ビドキサール錠30mg　2錠		14	24 28	28		
	・	・	1日2回　朝夕食後						
1	11・2	11・2	「内服」	4	10	0 0	40		
2	11・14	11・14	アレロックOD錠2.5　2.5mg　2錠		10	0 0	40		
			1日2回　朝夕食後						
1	11・2	11・2	「外用」	24	1	10 0	24		
	・	・	ダラシンTゲル1％　10g						
2	11・14	11・14	塗布　顔面　1日2回		1	10 0	24		
1	11・2	11・2	「外用」	87	1	10 0	87		
	・	・	ディフェリンゲル0.1％　15g						
2	11・14	11・14	塗布　顔面　1日1回　就寝前		1	10 87	87		
2	11・14	11・14	「外用」	82	1	10 0	82		
			ヘパリン類似物質外用スプレー0.3%						
			「サトウ」100g						
			塗布　顔面　保湿　1日2回						

摘要

※高額療養費　　円
※公費負担点数　点
※公費負担点数　点

保険	請求　点	※	決定　点	一部負担金額 円	調剤基本料 点	時間外等加算料 点	薬学管理料 点
	847			減額　割(円)免除・支払猶予	基A 後B 146		薬C 1 薬A 1 医情A 1 107
公費①	点	※	点	円	73点×2回	点	59点＋45点＋3点
公費②	点	※	点	円			

※ 下線部は省略可。

✛ 調剤報酬の計算

（1）　① 50　　② 基B 、後A 　　※① 29 点＋21 点＝50 点

（2）　① 45　　② a　　※ 3 月以内の来局歴とお薬手帳の有無で判断する。

（3）　c　　※前回と同じ処方内容のハイリスク薬であり、医薬品リスク管理計画対
　　　　　　象の医薬品ではないため、特定薬剤管理指導加算 1 および 3 は算定す
　　　　　　ることができない。

（4）　① 外来服薬支援料 2　　② 170
　　　※ 4 つの薬剤で 1 剤となっているため、外来服薬支援料 2 の対象となる。30
　　　　日分であるため、34 点× 5 ＝ 170 点となる。
　　　③ 自家製剤　　④ 100
　　　※ 30 日分であるため、20 点× 5 ＝ 100 点となる。

（5）　① 経管投薬支援料　　② 100　　③ 経

（6）

Rp.	単位薬剤料	調剤数量	薬剤料	薬剤調製料	調剤管理料	加算
1）〜4）	7	30	210	24	60	支B 170

〇薬剤料……単位薬剤料×調剤数量で計算する。

　Rp. 1）〜 4）はすべて内服用固形剤であり、服用方法・服用日数が同じである
ことから、単位薬剤料はすべてまとめ、4 つの薬で 1 剤となる。合計金額を計算し
て薬価に換算する。調剤数量は日数分の 30 となる。

　　単位薬剤料：12.40 円× 1 錠＋ 10.10 円× 1 錠＋ 10.30 円× 1 錠
　　　　　　　　＋ 35.50 円× 1 錠＝ 68.30 円
　　　　　　68.30 円÷ 10 円＝ 6.83 点 → 7 点

〇薬剤調製料・調剤管理料

　Rp. 1）〜 4）は内服薬 30 日分であるから、薬剤調製料 24 点、調剤管理料 60
点（29 日分以上）を算定する。

✚解答レセプト

調剤報酬明細書　令和 6 年 6 月分

都道府県番号　薬局コード

4 調剤	1 社・国	③後期	①単独	2 本外	⑧高外一
	2 公費		2 2併	4 六外	0 高外7
			3 3併	6 家外	

様式第五 ★

保険者番号	3 9 1 1 2 1 9 8	給付割合 10 9 8 7 ( )
被保険者証・被保険者手帳等の記号・番号	25250001	
公費負担者番号①		公費負担医療の受給者番号①
公費負担者番号②		公費負担医療の受給者番号②

氏名	清水　継男 ①男 2女 1明 2大 ③昭 4平 5令 17・1・17 生	特記事項 42 区キ
職務上の事由	1 職務上　2 下船後 3 月以内　3 通勤災害	

保険薬局の所在地及び名称

保険医療機関の所在地及び名称	上尾市浅間台 9-1-6 松木医院	保険医氏名	1. 松木　太　2.　3.　4.　5.　6.　7.　8.　9.　10.
都道府県番号	1 1	点数表番号 1	医療機関コード 0000000

受付回数：保険 1 回　公費① 回　公費② 回

医師番号	処方月日	調剤月日	医薬品名・規格・用量・剤形・用法	単位薬剤料	調剤数量	薬剤調製料 調剤管理料	薬剤料	加算料	公費分点数
1	6・22	6・22	「内服」 ランソプラゾール OD 錠 15mg「トーワ」 1錠 ピタバスタチン Ca・OD 錠 1mg「トーワ」 1錠 セルトラリン OD 錠 25mg「トーワ」 1錠 クロピドグレル錠 75mg「トーワ」 1錠 1日1回　朝食後	7 点	30	24 点 60	210 点	支B 170 点	点

摘要

※高額療養費 円　※公費負担点数 点　※公費負担点数 点

	請求	※決定	一部負担金額	調剤基本料	時間外等加算	薬学管理料
保険	659		減額 割(円)免除・支払猶予	基B 後A 50		薬A 1 経 1 145
公費①	点	※ 点	円	点	点	点
公費②	点	※ 点	円	点	点	点

★ 保険番号が「39」から始まるので後期に○をつける。

✚調剤報酬の計算

（1）　①　66　　②　基A、後A　　※①45点＋21点＝66点
（2）　①　45　　②　a　　※3月以内の来局歴とお薬手帳の有無で判断する。
（3）　①　乳幼児服薬指導加算　　②　12　　③　乳
（4）　1　①　計量混合調剤　　②　35
　　　　　③　計　※Rp.1）の薬剤は液剤に該当する。
　　　2

Rp.	単位薬剤料	調剤数量	薬剤料	薬剤調製料	調剤管理料	加算
1）	8	7	56	24	4	計35
2）	9	7	63	24	4	
3）	15	1	15	10	0	

○薬剤料……単位薬剤料×調剤数量で計算する。

　Rp.1）　内服薬であり、2種類の薬剤を混合するため、薬剤料を合計してから点
　　　　　数に換算する。単位薬剤料はムコダインシロップ6mLとザイザルシ
　　　　　ロップ5mL。調剤数量は日数分の7となる。
　　　　　単位薬剤料：6.10円×6mL＋8.80円×5mL＝80.60円
　　　　　　　　　　　80.60円÷10円＝8.06点 → 8点
　　　2）　内服薬であり、単位薬剤料は1包。調剤数量は日数分の7となる。
　　　　　単位薬剤料：89.80円×1包＝89.80円
　　　　　　　　　　　89.80円÷10円＝8.98点 → 9点
　　　3）　外用薬であり、単位薬剤料は総量。調剤数量は1となる。
　　　　　単位薬剤料：21.60円×7枚＝151.20円
　　　　　　　　　　　151.20円÷10円＝15.12点 → 15点

○薬剤調製料・調剤管理料

　Rp.1）、2）は内服薬である。それぞれ服用方法が異なるため、どちらも薬剤
調製料・調剤管理料を算定できる。服用日数がどちらも7日分であるから、薬剤調
製料24点、調剤管理料4点（7日分以内）をそれぞれ算定する。

　Rp.3）は外用薬である。薬剤調製料10点を算定できる。調剤管理料は内服薬
で別に算定しているため、算定できない。

✚レセプトの記載

1 単独
2 2併
3 3併　　※処方箋の保険者番号に番号の記載があり、公費負担者番号①の1種類に
　　　　　番号の記載があるため、「2併」に○をつける（本文P.114参照）。

調剤報酬ケーススタディ 7

| ✚ 調剤報酬明細書 | | 令和 6 年 7 月分 | 都道府県 薬局コード 県番号 | | | 4調剤① 社・国 2公費 | 3後期 | 1単独 2併 3併 | 2本外 4六外 6家外 | 8高一 0高7 | 様式第五 |

| 公費負担者番号① | 8 8 1 3 2 0 9 7 | 公費負担医療の受給者番号① | 9 9 9 9 9 9 9 | 保険者番号 | 0 6 1 4 0 9 5 8 | 給付割合 10 9 8 7 ( ) |
| 公費負担者番号② | | 公費負担医療の受給者番号② | | 被保険者証・被保険者手帳等の記号・番号 | 4070・2354 |

氏名　岩井 佳子
1男 ②女　1明 2大 3昭 4平 ⑤令　4・4・12 生
職務上の事由　1職務上　2下船後3月以内　3通勤災害

特記事項

保険薬局の所在地及び名称

| 保険医療機関の所在地及び名称 | 東京都品川区北品川9-9-9　四奈川こどもクリニック | 保険医氏名 | 1. 四奈川 蘭　6.　2.　7.　3.　8.　4.　9.　5.　10. | 保険 受付回数 公費① 公費② | 1 回　回　回 |
| 都道府県番号 | 1 3 | 点数表 1 | 医療機関コード | 5 9 5 9 8 8 1 | | |

医師番号	処方月日	調剤月日	処方 医薬品名・規格・用量・剤形・用法	単位薬剤料	調剤数量	調剤報酬点数 薬剤調製料 調剤管理料	薬剤料	加算料	公費分点数
1	7・13	7・13	「内服」　ムコダインシロップ5%　6mL　ザイザルシロップ0.05%　5mL　1日2回　朝・夕食後	8 点	7	24 4 点	56 点	計35 点	点
	・	・							
1	7・13	7・13	「内服」　キプレス細粒4mg　1包　1日1回　就寝前	9	7	24 4	63		
	・	・							
1	7・13	7・13	「外用」　ホクナリンテープ0.5mg　7枚　1日1枚　就寝前貼付	15	1	10 0	15		
	・	・							
	・	・							
	・	・							
	・	・							
	・	・							
	・	・							
	・	・							
	・	・							
	・	・							
	・	・							

| 摘要 | | | | | | 高療養費 公費負担 担点数 公費負担 担点数 | 円 点 点 |

保険	請求 点	率 決定 点	一部負担金額 円	調剤基本料 点	時間外等加算 点	薬学管理料 点
	358			基A 後A 66		薬A 1 乳 1 57
公費①	点	※ 点	減額 割(円)免除・支払猶予 0 円	点	点	点
公費②	点	※ 点	円	点	点	点

※ 下線部は省略可。

各都道府県の審査支払機関によっては記入を要しないこともある。

77

✚ 調剤報酬の計算

（1） a　※「10」は感染症法（結核患者）の法別番号を示す。本文 P.41 および P.43
　　　参照。

（2）　① 73　　② 基A 、 後B 　　※① 45 点＋28 点＝73 点

　　　③　a　※結核の適正医療では、抗結核薬および抗結核薬併用剤に関する薬
　　　剤料と調剤技術料（調剤基本料、薬剤調製料）、調剤管理料（加算含む）
　　　が対象となり、指導料は対象外である（本文 P.41）。

（3）　① 45　　② a　　③ b　※（2）③の解説参照。

（4）　1

Rp.	単位薬剤料	調剤数量	薬剤料	薬剤調製料	調剤管理料	加算
1）	9	3	27	24	4	
2）3）	5	14	70	24	28	

　　　2　c　※（2）③の解説参照。

○薬剤料……単位薬剤料×調剤数量で計算する。

　Rp. 1）　単位薬剤料は 3 錠分、調剤数量は日数分の 3 となる。

　　　　　単位薬剤料：31.50 円× 3 錠＝ 94.50 円

　　　　　　　　94.50 円÷ 10 円＝ 9.45 点 → 9 点

　　2）3）内服用固形剤であり、服用方法・服用日数が同じことから、単位薬
　　　　　剤料は、2 つの薬で 1 剤である。合計金額を計算して薬価に換算する。
　　　　　調剤数量は日数分の 14 となる。

　　　　　単位薬剤料：12.50 円× 0.3g ＋ 16.90 円× 3 カプセル＝ 54.45 円

　　　　　　　　54.45 円÷ 10 円＝ 5.445 点 → 5 点

○薬剤調製料・調剤管理料

　Rp. 1）～3）はともに内服薬である。それぞれ服用方法が異なるため、どちら
も薬剤調製料・調剤管理料を算定できる。Rp. 1）は服用日数が 3 日分であるから、
薬剤調製料 24 点、調剤管理料 4 点（7 日分以内）を算定する。Rp. 2）3）は服
用日数が 14 日分であるから、薬剤調製料 24 点、調剤管理料 28 点（8 ～ 14 日分）
を算定する。

✚ レセプトの記載

1 単 独
②2 併
3 3 併

※処方箋の保険者番号に番号の記載があり、公費負担者番号①の 1 種類に
番号の記載があるため、「2 併」に○をつける（本文 P.114 参照）。

✚ 解答レセプト

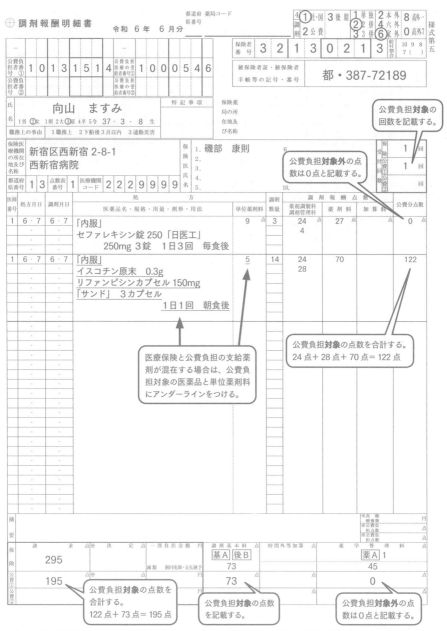

○ 調剤報酬明細書　　令和 6 年 6 月分

	都道府県 薬局コード			
4 調剤	① 社・国 3 後期	1 単独	2 本外	8 高外一
	② 公費	2 2 併	4 6 家外	0 高外7
		3 3 併	6	給付割合 10 9 8 7 ( )

様式第五

保険者番号　3 2 1 3 0 2 1 3

公費負担者番号①　1 0 1 3 1 5 1 4
公費負担医療の受給者番号①　1 0 0 0 5 4 6
公費負担者番号②
公費負担医療の受給者番号②

被保険者証・被保険者手帳等の記号・番号　都・387-72189

7　調剤報酬ケーススタディ

氏名　向山 ますみ
1男 ②女　1明 2大 ③昭 4平 5令 37・3・8 生
職務上の事由　1 職務上　2 下船後3月以内　3 通勤災害

特記事項

保険薬局の所在地及び名称

> 公費負担対象の回数を記載する。
> 公費負担対象の回数 1 回
> 公費負担対象外の点数は0点と記載する。 1 回　回

保険医療機関の所在地及び名称　新宿区西新宿 2-8-1　西新宿病院
都道府県番号 1 3　点数表 1　医療機関コード 2 2 2 9 9 9 9

保険医氏名　1. 磯部 康則　2. 3. 4. 5. 6. 10.

医師番号	処方月日	調剤月日	処　方 医薬品名・規格・用量・剤形・用法	単位薬剤料	調剤数量	調剤報酬点数 薬剤調製料・調剤管理料	薬剤料	加算料	公費分点数
1	6・7	6・7	「内服」 セファレキシン錠250「日医工」 250mg 3錠　1日3回　毎食後	9 点	3	24 点 4	27 点	点	0 点
1	6・7	6・7	「内服」 イスコチン原末　0.3g リファンピシンカプセル150mg 「サンド」　3カプセル 1日1回　朝食後	5	14	24 28	70		122

> 医療保険と公費負担の支給薬剤が混在する場合は、公費負担対象の医薬品と単位薬剤料にアンダーラインをつける。

> 公費負担対象の点数を合計する。 24 点＋ 28 点＋ 70 点＝ 122 点

摘要

	中高額療養費	円
	基準内公費点数	点
	基準外公費点数	点

	請　求 点 ※	決　定 点	一部負担金額 円	調剤基本料 点	時間外等加算料 点	薬学管理料 点
保険	295		減額　割(円)免除・支払猶予	基A 後B 73		薬A 1 45
公費① 公費②	195 点	点	円	73 点	点	0 点

> 公費負担対象の点数を合計する。 122 点＋ 73 点＝ 195 点

> 公費負担対象の点数を記載する。

> 公費負担対象外の点数は0点と記載する。

※ 公費負担医療対象の点数と対象外の点数とが混在する場合は、公費の項目に必要な記入を行う。

✚ 調剤報酬の計算

（1） b

（2） a、b、c、d、g　　※本文 P.45 を参照のこと

（3） ① 88　② 基A、後B、在総A　　※① 45点＋28点＋15点＝88点

（4）

Rp.	単位薬剤料	調剤数量	薬剤料	薬剤調製料	調剤管理料	加算
1）	6	14	84	24	28	支B 68
2）	3	14	42	24	28	支B
3）	2	14	28	24	28	支B

　　　　一包化の指示が出ているため外来服薬支援料2（支B）を算定する（34点
　　　　× 2 = 68点）。

○薬剤料……単位薬剤料×調剤数量で計算する。

　Rp. 1）　すべて内服薬である。単位薬剤料は、4つの薬で1剤である。合計金額
　　　　　を計算して薬価に換算する。調剤数量は日数分の14となる。

　　　　　　単位薬剤料：9.80円× 1錠＋ 10.10円× 1錠＋ 6.20円× 1錠

　　　　　　　　　　　　＋ 32.30円× 1錠＝ 58.40円

　　　　　　58.40円÷ 10円＝ 5.84点 → 6点

　　　2）　すべて内服薬である。単位薬剤料は、2つの薬で1剤である。合計金額
　　　　　を計算して薬価に換算する。調剤数量は日数分の14となる。

　　　　　　単位薬剤料：10.10円× 2錠＋ 5.70円× 2錠＝ 31.60円

　　　　　　31.60円÷ 10円＝ 3.16点 → 3点

　　　3）　内服薬であり、単位薬剤料は3錠。調剤数量は日数分の14となる。

　　　　　　単位薬剤料：5.70円× 3錠＝ 17.10円

　　　　　　17.10円÷ 10円＝ 1.71点 → 2点

○薬剤調製料・調剤管理料

　内服薬はそれぞれ服用方法が異なるため、どちらも薬剤調製料・調剤管理料を算
定できる。ともに14日分であるから、薬剤調製料24点、調剤管理料28点（8 ～
14日分）をそれぞれ算定する。

✚解答レセプト

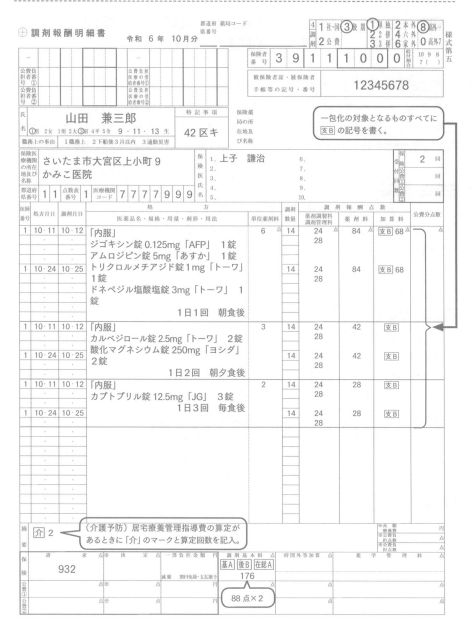

Chapter 7　❸ レセプト点検問題

✚ 解答・解説

解答▶ 第1問 ②　　第2問 ①　　第3問 ②　　第4問 ③　　第5問 ②
　　　第6問 ③　　第7問 ③　　第8問 ③　　第9問 ③

解説

　本問は、診療時間外に来局した患者に対する処方箋である。土曜日 14 時の来局であるから、時間外加算が算定できる。時間外加算が主に算定できるのは、調剤基本料や薬剤調製料・調剤管理料である。また、摘要欄に受付日時を記載することが必要である。

第1問・第2問

　処方箋の記述と選択肢の記載とを丁寧に比べることが大切である。また、見誤りやすい表現にも留意する。

第3問

　解説冒頭の記述から、本問は時間外加算の事例である。そのため、加算に時間外加算が示されているものを選択する。

第4問・第5問

　Rp. 2）では、内用薬で「5回分」という記述から、屯服薬である。そのため、単位薬剤料は 1 回で調剤した総量、調剤数量は 1 となる。

　　　単位薬剤料は、149.80 円× 0.2g × 5 回＝ 149.80 円

　　　149.80 円÷ 10 ＝ 14.98 点→ 15 点

　薬剤調製料は 21 点、調剤管理料は内服薬の分を算定しているため 0 点である。コデインリン酸塩散は麻薬であるから、薬剤調製料に麻薬加算 70 点を加算する。また、時間外加算として薬剤調製料 21 点× 100/100=21 点を薬剤調製料に加算する。加算料には加算の略記号すべてと加算の合計を記載する。

第6問

　Rp. 3）は外用薬である。薬剤調製料は 10 点、調剤管理料は内服薬の分を算定しているため 0 点である。2 種類の軟膏を混合する指示があるため、薬剤調製料に計量混合調剤加算（軟・硬膏剤）80 点を加算する。時間外加算として薬剤調製料 10 点× 100/100=10 点を薬剤調製料に加算する。加算料には加算の略記号すべてと加算の合計を記載する。

第7問

本問は時間外加算の算定事例である。受付日時を処方箋から丁寧に読み取って記載する必要がある。

第8問

時間外加算を算定する。調剤基本料の 100/100 の点数を加算する。調剤基本料が 73 点（45 点＋28 点）であるから、73 点× 100/100 ＝ 70 点となる。

第9問

3 か月以内の来局歴がなく、お薬手帳もないことから、服薬管理指導料は 59 点を算定する（ 薬C ）。

麻薬の服薬と管理について指導していることから、服薬管理指導料に麻薬管理指導加算 22 点（ 麻 ）を加算する。

その他

調剤基本料は 73 点で、略記号は 基A 、 後B である（45 点＋28 点）。

薬剤料は単位薬剤料×調剤数量で求める。

Rp. 1）は内服薬である。3 種類の薬剤で 1 剤のため、薬剤料を合計してから点数に換算する。単位薬剤料はセファクロルカプセル 3 カプセル、イブプロフェン錠 3 錠とフスタゾール糖衣錠 3 錠。調剤数量は日数分の 7 となる。

単位薬剤料：54.70 円× 3 カプセル＋ 6.10 円× 3 錠＋ 5.90 円× 3 錠＝ 200.10 円

200.10 円÷ 10 円＝ 20.01 点→ 20 点

Rp. 3）は外用薬である。2 種類の薬剤で 1 剤のため、薬剤料を合計してから点数に換算する。単位薬剤料は、ベタメタゾン吉草酸エステル軟膏 5 g とアズノール軟膏 20 g。調剤数量は 1 である。

単位薬剤料：8.50 円× 5 g ＋ 53.00 円÷ 10 g[※]× 20 g ＝ 148.50 円

148.50 円÷ 10 円＝ 14.85 点 → 15 点

※薬価の単位が 10g であることに留意する。

調剤報酬明細書　令和 6 年 6 月分

都道府県番号　薬局コード

	4 ①社・国 3 後期	①単独 ②本外 8 高外一	様式第五
調剤	1 ②公費	2 2併 4 6家外 0 高外7	
	2 3併		10 9 8 給付割合 7（ ）

保険者番号　**3 4 1 3 0 0 2 1**

被保険者証・被保険者手帳等の記号・番号　**公立千・797461**

公費負担者番号①		
公費負担者番号②		公費負担医療の受給者番号①
		公費負担医療の受給者番号②

氏名　**南原　茂**　①男 2女 1明 2大 ③昭 4平 5令 50・3・8 生

職務上の事由　1職務上　2下船後3月以内　3通勤災害

特記事項

保険薬局の所在地及び名称　**麻：12345 号**

| 保険医療機関の所在地及び名称 | 板橋区成増 2-8-9　田中記念病院 | 保険医氏名 | 1. 田中　耕太郎 6. / 2. 7. / 3. 8. / 4. 9. / 5. 10. | 保険 受付回数 公費① 公費② | 1 回 / 回 / 回 |
| 都道府県番号 **1 3** | 点数表番号 **1** 医療機関コード **1 3 0 0 0 0 6** | | | | |

医師番号	処方月日	調剤月日	処方 医薬品名・規格・用量・剤形・用法	単位薬剤料	調剤数量	薬剤調製料 調剤管理料	薬剤料	加算料	公費分点数
1	6・1	6・1	「内服」 セファクロルカプセル 250mg「日医工」 3カプセル イブプロフェン錠100mg「TCK」　3錠 フスタゾール糖衣錠10mg　3錠 1日3回　毎食後	20 点	7	24 点 4	140 点	薬剤調 28 点	
1	6・1	6・1	「屯服」 コデインリン酸塩散 10%　1.0g 1回 0.2g　咳が止まらないとき	15	1	21 0	15	麻 薬時 調時 91	
1	6・1	6・1	「外用」 ベタメタゾン吉草酸エステル軟膏 0.12%「イワキ」　5g アズノール軟膏 0.033%　20g 1日2～3回　湿疹部に塗布	15	1	10 0	15	計 薬時 調時 90	

摘要	6月1日（土）14時　緊急受付	※高額療養費	円
		※公費負担	点
		※公費点数欄	点
		※公費点数欄	点

	請求 点	※	決定 点	一部負担金額 円	調剤基本料 点	時間外等加算 点	薬学管理料 点
保険	**665**			減額 割引免除・支払猶予	基A 後B 73	時 73	薬C 1 麻 1 81
公費①	点	※	点	円	点	点	点
公費②	点	※	点	円	点	点	点

MEMO

㊙ 調剤報酬明細書

都道府県番号　薬局コード

令和　　年　　月分

1 社・国	3 後期	単独	1	2 本外	8 高外一
2 公費		2 併		4 六外	0 高外7
調剤		3 併		6 家外	

給付割合 10 9 8 7（ ）

公費負担者番号①			保険者番号
公費負担医療の受給者番号①			被保険者証・被保険者手帳等の記号・番号
公費負担者番号②			
公費負担医療の受給者番号②			

氏名

1 男 2 女　1 明 2 大 3 昭 4 平 5 令　 ・ ・ 　生

職務上の事由　1 職務上　2 下船後3月以内　3 通勤災害

特記事項

保険薬局の所在地及び名称

保険医療機関の所在地及び名称

点数表番号	医療機関コード

都道府県番号

保険医氏名　1. 2. 3. 4. 5.　6. 7. 8. 9. 10.

処方

医薬品名・規格・用量・剤形・用法

処方月日 ・ ・

受付回数	保険	回
	公費①	回
	公費②	回

調剤報酬点数　薬剤料　加算料　公費分点数

調剤数量　調剤管理料　薬剤調製料　点

単位薬剤料　調剤　数量

調剤月日 ・ ・

医師番号 ・ ・

摘要	保 険	公費①	公費②
	請 求		
	点※	点※	点※
	決 定		
	点	点	点
	一部負担金額 円	割引免除・支払猶予 円	円
	減額		
調 剤 基 本 料	点	点	点
時 間 外 等 加 算	点	点	点
薬 学 管 理 料	点	点	点
※決定 療養費 円			
※公費負担点数			
※公費負担点数